# MÁRGENES: Historia Íntima del Pueblo Hispano

# MÁRGENES

*Historia Íntima*
*del Pueblo Hispano*

*Zenia Sacks Da Silva*

HOFSTRA UNIVERSITY

HARPER & ROW, PUBLISHERS
*New York, Evanston, and London*

MÁRGENES: Historia Íntima del Pueblo Hispano

Library of Congress Catalog Card Number: 67-10807

*A mi padre,*
*I. H. Sacks,*
*idealista e ideal*

# Contents

◈

# Preface

H istory can be painted with a many-tipped brush. Drawn with the fine line of moment and event, its portrait emerges sure, precise, contained, circumspect. But between the thin strokes lies a gray where fact has bled passion dry. The resemblance is true, but the lips are without red.

The brush that I have chosen instead is a broad one. It moves in brash sweeps, touching lightly on the mass of historical record. But then it goes on, beyond the bald happenings, into the margins of history, where art and act and single lives betray the character of a people. There it rests, steeping in color the tradition, the lore, the song and word and sensibility and emotion that shape the faces of men. For history is not merely the periodical of the ages, not merely a compendium of what took place. It is rather the story of man as he lived in worlds long- and new-gone. It must hold surface and subsurface, sound and meaning, motion and impulse. This, in a very small way, is the goal of *Márgenes: Historia Íntima del Pueblo Hispano*.

The format is simple. The prologue, *Vista desde Afuera* (View from Without), presents briefly the Spaniard and the Spanish American in his regional context, bland object of the naked eye. Then follows *A través de los Siglos* (Across the Centuries), fifty short episodes that reflect the development of the Hispanic character in its many facets: how the people came to be, how their language grew, how they felt the call to art, to conquest, to religion, even to death; how they rose from abyss to glory and then fell to defeat and tyranny; how they viewed God, Mary, and the Devil; how they looked at maimed men, madmen, and redheads; how their every expression in all its forms, reveals the strange paradox of their nature. Nobleman and rogue, courtier, beggar, soldier, poet, friar, lover; pious, cynical, haughty, humble, ascetic, luxurious, violent, brutal, yet oddly, humanitarian. "Tumult of conflicting passions." "Man of contradiction and strife. . . ." Finally, the epilogue, *Vista desde Adentro* (View from Within), contains a collection of common idioms and popular sayings. Here, subtly, appear in the people's own words the same traits, the same values that characterize their history across the centuries. And so we conclude. Surface and subsurface, text and margin.

Actually, *Márgenes* has a double purpose. In addition to its cultural aspect, it has been planned as the basis for a workshop in the development of comprehension skills, both aural and written. These are some of its features:

1. It offers a flexible program that is applicable on various levels beyond the most elementary. The language poses no barrier. In fact, it is designed for speed reading with a minimum of home preparation, and even for sight reading and aural comprehension in class. Marginal glosses have been put in to avoid any possible pitfalls. Each chapter is short enough to be covered fully in one class session or less, and it is entirely feasible to read and discuss more than one in a single meeting. Also, since the materials are for the most part chronological, but not continuous, whole chapters or sections may be omitted, as time demands, without serious loss of continuity.

2. In the pursuit of active language skills, it calls for understanding and interpretation, rather than translation and recapitulation. It stresses oral participation and listening comprehension, as well as reading for content. To this end, the questions that pertain to each chapter appear in the Teacher's Manual, as do many other supplementary notes and materials that broaden listening opportunities and further original discussion.

3. In conjunction with its Student's Handbook, *Márgenes* provides, for the first time to my knowledge, a fully coordinated vocabulary building program based on association of ideas. This is an entirely new departure that elicits in a variety of ways the student's own reactions to words, phrases, and situations — sounds to smells to colors to abstractions; words of passion, of reason, of beauty, of art; opposites, synonyms, contexts, implications — objective, intimate .... I cannot state too strongly how important this supplement can be in turning the usual reading-and-recapitulation class into an exploratory workshop in language usage and personal identification.

In all, through its emphasis on reading for meaning, on aural comprehension, active conversation and the logical association of ideas, *Márgenes* is another step in what I call the "concept approach" to Spanish. I hope sincerely that it will find your approval.

Zenia S. Da Silva

One more word: a word of special gratitude to Prof. Leonardo C. de Morelos of Columbia University for his help and his heart in this project. I am ever indebted.

Z. S. D.

# ACKNOWLEDGMENTS

I should like to express here my sincere appreciation to those institutions and individuals who have supplied the illustrations used in this text. Above all, I shall mention:

The American Museum of Natural History, New York 14

Art Reference Bureau 85 left (through Palacio Nacional, Madrid), 85 right (through Queen's Collection, Windsor Castle), 87, 139

Brown Brothers, New York 199

The Hispanic Society of America, New York 25, 28, 34, 66, 82, 94, 108, 124, 150, 160, 164, 194

Ministry of Development, Venezuela 202

Ministerio de Información y Turismo, Madrid 16, 19, 22, 31, 33, 38, 45, 51, 53, 58, 78, 97, 105, 111, 132, 192

Museo del Prado, Madrid 17 (through Art Reference Bureau), 90, 148 (through ARB), 168 (through ARB)

New York Public Library 40, 67, 75, 136, 152, 185 Rare Book Division 156, 161

Pan American Union, Washington, D. C. 117, 119

Spanish National Tourist Office, New York 48, 63, 101, 145

United Nations, New York 203

My warmest thanks and indebtedness.

Z.S.D.

# PRÓLOGO: VISTA DESDE AFUERA

# I ◈

**INTRODUCCIÓN
AL HISPANO**

Individualista, contradictorio, apasionado, **orgulloso**, católico, dramático, heroico, estoico. Un hombre de **lucha** y de contradicción, **según** el filósofo Unamuno. Un perpetuo tumulto de pasiones **opuestas**, según el **estilista** Azorín. Así es el hispano. Pero, "¿El hispano?", pregunta Ud. "¿Por qué hablar en **términos tan generales**? Si todo el mundo sabe que realmente no hay tipos humanos, que no hay clasificaciones absolutas." Y tiene Ud. razón. Pero ocurre también que **la naturaleza** le da al hombre ciertas características superficiales que **comparte** en común, y la historia le da otras, más profundas, que **crean una conciencia** de raza, de **pueblo**. Y así, con el tiempo, una nación **llega a ser** un fenómeno singular, llega a tener una identidad **propia. . . Hace años que me dedico** a conocer al pueblo hispano, a veces como pura observadora, otras veces como **ciega amante**. Ahora se lo quiero presentar a Ud., y con varias perspectivas—objetiva, sentimental, trágica, **qué sé yo**—desde ayer hasta hoy, **más aun**, hasta mañana. Venga conmigo.

*passionate, proud*

*strife ⬥ according to*

*opposite ⬥ (prose) stylist*

*such general terms*

*nature
he shares*

*create a consciousness ⬥ a people
comes to be
of its own ⬥ For years I've
   been devoting myself
a blind lover*

*every kind of way ⬥ even more*

# 2 ◈

**EL ESPAÑOL:
VISTA GENERAL**

El español peninsular (así lo distinguimos del hispanoamericano) es producto de una historia variada y múltiple. **Corre** en sus venas **sangre** de muchos pueblos, y cada uno deja su **huella**. Es producto también de una tierra que con raras excepciones da poco **de sí**, y de una geografía que le hace vivir en su pequeña región, separado de sus vecinos por altas montañas y por ríos innavegables. **Así es** que el español tiene muchas caras, muchas **semblanzas**.

*There runs ⬥ the blood
imprint*

*of itself*

*So it is
semblances*

3

**EL GALLEGO**

En el **noroeste**, en la verde, húmeda Galicia, donde nunca llegó a penetrar la influencia árabe, su **cutis** es más blanco, sus ojos **más claros**—verdes, azules. **Ahí** dicen que las mujeres son las más hermosas de toda España, que **se parecen** a las irlandesas. En efecto, hay un posible **parentesco** entre ellas. Durante las **Cruzadas**, en la **Edad Media**, muchos ingleses, irlandeses, y **escoceses** pasaron por la costa occidental de la península, y algunos se quedaron en Galicia y en Portugal. La **gaita gallega** y la música y los bailes de Galicia **reflejan** sobre todo esa influencia.

*Northwest*

*skin*

*lighter* ➤ *There*

*they resemble*

*relationship*

*Crusades* ➤ *Middle Ages*

*Scots*

*remain*

*Galician bagpipe*

*reflect*

**PAISAJE DE GALICIA**

El **suave** acento gallego es muy **parecido** al portugués, y el **paisaje ondulante y nebuloso respira** una nostalgia de años y **siglos** pasados. Pero Galicia es pobre. Los **campesinos labran** la tierra con instrumentos anticuados y andan sin zapatos por los caminos montañosos. Los niños trabajan también en los campos, y las mujeres, vestidas casi siempre **de** negro, van al mercado con grandes **cestas** en la cabeza. La vida cambia poco allí. La agricultura es su ocupación más importante, aunque **sí hay** varios centros comerciales y puertos de mar. Su ciudad principal es la monumental Santiago de Compostela, **cuyas calles trazan** locos ángulos geométricos **bajo la sombra** de la catedral. Las supersticiones **abundan entre la neblina** gallega, y el presente **dista poco del** pasado.

*soft*

*similar*

*rolling, hazy country-
side breathes*

*centuries* ➤ *farmers* *poor*

*work*

*without ; roads*

*in   almost*

*baskets  changes*

*there are*

*whose streets trace  crazy*

*under the shadow*

*abound amid the mist*

*is not far from*

## √3 ◨

**EL VASCO**

Los **vascos**, que habitan la región de los Pirineos, son de otro carácter. **Tenaces** en su amor a la "patria chica", a su pequeña provincia, son archiconservadores en **la política** y en su religión. "Decir vasco es decir católico." Su lengua, posiblemente de origen **ibero o celta**, es la más antigua que **se halla** en la Península

*Basques*

*Tenacious*

*small*

*politics*

*Iberian or*

*Celtic* ➤ *is found*

Ibérica, y aunque también hablan castellano, los vascos defienden su **idioma** con pasión. Es su declaración de independencia, esa lengua que no tiene ninguna relación con el español ni con ninguna lengua romance. Es su manera de afirmar su individualidad, y los vascos pronuncian con un orgullo incomparable sus nombres impronunciables: Zunzunegui, Guipúzcoa, Izcatarregui... Pero al mismo tiempo, los vascos son progresistas en su visión económica. Allí **se levantan** industrias y **empresas mineras** y grandes ciudades como Bilbao y San Sebastián. **Dentro de** un fuerte tradicionalismo, **hacen frente al** mundo moderno, y poco a poco **dan pasos** hacia adelante.

*Castilian*

*language*

*rise*

*mining enterprises*

*Within* ~~fact strength~~ *Strong*

*they face*

*they take steps toward forward*

4 ◎

**CATALUÑA COSMOPOLITA**

Cataluña, en el extremo **nordeste** de la península, es la región más europea de España. Toda su historia se caracteriza por un gran cosmopolitismo y por un fuerte **sentido** de independencia cultural y política. **Próxima** a Francia, su lengua y sus costumbres reflejan el contacto con los vecinos del norte, un contacto realizado durante la Edad Media por **monjes y peregrinos, por contrabandistas y bandoleros.** Situada en la costa del Mediterráneo, Cataluña mira también **hacia** Italia, y durante muchos siglos tomó parte en los **sucesos** históricos de ese país. **Hoy en día** continúa esa actitud cosmopolita. Barcelona, por ejemplo, es una de las ciudades menos típicas de España. Gran centro industrial y puerto de mar, se parece más a San Francisco o a **Marsella** que a Madrid. Y la Costa Brava, extensión de la Riviera francesa, es uno de los lugares más frecuentados por los turistas extranjeros.

*Northeast*

*sense strong*

*Adjacent*

*neighbors middle ages,*
*monks and pilgrims, by realized*
*smugglers and bandits situated*

*toward took*

*events ← Nowadays*

*resembles*

*Marseilles*

*places frequent, foreign*

**PSICOLOGÍA DEL CATALÁN**

Los catalanes se consideran españoles, sí, pero primero son catalanes. Aunque el castellano es la lengua oficial, **se publican** muchos libros y revistas en **catalán**, y aun existe todo un teatro en ese idioma.

*there are published magazines*
*the Catalan language even*
*theater (drama)*

'En Cataluña <u>nacen</u> constantemente los movimientos separatistas. Allí **florecen** también todos los "ismos", <u>desde</u> el más **arraigado** conservatismo hasta el socialismo o anarquismo. Curiosamente, esa misma actitud independiente, **rebelde**, separatista que vive <u>dentro</u> del catalán es **lo que** le hace aun más español, y le **une** con el resto del país.

*flourish*

*deep-rooted*

*rebellious*   *inside*

*what — unites*

✓5 ◎

**PRESENCIA DE CASTILLA**
El centro de España está dominado por la presencia de Castilla—**seca**, austera, **sobria, cruzada** por altas **cordilleras, rociada apenas por escasas lluvias**. Castilla, **cuna** de héroes y de santos y de *Don Quijote*. Sus <u>campesinos</u> son pobres, pero **se doblan** muy poco **ante** el frío o el calor, y sus mujeres no llevan **cargas** en la cabeza. Los castellanos son fuertes y orgullosos, como sus montañas que **tocan** el <u>cielo</u>; resignados y estoicos, como sus tierras amarillas que <u>esperan</u> el agua. Entre los <u>campos</u> <u>secos</u> se levantan pequeñas ciudades donde **lo viejo** vive **al lado de** lo nuevo, y lo viejo predomina. Los **pueblos** de Castilla son realmente **agrupaciones de gentes**, sin <u>verdadera</u> razón económica, sin industria mayor. Aun Madrid, la capital, grande y moderna en la **superficie**, es poco más que un pueblo **provinciano**. Pero de esa tierra **dura y áspera**, y de esas ciudades aparentemente **dormidas, vino una sed de dominio**, y los castellanos aprendieron a dominar. Su lengua es la lengua de todo el país. Su habilidad administrativa, aun más, la fuerza de su imaginación, hace a Castilla todavía el <u>corazón</u> de España.

*dry*

*sober, crossed*

*mountain ranges, barely sprinkled by scant rains*
*cradle*

*they bow*  *farmers*

*before — loads*

*touch*  *sky*

*wait*

*dry country*

*the old — alongside*

*towns — agglomerations*

*of people*  *real*

*surface — provincial*

*hard and rugged*

*asleep, came a thirst for*

*domination*

*still; heart*

✓6 ◎

**VALENCIA Y ANDALUCÍA**
Valencia, en la costa **oriental**, y Andalucía, en el **sur**, son las regiones que revelan más la dominación árabe en España. En Valencia, donde la irrigación **resuelve** el

*East*

*resolves*

problema del agua, hay fértiles campos de **naranjas** y
**aceitunas** y **huertas** de frutas y legumbres. Y en
Andalucía, donde **más brilla el sol**, la tierra está
cubierta de **olivos y de árboles frutales alineados**
como soldados en fila. **Así como** Cataluña **pertenece**
a Europa, Andalucía, y hasta cierto punto, Valencia
también, pertenecen al norte de África. Los innumerables **pueblecitos** blancos incrustados en las **cuestas** de
las montañas **nos recuerdan a Marruecos, Tánger,
Argel**. Las viejas **mezquitas** están convertidas ahora
en iglesias católicas. Las **torres y fortalezas** están
abandonadas. Pero persiste siempre la estampa árabe en
ese mundo de mosaicos y **baldosines**, de jardines y de
**arcos redondeados**, en los ojos negros de la gente,
en su cutis **moreno**, en su música, en su manera de
hablar. Ésta es la España "romántica" de **luz** y de vino
y de **baile flamenco**. Córdoba, Sevilla, Granada. La
**pobreza** existe, pero parece menos **fea** bajo el sol. Y
el andaluz **enfrenta** la vida con optimismo, con
alegría, y con sus cuentos exagerados.

*oranges*
*olives — farms*
*the sun shines most*
*covered with*
*olive groves and fruit trees*
*lined up   soldiers; row*
*Just as — belongs*

*little towns — slopes   incrusted*
*remind us of Morocco,*
*Tangiers, Algiers — mosques*
*towers and fortresses*

*tiles*
*rounded arches*
*dark*
*light*
*Flamenco dancing*
*poverty — ugly   seem; under*
*faces*
*joy; stories; exaggerated*

# 7 ◈

## FORMACIÓN CULTURAL DEL HISPANOAMERICANO

El hispanoamericano es
un caso **único**. Si lo
reducimos a una ecua-
ción matemática, el total es más grande que la suma de
las partes. Si lo **sometemos** a un análisis **químico**,
resulta que el **compuesto** es muy **distinto a** las subs-
tancias individuales que **lo integran**. Porque el
hispanoamericano es más que un español transplantado.
Aunque conserva muchas de las cualidades del español,
**lleva en sí** una profunda conciencia de las razas
**indígenas** de América. Su historia conoce también la
influencia francesa, inglesa, holandesa, italiana, alemana,
**sin contar** la norteamericana, y en ciertas regiones,
aun la china y la japonesa. Su cultura es esencialmente
hispánica, y en las grandes ciudades se puede llamar

*unique*

*subject — chemical*
*compound — different from*
*compose it*

*he carries within him*
*native*
*Germany*
*without counting*

cosmopolita. Pero su geografía, su **ambiente**, su *environment*
**comida**, y su perspectiva son americanos. *food*

**PANORAMA GEOGRÁFICO**
Siendo tan grande la extensión de sus tierras, hay muchas maneras de contemplar al hispanoamericano. Desde el punto de vista geográfico, le podemos **tratar** *treat* ~point of view~
como hombre de tierra caliente **u** hombre de tierra *or*
fría; hombre de la ciudad u hombre del campo; hombre de la alta región **andina** u hombre de la *of the Andes*
**selva** tropical; hombre del interior, hombre de la *jungle*
costa; hombre del norte, hombre del sur. Y cada una *each*
de estas clasificaciones tiene sus implicaciones económicas y sociales.

**CUADRO RACIAL**
O si queremos, lo podemos mirar desde *from*
el punto de vista racial. El hombre europeo: **mayormente** de origen es- *mostly*
pañol, pero no siempre; hombre de negocios o pro- ~business~
fesional, maestro, **tendero**, político, o **dueño** de *storekeeper ← owner*
tierras. El mestizo: producto de la **mezcla** de blanco **e** *mixture ← and*
indio, hombre de la ciudad o del campo, y de todas las clases económicas. El mestizo ocupa ahora muchos **lugares** que en otros tiempos pertenecían sólo al blan- *places* ~belonged~
co, y sus posibilidades individuales dependen **de** su *on*
educación y de sus **medios** económicos, no de con- *means*
sideraciones raciales. El indio: por lo general, hombre del campo y de las regiones montañosas; agricultor, pobre, ignorante, explotado, y resignado a un futuro **semejante** a su presente. El negro o el mulato: hombre *similar*
**más bien** de las costas calientes de Sudamérica y del *essentially* ~South America~
**Caribe**; hombre de la ciudad, del puerto de mar, y *Caribbean*
también, pero menos que el indio, hombre del campo. Como el indio o el mestizo pobre, tiene poca educación, pero **a diferencia del** indio, parece más **consciente** de *unlike ← conscious* ~seems~
sus posibilidades futuras.

**FACTORES ECONÓMICO-SOCIALES**
En realidad, las diferencias más patentes en ~obvious~
Hispanoamérica no son **las que** existen de un país a otro, sino las de clase *those that* ~but~
económica y social dentro del mismo país. El campesino ~within~ ~farmer~

pobre mejicano, por ejemplo, mestizo o indio, sin educación, y trágicamente pobre, se parece más al campesino venezolano o colombiano o ecuatoriano que al hombre de clase media o alta de sus propias ciudades. Y el argentino culto se parece más al cubano o al peruano o al chileno de **igual** condición que al gaucho de sus propias pampas.

## HERENCIA ESPAÑOLA

Como podemos ver, entonces, muchos factores entran en la formación espiritual y fisiológica del hispanoamericano. Pero su **manera de sentir** las cosas, su manera de **enfrentarse con** la vida, es parte de la **herencia** que recibe de España. Vamos a ver **cómo comparte su** historia.

*their own*

*like*

*then*

*Inheritance*

*way of feeling*

*facing ─ heritage*

*how he shares its  receives*

# A TRAVÉS DE
# LOS SIGLOS

# I

# Sobre Cuevas y Cultos

◈

**PUNTO DE
PARTIDA** Le quiero llevar a través de los siglos.
Vamos a empezar nuestro viaje en
un camino **tortuoso** de la provincia de *winding*
Santander. Es un día **caluroso** de verano, pero una *hot*
brisa fresca **mitiga** un poco los rayos del sol. Llegamos *softens*
a un **paradero y bajamos** del coche. A la derecha *stopping place and we get out*
vemos un valle verde, **presidido de** altas montañas. *presided over by*
**Nos volvemos** a la izquierda, subimos una **leve** *We turn ⬩ slight*
**colina,** y pronto nos hallamos a la entrada de una *hill*
**cueva.** Un **guía** nos espera allí. Es un hombre bajo y *cave ⬩ guide*
**delgado, curtido del** sol, y más viejo que sus años. *thin, tanned by the*
Está **manco de** un brazo (todavía lleva el uniforme *crippled in*
**ajado** de sus días de soldado), pero camina con **paso** *faded ⬩ step*
firme, la cabeza alta. **Chocamos** con la oscuridad de la *We collide*
cueva, y por un momento quedamos **ciegos.** El guía *blinded*
toma un **farol** y nos conduce más adentro. Poco a *lantern*
poco empezamos a ver. . .

**EL HOMBRE
PRIMITIVO** Estamos en una cueva, la cueva de
Altamira. El tiempo: quince, tal vez
veinte mil años antes de Jesucristo. La
cueva está **poblada de** hombres bajos y **morenos.** *inhabited by ⬩ dark-*
Viven aquí y en otros **huecos** excavados por la natura- *complexioned ⬩ holes*
leza en la piedra de las montañas. Su mundo **no pasa de** *doesn't go beyond*
los límites de su vista. Su vida comprende sólo el con-
cepto de hoy. No conocen la abstracción. No conocen
la idea de mañana, del futuro. **Piensan en** las necesi- *They think about*
dades inmediatas de su existencia—en comer, en
**guardarse** del frío, en defenderse contra los animales *protect themselves*
**salvajes** que les esperan **fuera.** Dependen de esos *wild ⬩ outside*
animales para su comida, y **se visten con sus pieles.** *they dress themselves in their*
Los **cazan,** sí, pero los temen. Y porque los temen, los *skins ⬩ hunt*
**idolatran** también. *idolize*

*13*

**ARTE EN LA
CUEVA DE ALTAMIRA**

El primitivo habitante de esta cueva cubre los **techos** y las **paredes** con **pinturas** de animales. Vemos **por todas partes bisontes**, caballos, toros, **ciervos, cabras**, maravillosamente pintados con los colores de la tierra **misma—ocre**, negro, amarillo, rojo. La figura del hombre **no aparece** en estas pinturas. Sólo **se ve** su mano, extendida, con los dedos abiertos, como alguien que quiere **alcanzar** algo y no puede.

*ceilings*

*walls ➛ paintings*

*everywhere bisons*

*deer, goats*

*itself ➛ ochre*

*doesn't appear ➛ there is seen*

*to reach*

Pinturas en la cueva de Altamira, Santander.

**OTRAS PINTURAS
PREHISTÓRICAS**

La cueva de Altamira en Santander no es la **única** donde encontramos este arte prehistórico. Más al sur y al este hallamos otras cuevas con pinturas dramáticas de escenas de **caza** y de **guerra**. Allí **sí aparece** la figura del hombre, dinámico, ágil, **luchando por** vivir en un mundo de **peligros**, en un mundo donde el animal todavía predomina.

*only one*

*hunting ➛ war*

*there does appear*

*struggling to ➛ dangers*

**¿QUÉ QUIEREN DECIR?**

Ahora, ¿por qué siente el hombre primitivo este impulso al arte? ¿Por qué quiere **evocar** en las paredes y en los techos de su **morada** la presencia de esos animales salvajes? ¿Puede ser solamente por un instinto decorativo? ¿O es que los animales tienen cierto **valor** simbólico? ¿Por qué aparece con **tanta** frecuencia la figura del toro? ¿Puede ser parte de una antigua ceremonia religiosa? ¿Puede ser uno de sus dioses? Sabemos, por ejemplo, que más tarde existe un culto del toro entre los iberos, primeros habitantes que conoce la historia de España. El toro es un ídolo, y al mismo tiempo, **luchan** con él. **Desafían** a su dios, y todavía lo adoran. ¿Contradicción? Tal vez no.

*evoke*
*dwelling*

*value ━ such*

*they fight ━ They defy*

# 2

# Los Primeros Españoles

◈

**LOS ANTIGUOS IBEROS**

Los **griegos** que vienen a España a comerciar desde el siglo VIII antes de Cristo nos dan el primer testimonio **acerca de** los antiguos españoles. Hablan de la cultura avanzada y de las más **de** doscientas ciudades de esas **tribus** que se llaman iberos. Dicen que viven en casas de piedra, que hacen **joyas** y **monedas** de metales, que tienen arte y cerámica y alfabeto y **escritura**, y que saben cultivar la tierra. Pero aun más, nos dan una descripción psicológica de los iberos. Son feroces en la guerra, dicen. Son **diestros** sobre todo en la forma de ataque y **retirada** que hoy llamamos "guerrilla", y muestran **una devoción tan grande al jefe** que llegan a veces a extremos de heroísmo. Están preocupados con la **muerte**, pero al mismo tiempo están **dispuestos** a sacrificar su vida en defensa de su

*Greeks*
*from*

*about*
*than*
*tribes*
*jewels ━ coins*

*writing*

*skilled*   above all
*retreat*
*such great devotion to their* (to show)
*chief*
*death*
*ready*

Los Toros de Guisando, esculturas prehistóricas en la región de Ávila.

dignidad personal. Son religiosos y **hospitalarios**, pero indisciplinados, impulsivos, y arrogantes. Cuando quieren hacer las cosas, las hacen bien, pero otras veces parecen ser perezosos. Construyen **tumbas** elegantísimas para sus muertos, y tienen muchos dioses, entre ellos el toro, cuya figura **se encuentra** por todas partes en piedra o en bronce.

**LLEGADA DE LOS CELTAS** Los arqueólogos modernos **añaden** más información sobre estos primeros españoles que la historia conoce **de** nombre. Según sus **cálculos**, los iberos llegan a España **unos** dos mil años antes del **nacimiento** de Cristo. Son de tipo mediterráneo y vienen **o** del este de Europa **o** del norte de África. Los **celtas**, hombres nórdicos, **rubios** y más altos, pero de cultura inferior, empiezan a llegar a España unos mil años más tarde. Vienen en grandes números, **oleada tras** oleada, y al principio los iberos resisten. Poco a poco, las dos razas empiezan a **mezclarse**, sobre todo en el este y en el sur, y la civilización que los **comerciantes** griegos hallan en la costa oriental es probablemente **celtíbera**. Es importante notar, **sin embargo**, que aunque hay

*hospitable*

*tombs*

*is found*

*add*

*by*

*calculations*

*about ● birth*

*either*

*Celts*

*blond*

*wave after*

*mix*

*traders*

*Celtiberian*

*nevertheless*

La Dama de Elche, ejemplo máximo del arte ibero.

cierta fusión entre los dos **pueblos**, no existe todavía un concepto de nación. Al contrario. El español primitivo conserva hasta tal punto su idea individualista que la **población** de la península está dividida en más de dos mil tribus, y esas tribus **se unen sólo de vez en cuando** para luchar contra un enemigo común.

**GRIEGOS, FENICIOS, Y CARTAGINESES**

Así va a ocurrir más tarde. Los griegos **establecen** ciudades y centros comerciales en el este. Los **fenicios** hacen **lo mismo** en el sur. **Para** el siglo IV antes de Cristo, los romanos también tienen sus protectorados en la península. Con el tiempo entran en conflicto los varios intereses económicos. Algunas tribus celtíberas **se rebelan** en el sur, los fenicios **piden ayuda a Cartago**, y los **cartagineses** mandan fuerzas a España. **Sofocan** la rebelión en el sur, y avanzan poco a poco hacia el norte. Pero la resistencia de las tribus españolas es feroz.

**EL CERCO DE SAGUNTO**

Es el siglo III **AC** ahora, y los cartagineses están decididos a ocupar todo el territorio español. España puede ser una base excelente para atacar a Roma, su enemiga tradicional. Tienen que **conquistarla**. La ciudad celtíbera de Sagunto, **aliada** de Roma,

*peoples* between

*population*

*join together only once in a while*

*establish*

*Phoenicians — the same*
*By*

*rebel*
*ask Carthage for help*
*Carthaginians — They quell* send forces

B.C. *(antes de Cristo)*

*conquer her* they have to
*ally*

**se levanta en su camino**, y los cartagineses **le ponen cerco**. Durante ocho meses el pueblo saguntino se defiende. **Muertos de hambre**, **se dan** al canibalismo **antes que rendirse**. Por fin, desesperados, **incendian** sus casas y sus posesiones, **se arrojan a la hoguera** con sus hijos y sus mujeres, o **mueren entre las espadas** de los enemigos. Por el momento, los cartagineses triunfan, pero la huella de esos primeros españoles va a quedar estampada en épocas futuras.

*stands in their way ⬥ lay siege to it*
*Starving, they resort rather than surrender—they set fire to ⬥ hurl themselves into the fire ⬥ die on the swords*

trace (footprint)

# 3
# España bajo los Césares

◈

**LLEGAN LOS ROMANOS**

Los cartagineses continúan su marcha hacia el norte. Bajo su general **Aníbal, cruzan** los Pirineos, cruzan los Alpes, e invaden el **imperio** romano. Por un tiempo parece que van a triunfar, pero al fin son **rechazados**. En 218 AC, los romanos mandan fuerzas a España para destruir las bases cartaginesas que hay allí, y para **emprender su propia campaña** de expansión territorial. Una nueva época cultural **está para** empezar. Pero la conquista no va a ser fácil.

*under*
*Hannibal, they cross*
*empire*

*turned back  send*

*start their own campaign*
*is about to*

**LA RESISTENCIA**

Al principio las tribus celtíberas del este y del sur reciben sin gran protesta a las legiones romanas. Pero en el norte y en el interior la resistencia es **tenaz**. Pronto la crueldad y **avaricia** de los **gobernantes** romanos provocan **sublevaciones** en toda la península, y los romanos responden con **represalias** severas. Las guerrillas continúan, y las **pérdidas** romanas son tan altas que los soldados imperiales **ya no** quieren ir a España a luchar. Por fin, el **pretor** Galba, **derrotado** varias veces por los **lusitanos**, una tribu del oeste, **se ve**

*at first*

*stubborn    suddenly*
*greed ⬥ rulers*
*uprisings*
*reprisals*
*losses*
*no longer*
*praetor (Roman official) ⬥ defeated*
*Lusitanians ⬥ finds himself*

obligado a hacer un **tratado de paz** con ellos. Los **engaña** con falsas promesas, y cuando los lusitanos abandonan las armas, Galba **cae sobre ellos**. Mata a muchos, y vende a los demás como **esclavos**. Toda la región se levanta en armas. Otras tribus **se juntan** con los lusitanos. Bajo su jefe, un **pastor** llamado Viriato, **vencen** a seis pretores y a tres cónsules romanos, y Roma tiene que **firmar una paz deshonrosa**.

*peace treaty*
*deceives*
*falls upon them*  ~arms~
*He kills*
*slaves*  ~rest~
*join*
*shepherd*  ~leader~
*they defeat*  ~praetors~
*sign a dishonorable peace*

**DEFENSA DE NUMANCIA**

Por fin, los romanos compran a unos traidores para matar a Viriato, y el jefe español es **asesinado mientras duerme**. Para calmar el furor general, los romanos

~to kill~
*assassinated in his sleep*

Teatro y anfiteatro romanos en Mérida, Extremadura.

denuncian el crimen y **se niegan a pagar** a los asesinos. *refuse to pay*
Pero con la muerte de su jefe principal, la resistencia de
los españoles empieza a **decaer**. Sólo queda un núcleo *decline* ~~remains~~
importante de resistencia, la ciudad de Numancia.
Durante veinte años Numancia **rechaza los asaltos** de *repels the assaults*
los romanos, hasta que llegan las legiones del mejor *until, the best*
general romano, Escipión Emiliano, y **bloquean** la *blockade*
ciudad. El año es 133 AC. Como el pueblo de Sagunto
antes de ellos, los **numantinos** destruyen sus casas y *people of Numantia*
sus **bienes**, y todos **juntos** salen a morir entre las *possessions • together*
espadas de los romanos. *spears / arms*

**ROMANIZACIÓN Y CRISTIANISMO**

Dos siglos más van a **tardar** los *be delayed*
romanos en **pacificar** la penín- *pacifying*
sula, pero finalmente, **para** el *by*
tercer siglo después de Cristo, España **se convierte** *becomes*
**en** la colonia más rica y más importante del imperio.
Los españoles **se romanizan** totalmente. Su lengua, sus *become Romanized*
**leyes**, su arquitectura, su estructura social y política, *laws*
todas son romanas, como las **plazas mayores** de sus *large central squares*
ciudades, los patios de sus casas. En España **nacen** *are born*
algunos de los **emperadores y escritores** más grandes *emperors and writers*
del imperio romano, **incluso** el filósofo Séneca, padre *including*
del **estoicismo**. La tolerancia romana permite entrar *stoicism*
el cristianismo en España, y la nueva religión **se arraiga** *takes root*
fuertemente. Más tarde, sin embargo, empiezan las
persecuciones religiosas. Los españoles otra vez se
mantienen firmes, y aparecen en toda la península los *maintain strongly / appear*
**mártires de la fe**. Una vez más se afirma el carácter *martyrs of the faith*
innato del español: heroico, estoico, dispuesto a sacri- *ready*
ficar su vida en defensa de su dignidad personal, en
defensa de su religión. Y el cristianismo, fundamento *fundamental*
de su historia, persiste en la España de los Césares.

# 4
# Lengua Romance

◈

**ORÍGENES DE LA LENGUA ESPAÑOLA** España es ahora una provincia de Roma. Después de las legiones romanas vienen grandes números de **colonos**. Establecen ciudades, construyen caminos y **puentes** y acueductos y teatros, e introducen todas las costumbres de su tierra natal. **Traen consigo** el lenguaje popular de las calles de Roma, el **habla** de la gente ordinaria. Este "latín vulgar" **se diferencia** en muchas maneras de la lengua **culta** de los grandes oradores. La **falta** de educación y de libros produce también unos cambios notables en la lengua de la gente hispanorromana. Cuando **se añaden** a estos factores las distancias que separan a los varios pueblos y lugares, las diferencias **crecen** aun más. Así es que cada región de España **adquiere** sus propios localismos, sus propias expresiones idiomáticas, su propia entonación y pronunciación. Poco a poco el latín de los conquistadores romanos **se fragmenta en** numerosos dialectos, cada uno con sus propias variaciones.

*colonists*
*bridges*
*native ⬤ They bring with them* ~~streets~~
*speech*
*differs*
*cultured ⬤ lack*
*changes*
*there are added*
*grow*
*acquires*
*conquerors*
*breaks up into*

**DIALECTOS DE ESPAÑA** Las principales lenguas romances que nacieron del latín vulgar son el francés, el portugués, el italiano, el **rumano**, y el español. Pero en realidad, la lengua que conocemos hoy como "el español" es el castellano, el lenguaje de Castilla, cuyo **predominio** político sobre los demás sectores del país **hizo imponer** también su manera de hablar. En las otras regiones de España aparecieron versiones distintas del latín vulgar, como el gallego en Galicia, el catalán en Cataluña, y el andaluz en Andalucía. Sólo el País Vasco **no cedió ante el ímpetu** cultural romano y conservó siempre su propia lengua, el vascüence, de origen **desconocido**.

*Rumanian*
*predominance* over
*imposed* the other
*didn't yield*
*before the ... impetus*
*unknown* Basque language

*San Isidoro de Sevilla*, Murillo

San Isidoro de Sevilla (560–636), quien describe en sus obras la lengua hispanorromana de su tiempo.

Algunos lingüistas piensan que el vascüence es la lengua hablada por los primitivos iberos o celtas, y que es **por lo tanto** la lengua original española. Pero no hay evidencia **segura**. **Lo más interesante** es que todos estos idiomas o dialectos se hablan aun hoy en España, **junto al** castellano. El castellano, como sabemos, es la lengua oficial de toda la nación, la lengua de la ley y de la educación. Pero <u>fuera</u> de Castilla, es la lengua secundaria en el corazón de muchos españoles.

*therefore*

*sure ▬ The most interesting part*

*along with*

*outside*

## LA LENGUA HISPANORROMANA

**Vamos a volver** por un **rato** a la época de la romanización de los españoles. Parece que <u>desde</u> el principio existían ciertos fenómenos peculiares en su manera de hablar. Por ejemplo, según los escritores latinos de aquellos tiempos, los españoles no podían pronunciar una **ese** inicial <u>seguida</u> **de** una consonante. Siempre ponían " e " antes de la ese, como en

*Let's go back ▬ little while*

*from*

*" s " ▬ by immediately*

las palabras Spannia—España; schola—escuela; storia
—estoria, historia. Esta característica del habla española
continúa hasta hoy. En efecto, si estudiamos muchas
palabras inglesas de origen latino, vemos que las pala-    *we see*
bras españolas que les corresponden empiezan todavía
con aquella "e" histórica: *spy*—espía; *style*—estilo;
*study*—estudio; *special*—especial; *to ski*—esquiar, etc.
¡Y la versión típica en español de "Mr. Smith" es
"Señor Esmiz"!

**OTROS CAMBIOS
DEL LATÍN VULGAR**

Los antiguos **eruditos** latinos    *scholars*
se **quejaban** también de    *complained*
que los españoles **no se**    *didn't bother to decline*
**molestaban por declinar** los nombres y los adjetivos.
Aun más que en el latín vulgar, daban a los nombres
solamente dos formas, una singular, y la otra plural
(casa, casas, día, días), **en vez de** las cinco o seis que    *instead of*
tenían en la lengua clásica. Y **además**, pronunciaban    *besides*
**de una manera muy extraña la "e" y la "o" cortas**    *in a very strange way the short*
del latín: terra—tierra; foco—fuego; petra—piedra;    *"e" and "o"*
morte—muerte. Y hacían otras cosas igualmente    *equally*
curiosas. Cambiaban ciertas formas verbales, aban-    *changed*
donaban totalmente otras, y **hasta creaban** algunas    *they even created*
nuevas. La lista de sus peculiaridades era larga. Así,
decían los eruditos latinos, los españoles coloniales
**destrozaban** la hermosa lengua romana. Si **no**    *were ruining* — *wasn't*
**se hacía** algo para educarlos mejor, la lengua madre    *done*
pronto iba a **desaparecer**... Pero la lengua romana    *disappear*
no desapareció: **se convirtió más bien en** lenguas    *it turned instead into*
romances. Tomó otra forma, se modernizó, se adaptó    *it took*
a las necesidades, a la psicología de su pueblo, pero
**siguió viviendo**: español, francés, italiano, por-    *it kept on living*
tugués...

# 5
# Avalancha Gótica

◩

**INVASIONES GERMÁNICAS** — Pasa la época de los Césares, y la gran Roma se empieza a fragmentar. El **lujo**, la desintegración moral y la disensión política **se apoderan del antes** invencible imperio, y **para principios** del siglo V después de Cristo, ya no puede defenderse contra los **bárbaros** del norte. Tribus germánicas—**visigodos, ostrogodos, suevos, alanos, vándalos**[1]—atacan sus fronteras, y entre 409 y 414 la avalancha llega a España y **la sumerge bajo su peso**.

*luxury*
*take over the formerly*
*by the beginning*

*barbarians — Visigoths, Ostrogoths, Sueves, Alans, Vandals*

*submerges it under its weight*

**ESTABLECIMIENTO DEL IMPERIO VISIGÓTICO** — De las luchas que siguen entre los **invasores mismos, salen** victoriosos los visigodos, quienes **logran** extender su dominio militar por toda la península. La corte visigótica se establece en Toledo, y los **reyes se rodean de** toda la pompa y ceremonia necesaria para dar mayor autoridad a la monarquía. Pero **surgen** siempre los conflictos, y el país **se mancha** otra vez **de sangre**. Muchos reyes mueren asesinados, y hay guerras constantes entre las facciones políticas y religiosas, sobre todo entre católicos y **arrianos, ambos** cristianos, pero de **creencias** distintas.

*invaders themselves, come out*
*manage*

*kings surround themselves with*

*there arise*
*is stained — with blood*

*Arians, both*
*beliefs*

**FUSIÓN DE CULTURAS** — Aunque los godos **siguen** representando la clase alta, dominante, poco a poco asimilan la cultura superior hispanorromana, y empiezan a desaparecer las costumbres germánicas. El primer paso importante hacia la fusión de la raza ocurre a fines del siglo VI cuando el rey Recaredo se convierte al catolicismo y adopta el latín como lengua oficial de la corte y de la **liturgia**. Pero los nobles no quieren **doblegarse ante la voluntad** de

*continue*

*church liturgy*
*bow before the will*

---

[1]Del nombre de esta gente bárbara vienen las palabras inglesas **vandal** y **vandalism**.

Corona de Suintila, rey visigodo del siglo VII.

los monarcas, y las **revueltas** continúan durante los reinados siguientes. La iglesia también empieza a **ejercer** más influencia, **e inicia una política** de persecución de los **judíos**.

**EL REY WAMBA**

La figura del rey Wamba ocupa un lugar interesante en la historia del siglo VII. Cuenta la tradición que Wamba trabajaba en sus campos cuando recibió la **noticia** de su elección al trono. Wamba **rehusó**, y sus **fieles vasallos** le dijeron entonces que le iban a dar dos alternativas: aceptar la **corona** o morir **allí mismo** donde trabajaba. Wamba la aceptó. Aunque fue **elegido** contra su deseo, Wamba fue un rey **enérgico**. Sofocó las rebeliones de sus adversarios, **sometió** a varias tribus hasta entonces **indómitas**, **e impidió el desembarco** de los sarracenos del norte de África en tierras españolas. Pero

*revolts*

*wield* ⬩ *and initiates a policy*
*Jews*

*news*
*refused* ⬩ *faithful vassals*

*crown* ⬩ *right there*
*elected*
*energetic*
*he conquered*
*unbeaten* ⬩ *prevented the landing*

su reinado tuvo un fin tan extraño como su principio.
Parece que en aquellos tiempos el **pelo** largo de los          *hair*
hombres se consideraba una **muestra** de virilidad. La          *sign*
**barba** era inviolable, y la ofensa mayor que se podía         *beard*
hacer a un hombre era **mesarle la barba o cortarle**            *pull his beard or cut*
el pelo. Pues cuenta también la tradición que un noble
descontento de la corte de Wamba le dio al rey un
fuerte narcótico, y mientras el monarca dormía, le
cortó la **cabellera**. Por fin, Wamba despertó del             *shock of hair*
**profundo sueño**, y hallándose sin pelo, **se sintió**        *deep sleep ➤ he felt*
incapacitado para seguir en el trono. **Abdicó**, y terminó     *He abdicated*
su vida en un convento.

**LA
DECADENCIA**
Con la abdicación de Wamba, la
monarquía visigótica pasó a manos
**débiles,** y la historia de los reinados                       *weak*
subsecuentes **queda envuelta** en la obscuridad. **Se**        *remains shrouded ➤ was*
**estaba acercando** rápidamente su fin.                        *approaching*

# 6

# Leyendas de Rodrigo

◈

**RODRIGO, EL
ÚLTIMO REY GODO**
Era por los años 708–709. El
rey visigodo Witiza moría,
y sus hijos eran todavía un
poco jóvenes para asumir el **mando**. La corona era            *command*
electiva, y los nobles de la corte, divididos en facciones,
**no se ponían de acuerdo** sobre el sucesor. Así que a          *couldn't agree*
la muerte de Witiza, **hubo** una guerra civil, y Rodrigo,      *there was*
fuerte gobernador de la Bética (ahora Andalucía), se
apoderó del trono imperial.                                      *took possession*

**SEDUCCIÓN DE LA CAVA**

Cuentan que una tarde el rey Rodrigo **se enamoró de una doncella** de su corte, una muchacha llamada Florinda, o la Cava. Según una versión de la leyenda, la joven estaba en un jardín con otras doncellas de la corte. Para pasar el tiempo, decidieron **medirse las piernas** con un **listón** amarillo.

*They tell that one afternoon*
*fell in love with a young girl*
*measure their legs*
*ribbon*

"**Midiéronse** las doncellas,
la Cava lo mismo hizo,
y en **blancura y lo demás**
grandes **ventajas les hizo.**"

*measured themselves*

*whiteness and every other way*
*she far surpassed the others.*

Las jóvenes creían que estaban solas, pero **resultó** que el rey las estaba mirando por una **celosía**. **Hizo venir a la Cava** a sus habitaciones, y la **sedujo**... Según otra versión, el rey la vio **bañándose en una fuente**. Mandó por ella, y como canta después el poeta:

*it turned out*
*shutter ➝ He had la Cava come*
*come ➝ seduced*
*➝ bathing in a fountain*

"Si dicen **quién** de los dos
**la mayor culpa ha tenido,**
digan los hombres 'la Cava'
y las mujeres 'Rodrigo'."

*which*
*was more to blame*
*let the men say*

**711: INVASIÓN ÁRABE**

Cuentan también que el padre de la Cava, un **conde** Olián, o Julián, era el gobernador **bereber** de una colonia española en el norte de África. **Enterado** de la **traición** de su rey, Olián, aunque era católico, **fue al** jefe de los árabes, **pactó** con él, y le ayudó a invadir España. El año era 711, y **marca** el principio de la dominación musulmana en la península. Dicen que en la **batalla** de Guadalete que **se libró** entonces entre árabes y cristianos, el rey Rodrigo desapareció **para siempre**, y que encontraron sólo su **caballo** y su **yelmo** en la **orilla** del mar. Los poetas hablan de la penitencia del rey **al ver perdida a España.** Algunos cuentan que no murió en el mar, sino que fue a una **ermita** donde **se dejó comer vivo de** una serpiente. Otros dicen que **enloqueció de** pena y de **remordimientos,** y que casi

*They also tell*
*count*
*Berber*
*Informed*
*treachery   went*
*made a pact*
*marks*

*was fought   battle*
*for ever*
*➝ helmet*
*shore*
*on seeing Spain lost   tell*
*hermitage*
*let himself be eaten alive by*
*he went mad with ➝ remorse*

**sin sentido, se dejó llevar** por su caballo, lamentando **amargamente**:

*horse*

*senseless, he let himself be carried ● bitterly*

"Ayer eras rey de España,
y hoy no tienes **un** castillo.
Por un pequeño **placer**
**metiste a España a cuchillo**."

*a single*

*pleasure*

*you let Spain perish under the knife*

Rodrigo violando la torre de Hércules, otra leyenda acerca de la pérdida de España.

## VERSIÓN HISTÓRICA DE LA LEYENDA

Ésta es la leyenda que aparece infinitas veces en la literatura popular española, en cuentos, poemas, dramas, y **romances**. Pero la historia **no la respalda**. En efecto, la **contradice**. Según las mejores **fuentes** históricas, es verdad que Rodrigo, con la ayuda de ciertos nobles **poderosos**, tomó la corona después de la muerte de Witiza. Pero

*ballads*  *songs*

*doesn't back it up ● contradicts*

*sources*

*powerful*

el episodio de la Cava, si ocurrió realmente, **tuvo lugar** antes de la **subida** de Rodrigo al trono en 711, y las versiones más antiguas lo **atribuyen** a Witiza, no a Rodrigo. **En cuanto a** la traición del conde Olián, o Julián, existen varias interpretaciones: o que quería vengarse de toda España por la **infamia** cometida por el rey Witiza, o más probablemente, que **actuó** sólo por motivos políticos. **En fin,** Olián sí hizo un pacto con los árabes y les **sirvió de** espía y de guía cuando invadieron España. Pero hay otro aspecto aun más interesante, **el de** los hijos de Witiza.

*took*

*place ← ascent*

*attribute*

*As for* treason

*infamous act* take revenge on

*he acted*

*Anyway*

*served as* guide

*that of*

### TRAICIÓN DE LOS HIJOS DE WITIZA

Parece que cuando Rodrigo recibió la primera noticia de la invasión, **se hallaba** en Pamplona, **peleando** contra los rebeldes vascos. Mandó un **ejército** bajo su sobrino Sancho para hacer frente a los invasores. Pero Sancho murió y los árabes seguían avanzando. Rodrigo **reunió** entonces un gran ejército y **se dirigió** al sur para combatir contra los árabes. **Iba acompañado de** los nobles de su corte, entre ellos los hijos de Witiza. **Debemos recordar** que estos jóvenes **se sentían todavía** defraudados de su legítima **herencia,** y la querían **recuperar.** Según los historiadores árabes, así pensaron los hijos de Witiza: "Rodrigo, ese hijo de mala madre, tomó por la fuerza nuestro reino. Los invasores **no piensan** establecerse en nuestro país, sino **ganar botín** y después **marcharse.** Si nosotros los ayudamos, **juntos derrotamos** a Rodrigo y España va a ser nuestra." Enviaron un mensaje secreto a Tarik, jefe de los árabes. **A cambio de** su colaboración, le pedían ayuda para **recobrar** sus posesiones perdidas. Tarik se la **prometió.** Durante la batalla de Guadalete, cerca de Cádiz, los hijos de Witiza y sus **partidarios** dejaron el campo de batalla, y los soldados de Rodrigo fueron **arrasados** por los árabes. Rodrigo, con los hombres que **le quedaban,** probablemente **se refugió** en el norte donde resistió hasta su muerte.

*he was*

*fighting*

*army* nephew

*got together*

*headed ← He was*

  *accompanied by* among them

*We should remember*

*still felt*

*inheritance ← get it back*

*don't intend*

*get booty ← go away ←*

  *together we'll overthrow*

*In exchange*

  *for ← recover* asked for

*promised* lost

*followers* left

*demolished*

*he had left*

*took refuge*

**LA "CULPA" DE RODRIGO**

Pocos años después hallamos a los hijos de Witiza viviendo en territorio árabe, **gozando de** grandes riquezas y de todas sus antiguas posesiones. Entonces empiezan a circularse las nuevas versiones del fin del imperio visigótico. Entonces empiezan a **echarle la culpa a** Rodrigo. "Rodrigo perdió a España por un **capricho** del deseo", dicen. "Por un pequeño placer metió a España a cuchillo." Y así **va de cuento**.

*we find*

*enjoying*

*blame*

*desire*
*whim   pleasure*
*goes the story*
*knife*

# 7

# Mosaico

**BATALLA DE COVADONGA**

**7 I 1.** Los musulmanes se establecen en el sur y de allí **lanzan** sus campañas hacia el norte. **Persiguen a los restos** del ejército visigótico, cuya última defensa **se derrumba** a la muerte de Rodrigo. Cae Córdoba; cae Toledo, la antigua capital de los godos; y pronto toda Castilla está en sus manos. **Se desparraman** hacia el oeste—Extremadura, Portugal; hacia el este—Murcia, Valencia. Por fin llegan a la provincia de Asturias, al pueblo de Covadonga en el extremo norte. Y allí, en un paso de los Montes Cantábricos, por el año 718, sufren su primera **derrota**. Una pequeña banda de españoles bajo el mando del conde Pelayo rechazan a los invasores, y los árabes tienen que retirarse hacia el sur. Los historiadores árabes mencionan el episodio también. "Treinta españoles locos defendían el paso", dicen ellos, "y porque **no nos importaba** mucho, decidimos **dejárselo**." Pero aunque los escritores árabes parecen darle poca importancia, la victoria de Covadonga representa para los españoles el principio de la Reconquista de su tierra.

*launch*
*They pursue the remains*
*collapses*

*They scatter*

*defeat*

*it didn't matter to us*
*let them keep it*
*although*

El Alcázar de Segovia, antigua fortaleza árabe, nos
recuerda los cuentos de *Las Mil y Una Noches.*

**HISTORIA DEL
CONDE PELAYO**

**Ahora bien**, ¿quién era Pelayo?
¿Qué hacía en ese momento en
aquella remota región de Astu-
rias? Ahí está un cuento muy interesante. . . Parece que
el padre de Pelayo era un conde de la corte de Witiza.
El rey se interesó por la esposa del conde, y cuando el
esposo ofendido quiso defender su honor, Witiza lo
mató con un terrible **golpe** en la cabeza. **Temiendo la
venganza** del hijo, Witiza exiló de la corte al joven

*Now then,*

*wife
wanted*

*blow* ● *Fearing the* *killed*
*vengeance*

31

Pelayo. Pelayo se refugió en Asturias con sus hombres. Se cree que estuvo con Rodrigo en el desastre de Guadalete, y que **viendo derrotado a su señor**, volvió al norte, donde esperó la llegada de los musulmanes. **Ganada** la batalla de Covadonga, Pelayo llegó a ser el primer rey de Asturias, y sus descendientes continuaron después la lucha contra los **infieles**.

*seeing his lord defeated*

*arrival*

*Having won*

*infidels*

**LOS RENEGADOS**

**Mientras tanto**, los árabes **asentaban** su corte en la Bética, que ellos nombraron Al Andalus (hoy Andalucía). Algunos cristianos, viendo la posibilidad de **enriquecerse** bajo su dominio, colaboraron con ellos. Los hijos de Witiza, como ya notamos, aparecen viviendo con opulencia en territorio árabe. La viuda del rey Rodrigo se casa con el hijo de Muza, el general árabe que **llevó a cabo** la primera invasión de España. Y otras **altas** señoras de la corte visigótica siguen su ejemplo, casándose con jefes árabes. Gran número de cristianos, sobre todo en las regiones rurales, se convierten al mahometanismo. A estos cristianos convertidos llamamos "renegados". Pero la mayor parte de los españoles que se quedan allí mantienen firmemente su fe católica.

*Meanwhile — were setting up*

*getting rich*

*widow*
*marries*
*brought about —*
*high-born*

*especially*

**MOZÁRABES Y JUDÍOS**

Estos "mozárabes" (cristianos **arabizados**, pero cristianos siempre) llegan a tener una gran importancia cultural. **Son ellos quienes realizan** el primer contacto entre los dos pueblos y quienes transmiten a los cristianos los **avances** de la superior cultura oriental. Al principio, **protegidos** por los **califas**, los mozárabes pudieron conservar sus costumbres y sus prácticas religiosas. Los árabes no les obligaban a convertirse al mahometanismo, primero porque la conversión **a la fuerza** era contra su religión, y segundo, porque los cristianos tenían que pagar **altos impuestos** especiales, y los gobernadores no querían perder esa **fuente** de riqueza. Más tarde, sin embargo, esa **política** de tolerancia iba a cambiar. Había aun otro grupo importante en el mundo árabe-español. Los judíos, perseguidos por la iglesia visigótica, se refugiaron en las cortes de los

*influenced by Arab ways*

*It is they who bring about*

*advances*

*protected — caliphs (Moslem rulers)*

*by force*

*taxes*
*source  wealth*
*policy  nevertheless*
*change*

Una imagen románica del Salvador en la Colegiata de Santillana del Mar, Asturias.

califas, donde llegaron a ocupar altos **puestos**, sobre todo en la medicina y en las ciencias. *posts*

### MUDÉJARES, MORISCOS, Y DEMÁS

Pero no todo iba bien en el territorio musulmán. Desde los primeros momentos de la invasión de España, empezaron las disensiones en el campo árabe. Nuevas sectas religiosas llegan a disputar el **poder**. **Celos**, rivalidades y **enemistades** toman posesión de los conquistadores, y la **España islámica se va fragmentando**. Los jefes árabes tienen que **aliarse a menudo** con reyes o con poderosos nobles cristianos. Como consecuencia, muchos musulmanes van a **vivir a** tierras dominadas por los cristianos. Estos musulmanes, que introducen su arte y sus **conocimientos** en la España cristiana, se llaman "mudéjares", y su influencia cultural es grande. Otros mahometanos se convierten al catolicismo, y

*power ⟵ Jealousies*
*enmities*
*Islamic (Mohammedan) Spain*
*begins to fall apart ⟵ ally*
*themselves often powerful*
*in*

*knowledge*

estos "moriscos" se incorporan poco a poco **a** la sociedad cristiana española. Y hay otros elementos también en ese gran mosaico de la España de los siglos VIII, IX, y X. Cuando un jefe árabe, por ejemplo,

*into*

Página iluminada de una Biblia hebrea hecha en Toledo.

pide ayuda a **Carlomagno** (**a fines** del siglo VIII), el rey de los francos usa el pretexto para invadir el norte de España y para **radicarse** después en Cataluña. Además, piratas **normandos** atacan las costas de la península, y sucesivas invasiones de tribus fanáticas del norte de África **perturban** constantemente la paz.

*Charlemagne (toward the end)*

*take hold*

*Norman* Besides

*disturb*

**MOSAICO** El cuadro multicolor se va completando: cristianos, árabes, judíos, moros, bereberes, mozárabes, mudéjares, moriscos, renegados, francos—enemigos a veces, otras veces viviendo juntos. Con el tiempo los **trozos se funden, y sale del nuevo conjunto** el pueblo español.

*the pieces fuse, and there comes from the new whole*

# 8
# Los Reinos Cristianos

◈

**EN TIERRAS CRISTIANAS** Mientras los árabes ocupaban el sur y el centro de la península, los restos de la antigua corte visigótica establecieron pequeños **reinos** independientes en el norte. Asturias, Navarra, Galicia, Aragón, Cataluña, León... El **propósito** fundamental de estos reinos era conservar el catolicismo y reconquistar a España de manos de los infieles. Pero en realidad, **no sucedió así**. Los cristianos estaban tan **desunidos** como los musulmanes, y las guerras eran constantes—rey contra rey, **vasallo** contra **señor, nobleza** contra **corona**. A veces se juntaban algunos de los monarcas cristianos para llevar la guerra a los mahometanos, pero el país estaba envuelto en un complicado **laberinto de alianzas**, y la Reconquista **adelantaba** poco.

**DOMINIO POR LA FUERZA** La vida era muy dura en la España cristiana de los siglos VIII, IX, y X. Los nobles feudales **se ufanaban de su rudo aspecto guerrero**. Pensaban que el hombre era hombre sólo en la guerra, que **se hacía conocer** por la fuerza, y **todo lo demás** era debilidad. Los reyes **se imponían** por la fuerza y mantenían el poder **por medio de** la fuerza. Y cuando la fuerza del vasallo **llegaba a igualarse con la** del monarca, el vasallo **no vacilaba en desafiar** a la autoridad **real**. "Yo no tengo miedo de él, ni de **cuantos** con él están", dice Fernán González, héroe de la independencia de Castilla, y **rechaza una petición** del rey de León.

**BERNARDO DEL CARPIO CONTRA EL REY** La tradición española, individualista, orgullosa, guarda **celosamente** estos momentos de heroísmo personal. Tomemos el caso,

*35*

por ejemplo, de Bernardo del Carpio, figura histórico-
legendaria. Según **el romancero**, cuando el rey manda    *balladry*
por él, Bernardo, quien fue **engañado** en otras oca-    *deceived*
siones por el monarca, contesta:

"No lo estimo a él
ni a cuantos con él **son**,    *(están)*
**mas por ver lo que me quiere**,    *but just to see what he wants,*
todavía allá iré yo."

Bernardo **manda después juntar a sus hombres**.    *then orders his men to assemble*
Doscientos van con él para hablar con el rey, y otros
doscientos guardan los caminos y **sus propiedades**.    *his properties*
Bernardo llega al lugar de la **entrevista**, y el rey le    *meeting place*
acusa de haber tomado como **herencia suya** una    *a personal inheritance*
propiedad que la corona le dio sólo en **tenencia**.    *tenancy*

"**Mentides, el rey**, mentides,    *You're lying, king*
**que** no dices la verdad,"    *(Do not translate.)*

responde Bernardo. El rey **se pone** furioso y grita:    *becomes shouts*

"**Prendedlo**, mis caballeros,    *Arrest him*
**que igualado se me ha**."    *for he has tried to treat me*
   *as his equal*

Pero Bernardo llama a sus hombres, y cuando el rey
los ve, decide que **le conviene tratarlo todo como**    *it is better for him to treat*
**una broma**.    *the whole matter as a joke*

"¿ Qué **ha sido aquesto**, Bernardo,    *has all this been about*
que **así enojado te has**?    *you've become so angry*
Lo que hombre dice **de burla**,    *as a joke*
¿**de veras vas a tomar**?    *you're going to take seriously*
Yo te doy **El Carpio**, Bernardo,    *(Bernardo's family estate)*
**de juro y de heredad**."    *as a permanent possession*

"**Aquesas** burlas, el rey,    *Those*
no son **burlas de burlar**;    *laughing matters*
**llamásteisme de** traidor,    *you called me a*
traidor hijo de mal padre.
El Carpio yo no lo quiero,
**bien lo podéis vos guardar**;    *you can go ahead and keep it;*

**que cuando yo lo quisiere,**
muy bien lo sabré ganar."

*for any time I want it,*

**VIOLENCIA Y RELIGIÓN**

Como el rey **pisoteaba** los derechos de sus vasallos, y los vasallos pisoteaban la autoridad real cuando podían, reyes y nobles **pisaban** igualmente sobre la religión cuando **les convenía** hacerlo. En una curiosa **paradoja** de devoción espiritual y de interés **mundano**, construían grandes monumentos al culto de su Dios, pero al mismo tiempo no vacilaban en asesinar a **arzobispos** de la iglesia por motivos políticos, ni en robar o **saquear** catedrales y monasterios. A veces, poderosos nobles **hicieron construir** iglesias o conventos para **expiar** sus propios crímenes. Se cuenta el caso del rey Ramiro II de León que derrotó a su hermano y a sus sobrinos en una guerra civil, y en vez de cortarles la cabeza, **mandó sólo sacarles los ojos.** Después, hizo construir un monasterio y metió allí al hermano y a los sobrinos por el resto de su vida. A fines del mismo siglo X, don Sancho, conde de Castilla y **nieto** de Fernán González,[1] iba a hacer un acto de **contrición** igualmente **impresionante. Enterado de** que su madre le quería **envenenar** para poder casarse con un rey árabe, Sancho la obligó a beber el mismo vino envenenado que ella tenía preparado para él. Después, lleno de **remordimientos**, hizo construir un monasterio **para honrar** en la eternidad la memoria de la buena mujer. A pesar de estos extremos, la religión era el factor más importante en la vida del pueblo, y la iglesia siguió siendo durante toda la Edad Media la única fuente de educación y de cultura.

*trampled* rights trampled royal

*stepped*

*suited them — paradox*

*worldly*

*archbishops* did not hesitate to assassinate

rob

*sack* powerful

*had constructed*

*atone for*

defeated

nephews cut off

*ordered only that their eyes be taken out*

*grandson*

*repentance*

*impressive — Informed*

*to poison*

drink

poisoned

*remorse* filled

*to honor*

In spite of

fountain

**CONDICIONES HIGIÉNICAS**

Como en toda Europa, la falta absoluta de condiciones higiénicas causaba terribles enfermedades. Frecuentes **plagas diezmaban** la población, y por lo general, la vida era muy corta. El **baño,** que fue introducido por los romanos, desapareció en tiempos de los

*plagues decimated* short

*bath*

[1] El libertador histórico-legendario de Castilla. Véase el capítulo 10.

Alfonso VI de Castilla, rey guerrero de la época del Cid.

godos. Por lo tanto, hasta el siglo X, el baño era casi desconocido en la España cristiana, excepto para **ritos** ceremoniales y para **embalsamar** a los muertos. Aun esta práctica era condenada por ciertos miembros del **sacerdocio**, porque el cuerpo humano era una fuente de **pecados** y uno no debía mirarlo. Además, la gente creía que el agua debilitaba el cuerpo. Por ejemplo, cuando el rey Alfonso VI (fines del siglo XI) preguntó por qué sus **caballeros** perdieron la batalla de Uclés, **sus consejeros** le respondieron que "porque entraban a menudo en los baños y se daban mucho a los vicios". El rey **mandó entonces derribar** todos los baños de su reino.

**VUELTA DEL BAÑO**  Más tarde, bajo la influencia musulmana, **se introdujo** definitivamente el baño en la vida española. En el siglo XIII encontramos baños públicos en muchas de las

*rites*

*embalm*

*priesthood*

*sins*

*knights*

*his advisers*

*then gave the order to demolish*

*was introduced*

ciudades, y leyes estrictas para implementar su uso. En Cáceres, por ejemplo, los domingos, martes, y jueves estaban reservados para las mujeres, los otros días de la semana, para los hombres. En Sepúlveda, los hombres se bañaban los martes, jueves y sábados, las mujeres, los lunes y miércoles, y los judíos, los viernes y domingos. Así que con el tiempo **se iban templando** las costumbres. Poco a poco se iba formulando una conciencia de hombre moderno.

*were becoming less crude*

# 9
# Cómo Empieza la Literatura

◇

**CÓMO SE EXPRESA EL HOMBRE**

El hombre, a diferencia de los animales, siente una constante necesidad de expresarse. Habla, ríe, ama, **llora**, teme, **odia**, y quiere **eternizar** con el arte las cosas que tienen que desaparecer con su vida. **Dibuja** figuras en las paredes de su cueva, **esculpe imágenes** en las piedras, **traza diseños en la arena**. Y hay dentro de él una voz aun más fuerte que **busca salida**, que **irrumpe** en las contorsiones rítmicas de su cuerpo, en los **gritos estridentes** de su boca—en el baile, en el **canto**.

*he cries* ✦ *he hates* *fears*
*to make eternal*
*He draws* *walls*
*he sculpts images* ✦ *he traces*
  *designs on the sand*
*seeks escape* ✦ *breaks out*
*strident shouts* *Body*
*song* *mouth*

**EL RITMO**

El hombre primitivo siente primero el **compás** del ritmo, y **reacciona** instintivamente. **Hace chocar hueso** contra hueso, piedra contra piedra, **palo** contra palo o contra **concha** o contra el **cráneo** de un enemigo **difunto**. **Estira el cuero** de un animal sobre una concha grande de **tortuga** o de armadillo, sobre un **cubo de madera o de metal, lo golpea** con sus manos, y el **sonido retumba por monte y selva y prado**. Y el hombre empieza a bailar.

*beat* ✦ *he reacts*
*He strikes bone*
*stick* ✦ *shell*
*skull* ✦ *dead* ✦ *He stretches*
  *the hide*
*turtle* ✦ *wooden or metal*
  *bucket, beats it* ✦ *sound*
  *reverberates through hill*
  *and wood and field*

Monjes en su escritorio. Miniatura de las *Cantigas*
de Alfonso el Sabio, siglo XIII.

**BAILE Y CANCIÓN** El baile es, en efecto, su expresión fundamental y existe desde los primeros momentos de la historia. Los antiguos fenicios y griegos hablan de los bailes de los primeros habitantes de España, y **señalan** sobre todo la gracia seductiva de las mujeres. Con el baile va el acompañamiento de la voz humana, al principio en forma de **gemidos**, o **silbidos**, o como **trinos de pájaro,** o **rugidos de animal**. Poco a poco el hombre aprende a crear melodías al compás del ritmo, y con ellas **deja salir** las pasiones que lleva dentro de su corazón. A la melodía, emoción pura, **se le añade** la palabra, **nacida de la razón**. Ya existe la canción.

**PRINCIPIOS DE LA POESÍA** Ahora bien, **así como** el hombre habla antes de saber escribir, así canta antes de saber crear literatura. Una canción se puede transmitir oralmente, y su ritmo **fijo** y regular la hace fácil **de recordar**. Por eso, precisamente en la canción primitiva, espontánea, en-

*they point out*

*moans — whistles — bird-like warbling, or animal roars.*

*lets out*

*is added*
*born of reason*

*just as*

*fixed — to remember*

contramos los orígenes de la poesía. En realidad, un poema no es más que una canción sin música. Hay **asuntos** tan largos y complicados que ya no pueden tomar forma musical. Y en tiempos cuando muy pocas personas sabían leer o escribir, cuando los **trovadores y juglares iban de pueblo en pueblo cantando los sucesos del mundo de fuera**, la poesía se podía aprender de memoria y repetir mucho mejor que la prosa. Por esta razón, la poesía viene antes de la prosa como instrumento de arte. Por esta razón, la poesía es el primer paso en la creación consciente de literatura.

**LA ÉPICA**   Todas las grandes literaturas empiezan con la épica, con esos largos poemas que cantan las **hazañas** de los héroes nacionales. Grecia tiene su *Ilíada* y su *Odisea*; Roma, su *Eneída*; Inglaterra, su *Beowulf*; Alemania, su *Nibelungenlied*; Escandinavia, las sagas de sus figuras legendario-históricas; Francia, su *Chanson de Roland*. Y España **no les va en zaga**. Durante la Edad Media florece la épica española, transmitida oralmente por los juglares en la plaza mayor de los pueblos, en palacios y **posadas**, en las casas de los ricos y en **sombríos** monasterios. Sus temas tratan a veces de héroes de la Reconquista, otras veces, de guerreros que lucharon por la libertad de su región, o **sencillamente**, por su propia dignidad personal.

**REALISMO DE LA ÉPICA ESPAÑOLA**   **Lo sobrenatural** entra muy poco en la épica española. Nada de **poderes** mágicos, nada de intervención divina. Sus héroes son hombres —fuertes, valientes, pero nada más que hombres. Pelean con hombres, no con serpientes o monstruos, y viven en la compañía de hombres. Aman el concepto de país y de familia. Son buenos esposos o hijos, y buenos vasallos de su rey, eso es, si el rey es justo con ellos. Así, dentro de un **marco realista**, el hombre llega a ser un héroe, sin la ayuda de fuerzas superiores, sino porque él **mismo** es superior, porque él mismo **vale más** que los otros. La poesía épica refleja todos los

*topics*

*troubadours and minstrels went from town to town singing of the events of the outside world*

*deeds*

*doesn't lag behind*

*inns*

*somber*

*simply*

*The supernatural*

*powers*

*realistic framework*

*himself — is more worthy*

**valores** fundamentales del alma española—su individualismo, su amor a la patria, su **desafío a** la muerte, su profunda religiosidad, el **gesto** dramático, el sacrificio estoico. Sobre todo, la épica habla con una voz popular y es, en realidad, la primera creación literaria del pueblo.

*values   soul*
*defiance of*
*gesture*

**OTRAS FORMAS LITERARIAS** **Mientras tanto,** los estudiosos **monjes** en sus conventos escriben vidas de santos, cuentos morales, y pequeños dramas religiosos celebrando las glorias de Dios. Al principio usan sólo el latín, pero con el tiempo, emplean también el castellano. Poco a poco nace entre la gente culta una poesía lírica—canciones de amor, **elogios** a la Virgen, expresiones íntimas del sentimiento humano. Y el pueblo contribuye igualmente con sus canciones de Navidad, sus pequeños poemas rústicos, y sus **agudas** farsas satíricas. La cultura árabe introduce en España la corriente literaria del Oriente, fábulas de la India y de Persia, cuentos de *Las Mil y Una Noches.* Más tarde, Italia va a ejercer su influencia, en la poesía y en los principios de la novela.

*In the meantime*
*monks*

*praises*

*sharp   farces*
*current*
*fables,*
*exercise*

**LA NOVELA** En efecto, la novela es la última forma **en desarrollarse. Se populariza** con la invención de la **imprenta** y con la diseminación de la educación. El hombre ya no tiene que aprender sólo **de oído,** sino por **la vista.** La erupción espontánea de su alma encuentra ahora la corriente paralela del intelecto. Nos estamos acercando a la edad moderna.

*to be developed ➤ It becomes*
*popular ➤ printing*

*by ear ➤ sight*

*approaching*

# Por un Azor y un Caballo

◈

**IMPORTANCIA DE LA CASTILLA MODERNA**
En tiempos modernos, Castilla se considera el corazón de España. Su ciudad principal, Madrid, es la capital de la nación. Su lengua **se enseña** y se habla en todas las provincias de España y en Hispanoamérica. De Castilla han venido los reyes, y en Castilla se hacen las leyes. Pero no ha sido siempre así.

*is taught*

**CASTILLA EN TIEMPOS ANTIGUOS**
Hasta fines del siglo X, Castilla pertenecía al reino de León. Era una región pobre y de relativamente poca importancia política. Su posición geográfica, en el centro de la península, sin acceso al mar, la hacía víctima de ataques **por todos lados**. Si peleaban moros contra cristianos, o cristianos contra cristianos, Castilla era **con demasiada frecuencia** el campo de batalla. Así que sus condes construyeron ciudades fortificadas, y la población entera se refugiaba dentro de los castillos durante los tiempos de guerra— que eran casi siempre. (Precisamente del gran número de castillos que se construyeron allí viene el nombre Castilla, tierra de castillos.)

*on all sides*

*all too often*

**CRECE EL DESCONTENTO**
Con el tiempo surgieron conflictos entre los reyes de León y sus vasallos castellanos. Bajo el impulso de nuevas sectas fanáticas, los musulmanes **reanudaban** sus ataques, ahora más violentos que **nunca**, y los reyes **leoneses** no sabían defenderse. Los castellanos siempre habían gozado de cierta autonomía, y ahora los reyes leoneses se la querían quitar. Surgieron además cuestiones **jurídicas**, cuestiones militares, cuestiones de honor, hasta que **a mediados** del siglo X los tres condes principales de Castilla fueron

*were renewing*
*ever ~ of León*

*judicial*
*around the middle*

**prendidos** por el rey leonés y desaparecieron misterio- | *arrested*
samente. Los castellanos se levantaron en armas, re-
clamando sus derechos bajo la ley. Ahora tenían un
jefe nuevo, el conde Fernán González. Castilla llegaba
a la **encrucijada** de su historia. | *crossroad*

**FERNÁN GONZÁLEZ,**     Fernán González **emprende** | *takes up*
**LIBERTADOR**     la campaña de liberación.
    Primero **unifica** a toda Cas- | *he unifies*
tilla bajo su mando. La defiende contra los árabes, y
aun lleva la batalla a territorio musulmán. **Cuida de** | *He cares for*
su gente, y entonces, cuando el rey de León manda por
él, Fernán **se niega a** ir. | *refuses*

"**Villas** y castillos tengo, | *Townships*
todos a mi **mandar** son, | *command*
**de ellos** me dejó mi padre, | *some of them*
de ellos **me ganara yo**; | *I got by myself*
**las que yo me hube ganado** | *those that I got on my own*
**poblélas de labradores**; | *I peopled them with farmers*
**quien** no tenía más de un **buey**, | *if a man ➤ ox*
**dábale otro, que eran dos**; | *I'd give him another, so that*
**al que casaba su hija** |    *made two ➤ when a man*
**dole yo muy rico don**; |    *married off his daughter*
                                             *I'd give a big present*
cada día que **amanece**, | *dawns*
por mí hacen **oración**; | *prayer*
no la hacían por el rey,
**que no la merece, non**; | *for he doesn't deserve it, not at*
él les puso muchos **pechos** |    *all ➤ taxes*
**y quitáraselos yo**." | *and I removed them.*

**LEYENDA DEL AZOR**    Por fin, Fernán González
**Y EL CABALLO**     consiente **en** ir a la corte, | *to*
**rogando** a Dios ayudar a su Castilla. | *praying*

"Señor Dios de los cielos,
**quiérasme ayudar**, | *please help me get Castile*
**que yo pueda a Castilla** | *out of this terrible plight*
**desta premia sacar**."

Lleva consigo un **azor** y un caballo de los más finos que | *falcon*
hay en toda España. El rey **se prende de** ellos y los | *takes a fancy to*

Fernán González, el libertador de Castilla. Retrato anacrónistico del siglo XVI.

quiere comprar. Pero Fernán González **dice que no**, que se los va a **regalar**. El rey insiste, y finalmente llegan a un acuerdo. El precio del azor y del caballo **se fija en mil marcos**. Pero si el rey no los paga dentro del **plazo señalado**, la **deuda** se va a doblar cada día. Firman los documentos, y Fernán González **entrega** su azor y su caballo. Pasa el plazo, pasan tres años más, y la deuda se hace tan grande que ya no hay dinero en todo el reino para pagarla. Un día, Fernán González va a la corte, presenta sus papeles, y en **cambio**, le tienen que conceder la independencia de Castilla. Así, por un azor y un caballo, dice la leyenda, "... perdió el rey **Castilla su condado**."

**SEGÚN LA HISTORIA ...** La historia nos dice que en realidad no fue tan fácil **conseguir** la independencia de Castilla. **Duraron** muchos años las luchas entre Fernán González y los

*says "no"*
*give as a gift*

*is set at 1000 marcos*
*time set ◄ debt*
*hands over*

*exchange*

*his county Castile*

*to obtain*
*lasted*

45

reyes de León, hasta que por fin, a la muerte de Ramiro II, Fernán González triunfó definitivamente. La historia **tampoco** idealiza tanto la figura del héroe. **Según ella**, el libertador de Castilla era por la mayor parte como los demás **caudillos** de su época—feroz guerrero y brutal, oportunista y egoísta, pero un poco más fuerte, más **resuelto**, más **eficaz** que los otros. Bajo su mando, Castilla asumió la dirección de la guerra contra los musulmanes, y por un tiempo fue victoriosa. Durante el reinado de su hijo, Garci Fernández, Castilla empezó a desarrollar ciertas funciones casi democráticas. Garci Fernández **armó caballeros a centenares de plebeyos**, los incorporó a su ejército como capitanes, y abrió así las puertas de la nobleza a **todo hombre calificado**. Pero **desgraciadamente**, Garci Fernández cayó en manos de los árabes y murió prisionero en Córdoba. Castilla empezó por un tiempo a **decaer**, pero pronto iba a **despertar de nuevo para capitanear** la reconquista de España.

*neither ▪ According to it (history)*

*chieftains*

*determined ▪ efficient*

*made knights of hundreds of common people*

*any qualified man ▪ unfortunately*

*decline ▪ awaken again to lead*

# II

# Sobre Almohadas y Alfombras

◈

**DOS MUNDOS**

Eran dos mundos diferentes, el cristiano y el musulmán. Mientras las torres **pujantes** de las catedrales románicas y góticas rompían los **horizontes** del norte, los arcos redondeados de las mezquitas **acariciaban** el cielo del sur. Mientras los guerreros cristianos se sentaban en duros **escaños**, y **despreciaban** el lujo, los

*thrusting up*

*horizons*

*caressed*

*benches ▪ scorned*

califas **se recostaban sobre blandas almohadas**
y **saboreaban** ricas comidas **condimentadas** con
**especias** orientales. Los **suelos** de sus palacios estaban
cubiertos de **espesas alfombras**, y de las paredes
**colgaban tapices de seda y de terciopelo con fibras
de oro**. Sus jardines multicolores **poblados de
pájaros** tropicales y de **fuentes murmuradoras**
hacían fuerte contraste con los secos **páramos** del
centro y del norte. Y mientras los cristianos se refugia-
ban en ciudades **amuralladas** y en austeros conventos,
renunciando a los placeres de este mundo por la vida
eterna en **el otro**, los árabes se rodeaban de todos los
**regalos** de la vida en esta tierra.

*reclined on soft pillows*
*savoured ← seasoned*
*spices ← floors*
*thick rugs*
*hung tapestries of silk and
velvet and fibers of gold
← inhabited by ← birds ←
murmuring fountains*
*cold highlands*

*walled*

*the hereafter*
*comforts*

### CÓRDOBA: CENTRO DE CULTURA

En Córdoba se estableció a
fines del siglo IX un **califato**
independiente, y durante los
próximos cien años esa ciudad se convirtió en el centro
cultural más importante de Europa. Llegó a tener medio
millón de habitantes, tres mil mezquitas, trescientos
baños, y trece mil casas con hermosísimos jardines.
Había escuelas públicas y **particulares**, y **por lo**
general aun la gente común sabía leer y escribir. La
literatura era muy cultivada, sobre todo la poesía, y en
ese campo se distinguieron no sólo los poetas profesionales, sino muchas mujeres, y aun los califas del reino. Se
atribuye a los árabes la invención del papel, y sabemos
que produjeron un número **increíble** de libros. ¡Por
ejemplo, los historiadores de la época nos dicen que la
biblioteca personal de uno de los califas de Córdoba
contenía más de cuatrocientos mil manuscritos! Los
**cordobeses** mostraban mucho interés **por** la filosofía
y la lógica, como por la medicina, las matemáticas, la
geografía, y la astronomía. En estos campos también
hicieron una contribución notable los eruditos judíos
que **se habían acogido a** aquella corte.

*caliphate*

*private ← in*

*incredible*

*Cordobans ← in*

*had found haven in*

### ARTE Y VIDA EN TIERRAS ÁRABES

Ocurría lo mismo en las otras
grandes ciudades hispano-
árabes: Toledo, Sevilla, Granada,
Málaga, Valencia... Aunque los árabes **casi descono-**

*were almost unaware of the*

La Alhambra de Granada, joya de la arquitectura árabe.

cían la pintura, y utilizaban la escultura sólo como *art of painting*
adorno de los edificios, sobresalieron en la arqui- *decoration on ⬤ they excelled*
tectura. Elocuente evidencia es la magnífica Alhambra,
fortaleza y residencia de los reyes de Granada. *fortress*
Detrás de sus grandes murallas, había salas lujosas *Behind ⬤ walls*

48

incrustadas con mosaicos y con piedras preciosas. Y había **marfil** y alabastro y raras maderas magníficamente **labradas** y pintadas. Detrás de esas murallas también se hallaban los apartamentos del **harén** del califa. Allí vivían las mujeres del rey, **vigiladas** por altos **eunucos**, y allí bailaban, acompañadas de la música de instrumentos extraños. Los músicos que tocaban esos instrumentos eran todos ciegos, ¡porque el califa **les hacía sacar los ojos para impedirles ver** a sus esposas! Así que al lado de la hermosa poesía, al lado del más exquisito arte y refinamiento, existía la terrible crueldad del hombre todavía **inconsciente** de su verdadera dignidad humana.

*ivory*
*carved*
*harem*
*watched over*
*eunuchs*
*had their eyes taken out to prevent them from seeing*
*unaware*

**ADELANTOS TÉCNICOS** Claro está, para la gente común de ambos mundos, cristiano y mahometano, la vida era muy **ardua**. En los reinos del sur, los árabes eran la clase alta. Las clases bajas estaban compuestas mayormente de moros, bereberes, y miembros de otras tribus del norte de África. **Herederos de** una vida **nómada**, no sentían al principio las profundas **raíces que ataban** al español a su tierra. Pero poco a poco llegaron a ser una parte íntegra de la población. Grandes ingenieros y agricultores, introdujeron un sistema excelente de irrigación. Sabían **extraer** resinas y gomas de los árboles. **Fabricaban** vinos y hermosos **tejidos** y artículos de **cuero**. **Explotaban** las minas y labraban metales y piedras. Iniciaron un comercio marítimo que convirtió a Sevilla en uno de los grandes puertos del mundo. Y **aportaron** también la **numeración** arábiga que se usa hasta ahora en todo el mundo occidental.

*difficult*
*Being accustomed to ➤ nomadic roots that tied*
*extract ➤ They manufactured ➤ cloths ➤ leather They developed*
*they brought ➤ number system*

**CONTRIBUCIÓN LINGÜÍSTICA** Sólo una lista parcial de las palabras árabes que existen todavía en el castellano da una idea de su enorme influencia económica y cultural: arroz, azúcar: naranja, melón; **albaricoque, berenjena**; alcohol, **algodón; acequia, noria; almoneda, almacén; alguacil, alcalde**; almohada, alfombra, jazmín, harén. De esta **tela** está hecha también el alma española.

*apricot, eggplant*
*cotton; irrigation ditch, water wheel; auction, storehouse; constable, mayor*
*cloth*

# 12
# "Santiago, y Cierra España"

◇

**EL SEPULCRO DEL APÓSTOL**

**V**olvamos **atrás** por un momento... Según las antiguas tradiciones de los católicos españoles, el apóstol Santiago **había predicado** la fe cristiana en la España pagana antes de volver a Jerusalén, donde murió **mártir**. Decían que después de su muerte, Santiago **regresó milagrosamente** a España, porque tanto amaba esa tierra, y allí fue donde sus **discípulos lo enterraron**. Durante ocho siglos reinó el misterio sobre el asunto, hasta que a principios del siglo IX ocurrió el **suceso** que iba a despertar la conciencia de la España cristiana. En un pequeño lugar de Galicia descubrieron por fin el **sepulcro** y el cuerpo del apóstol, y el rey Alfonso el **Casto** hizo construir allí un **santuario** que más tarde iba a ser la magnífica catedral de Santiago de Compostela.

**SANTIAGO MATAMOROS**

Alfonso vio las posibilidades de unificar a los reinos cristianos **alrededor del** apóstol y de emprender una guerra **santa** contra los musulmanes. Como los árabes tenían a **Mahoma**, profeta de Alá, ahora los españoles tenían a Santiago, y el apóstol los iba a hacer victoriosos en la guerra. Dicen que desde aquel tiempo apareció en numerosas batallas contra los moros una figura montada en un gran caballo blanco. Llevaba en una mano un **estandarte** blanco con una cruz roja, en la otra, una espada **reluciente**. Esa figura era el apóstol Santiago, y los enemigos de la fe **retrocedían asustados** ante la aparición. Los españoles empiezan a llamarle Santiago **Matamoros**, y el apóstol se hace el patrón de España, el santo guerrero, símbolo del **nuevo despertar** de la patria, símbolo de su futura reconquista. El **grito de guerra**, "Santiago, y cierra

*Let's go back*

*had preached*

*a martyr*
*returned miraculously*

*disciples buried him*

*event*

*tomb*
*Chaste*
*shrine*

*around*

*holy*
*Mohammed*

*banner*
*shining*
*retreated*
*terrified*
*the Moor-killer*
*reawakening*

*war cry*

España" se va a oír más tarde en **lejanos** campos de *far-off*
batalla, en Granada, en **Flandes**, en las campañas del *Flanders*
norte de África, y **en boca** de Cortés y de Pizarro y de *in the mouth*
los otros conquistadores de América.

Peregrinos en el camino de Santiago. Miniatura del
siglo XIII.

**EMPIEZAN LAS PEREGRINACIONES** Santiago de Compostela empezó a significar para el mundo católico de la Edad Media casi lo mismo que significaba Meca[1] para **Islam**. A lo *Islam (the Moslem world)*
menos una vez durante su vida, cada católico devoto
tenía que hacer una **peregrinación** al santuario, y los *pilgrimage*
caminos **se llenaban** de viajeros de todo el continente *were filled with*
europeo. La fama del apóstol siguió creciendo. Ahora
le **denominaban** "el hermano **gemelo** de Cristo", y *called ⟶ twin*
los cuentos de sus milagros se multiplicaban. En el siglo
XII los monjes benedictinos de la orden francesa de
Cluny hicieron un acuerdo con el arzobispo de Santiago
para **encargarse** de esas expediciones, y durante más *to take charge*
de seis siglos Santiago de Compostela **se vio inundada** *was flooded*
**de peregrinos**. Claro está, de esta manera penetraron *with pilgrims*
en España influencias culturales del resto de Europa,
sobre todo la francesa.

[1]La ciudad sagrada de los mahometanos.

**CAMINO DE SANTIAGO** Las largas caravanas entraban por el norte, por el histórico paso de Roncesvalles donde una vez fueron derrotados los mejores caballeros de Carlomagno. **A lo largo del** camino de Santiago se construyeron monasterios y **ventas** para recibir a los viajeros. **De** noche, los peregrinos podían escuchar los cantares épicos de los juglares, y **a la madrugada reanudaban** su larga **caminata**. Las ciudades vecinas florecían, y la importancia de los obispos de Santiago empezó a **rivalizar con la** de los reyes mismos. Dentro de poco tiempo, el **tesoro** de la catedral valía más que el **tesoro real**. ¡Tan rico era en efecto que algunos monarcas lo **saquearon** para pagar los **gastos** de sus campañas militares contra los musulmanes! En el siglo XII, el poderoso arzobispo Gelmírez mantenía su propio ejército y **acuñaba** su propia **moneda**, y sus soldados lucharon frecuentemente contra los nobles de Galicia y aun contra el rey. ¡En una ocasión, el arzobispo tuvo que llamar a su ejército para sofocar una rebelión de los **burgueses** de Santiago quienes, **resentidos** del monopolio económico de Gelmírez, habían asaltado la catedral!

**EXTRAÑA DUALIDAD** Extraña dualidad de devoción religiosa y de rebelión contra sus representantes **terrenales**. El español **se postra** ante su Dios, pero se niega a besar la **falda** del obispo. Y cuando ya no puede **soportar** la opresión material, sus protestas pueden acabar con el **saqueo** e **incendio** de sus lugares más **sagrados**. Esto iba a ocurrir **una y otra vez** en épocas **posteriores** de la historia hispana, en España y en los países de América. . . Hombre de lucha y de contradicción.

*Along the*

*inns* ‚ *At*

*at dawn they resumed*
*walk*

*to rival that*

*wealth* ‚ *royal treasury*
*looted*
*expenses*

*coined*
*money*

*townspeople*
*resentful*

*worldly* ‚ *prostrates himself*
*skirt*
*endure*
*looting* ‚ *burning*
*sacred* ‚ *again and*
*again* ‚ *later*

Santiago de Compostela: la catedral.

# 13
## "Mensajero eres..."

◈

**"NO MERECES CULPA, NO"**

"**M**ensajero eres, **no mereces culpa**, no." Esta línea aparece frecuentemente en los antiguos romances españoles, y en su superficie no ofrece nada de interés especial. Pero estudiémosla por un momento, porque debajo hay un cuento interesantísimo, un cuento que refleja profundamente el carácter español.

*you don't deserve the blame*

**SUERTE DEL MENSAJERO**

En tiempos antiguos, parece que en España, como en otras partes del mundo, la vida del mensajero era **bastante arriesgada.** Según la costumbre, el mensajero que traía noticias buenas recibía **regalos y premios,** y le daban de comer y le **festejaban** con todos los honores de que era capaz el recipiente. Pero **al que** traía noticias malas **le aguardaba otra suerte.** Como bien se puede imaginar, el **destinatario** de la mala noticia reaccionaba con furia. "**Sacad** de aquí **al que** trajo la noticia", **rugía,** "y **córtenle** la mano con que me la entregó." Si el mensaje se transmitía oralmente, había varias alternativas—le podían cortar la **lengua** con que lo había dicho, o sencillamente matarle allí mismo donde estaba, todo según el temperamento del recipiente o la gravedad del asunto. La historia recuerda casos aun de reyes que, queriendo eliminar a un miembro de su corte sin hacer acto abierto, le mandaban con malas noticias a un rival o a otro rey enemigo. El mensajero llegaba a la corte o al palacio o al campamento del enemigo, le entregaba la carta **sellada,** ¡y **zas...**!

*quite risky*
*gifts and rewards*
*regaled*
*for the one who*
*another fate awaited*
*receiver*

*Remove* ➴ *the one who*
*he'd roar* ➴ *cut off*

*tongue*

*sealed*

*pow!*

**CONCIENCIA HUMANA DEL HÉROE ESPAÑOL**

Pero como nos cuentan los antiguos romances, los héroes épicos españoles **rechazan** esa práctica. Fernán González, el libertador de Castilla, recibe una carta del rey de León diciendo que debe ir **en seguida** a la corte. Fernán no quiere ir, pero tampoco puede **desobedecer**. Está preocupado

*reject*

*at once*

*disobey*

"Mensajero eres. . ."
Miniatura del siglo XV.

por el futuro de Castilla. Está furioso con la injusticia del rey. Pero **se vuelve** al mensajero y le dice: "Mensajero eres, no mereces culpa, no", y le deja regresar a su **amo**. Bernardo del Carpio, el héroe de Roncesvalles,[1] según los poemas épicos, descubre que su rey **le ha traicionado**, que le ha prometido la libertad de su padre, pero le manda sólo su cuerpo muerto. Más tarde el rey le envía una carta diciendo que le quiere ver sobre un asunto de mucha importancia. Bernardo **sospecha** otra traición **de** parte del rey, **tira** la carta al suelo, y:

*he turns*

*master*

*has betrayed him*

*suspects ● on the ● throws*

". . . al mensajero habló:
Mensajero eres, amigo,
no mereces culpa, no."

---

[1]Batalla en que fue derrotado un ejército de Carlomagno y en que murió el héroe francés Roldán (Roland).

**EL CID
EN BURGOS**

Esta compasión humana, a pesar de la **rudeza** y brutalidad de la vida guerrera medieval, se encuentra en otros aspectos de la tradición española. Tomemos por ejemplo el caso del Cid Campeador, su héroe nacional. El Cid **acaba de ser** exilado injustamente por el rey Alfonso VI. Reúne a un grupo de sus amigos y con ellos va a salir de Castilla. Pasa por Burgos, su **ciudad natal**, y busca **alojamiento** para aquella noche. Pero nadie **se atreve** a hablar con él. Nadie le ofrece ni comida ni **hospedaje**. Una niña **se le acerca** y le explica que el rey les ha prohibido bajo pena de muerte ayudar **de manera alguna** al Cid. El Cid recibe la noticia con tristeza, pero **no les guarda rencor**. **Se despide cariñosamente** de sus antiguos amigos **burgaleses** y sigue su camino hacia el **destierro**.

*in spite of*
*crudeness*

*is found*

*has just been*

*birth-place*
*lodging* — *looks for*
*dares*
*a place to stay* — *goes up to him*

*in any way at all*
*sadness*
*doesn't bear them any ill will*
*He takes affectionate leave*
*of Burgos* *follows*
*exile*

**EPISODIO DEL CONDE
DE BARCELONA**

Más tarde el Cid toma prisionero en una batalla al conde de Barcelona. Viéndose en manos enemigas, el orgulloso noble **se niega a** comer **bocado**. El Cid trata de obligarle a comer, pero el conde **rehusa**. Prefiere morir de hambre antes que aceptar la comida que le ofrece su **vencedor**. Por fin, el buen Cid no puede resistir más, y le pone en libertad... El poeta nos cuenta otros casos del humanitarismo del noble guerrero. Tan bien trata, por ejemplo, a sus **súbditos** valencianos que los moros mismos lloran al verle salir de sus tierras. Implacable en la guerra, al mismo tiempo sabe perdonar. Irrevocable defensor de su honor propio, sabe respetar también el honor **ajeno**. ¿Paradojas? Tal vez, pero el español moderno sigue sus pasos.

*Seeing himself*
*refused to*

*a bite of food*

*refuses*
*conqueror*

*tells us*
*he treats*

*subjects*
*cry, themselves*
*to forgive / pardon*

*Paradoxes?²*
*of the other person*
*Perhaps*

# 14
# El Reto de Zamora

◇

**ESPAÑA DIVIDIDA**

Cuando el rey Fernando I murió en 1065, sus tierras fueron divididas entre sus hijos: a Sancho, el mayor, **se le dio** Castilla; a Alfonso, el segundo, León; a García, el tercero, Galicia; y a su hija Urraca, la ciudad de Zamora. Pero Sancho no estaba contento. Él era el hijo mayor, **se decía**. A él le pertenecía todo el reino de su padre. ¿Para qué dividir otra vez en pequeñas provincias esas tierras que **apenas acababan de unirse**? ¿Para qué **deshacer** la labor de Fernando? ¿Para qué mostrarse desunidos otra vez los cristianos ante sus enemigos los musulmanes? Y Sancho tomó su decisión. Ayudado por su mejor amigo, el Cid, y por los demás nobles de la corte, emprendió la guerra contra sus hermanos.

**EMBAJADA DEL CID**

García, el más joven y el más débil, cayó primero, y con él, Galicia. León vino después. Dos veces Sancho derrotó a Alfonso, hasta que por fin Alfonso se refugió en la corte de un rey árabe, donde siguió conspirando contra Sancho. Ahora **faltaba sólo** tomar Zamora. Sabiendo que el Cid fue **criado** en Zamora y que todavía tiene muchas **amistades** allí, Sancho le manda para hablar con Urraca. El Cid **cumple** bien su **papel de embajador**. Le dice a Urraca que el rey quiere pagarle por la ciudad, o si ella prefiere, le puede dar otra ciudad en cambio. Pero Urraca rehusa. Llorando amargamente, le explica al Cid que su gente no quiere **que entregue** la ciudad a Sancho, y que ella debe respetar su deseo. El Cid vuelve al rey con el mensaje de su hermana, y le recomienda que abandone el **proyecto** de tomar a Zamora por la fuerza. Pelear contra una mujer **es faltar a** las leyes de la **caballería**, y

*was given*

*he reasoned* belonged
again
*that had only just been united*
*undo*
show
made

undertook

weakest
fell

defeated
continued
*all that was left was*
*raised*
*friends*
*fulfills ● role as*
*ambassador*

(in exchange)
on the other hand
bitterly

*her to hand over*

*project* to fight
*means to violate ● chivalry*

rest of Spain under Arab domination 57
after para qué infinitive = in order to

La muerte del rey Sancho IV ante Zamora.

el Cid **ha jurado** no levantar su espada contra Zamora. *has sworn*
Sancho se pone furioso, acusa al Cid de **deslealtad**, y *disloyalty* ~~becomes~~
le destierra de Castilla. Pero el rey no puede **desechar** *cast aside* ~~exiles~~
para siempre al amigo de su infancia. **Se disculpa** y *He apologizes*
pide al Cid **que vuelva**. Pronto se reúnen el rey y su *to come back*
vasallo y afirman de nuevo su amistad. *friendship, again*

**ASESINATO**           **Mientras tanto** ha comenzado el **sitio** *siege* *In the meantime*
**DE SANCHO**    de Zamora, y los zamoranos **se** *get ready*
**disponen** a resistir hasta la muerte.
Pero la batalla es desigual. Sancho tiene que ganar... *unequal*
Un día se presenta en el **campamento** del rey un *camp*
desertor zamorano, de nombre Vellido Dolfos. **A** *In spite of*
**pesar** de las **amonestaciones** de sus **consejeros**, Sancho *warnings ~ advisers*
lo recibe como amigo. Poco después, **pasa lo que** *the expected happened*
**había de pasar**. **Hallándose** sólo una tarde con el rey, *Finding himself*
Vellido **saca** una **lanza y le atraviesa el pecho.** Con *takes spear and stabs him in the*
la **ligereza de un relámpago**, monta a caballo, **corre** *chest ~ speed of lightning*
hacia una pequeña **puerta escondida** de la ciudad y *hidden door (in the walls)*
desaparece detrás de sus **murallas**. *behind, walls*

*subjunctive — when beg or ask someone to do something*

58

**EL RETO**

**Cunde** por todo el **real** castellano la noticia de la muerte de Sancho. Un crimen tan grande <u>merecía</u> un **castigo** igual. Pero, ¿cómo lo van a **realizar** si el Cid **ha hecho juramento** de no pelear contra Zamora? **En esto** se levanta Diego Ordóñez, amigo y soldado del rey, y dice que él solo va a <u>desafiar</u> a toda la ciudad de Zamora. <u>Siendo</u> **tan cobardes**, un **solo** hombre <u>bastaba</u> para **humillarlos**. <u>V</u>estido **de luto**, se <u>acerca</u> entonces a las **puertas** de la ciudad y grita:

*There spreads ~ camp*

*punishment merits/deserves*
*bring it about ~ has taken an*
*oath ~ At this moment*

*challenge*
*Being*
*such cowards ~ single*
*was enough*
*humiliate them ~ in mourning*
*he approaches Dressed*
*gates*

"Yo **os reto**, los zamoranos,
<u>por</u> traidores **fementidos**,
reto a todos los muertos,
y con ellos a los vivos;
reto hombres y mujeres,
**los por nacer y nacidos**;
reto a todos los grandes,
a los grandes y los <u>chicos</u>,
a las **carnes y pescados**,
a las <u>aguas</u> de los ríos."

*challenge you*
*as dastardly*

*the unborn and the born*

*adults & children*
*animals and fish*
*waters of*

Un noble **patriarca** zamorano le contesta. Arias Gonzalo es su nombre.

*elder*

"<u>Hablaste</u> como **valiente**,
pero no como **entendido**.
¿Qué <u>culpa</u> tienen los muertos
<u>de lo que hacen</u> los vivos?
De lo que hacen los grandes,
¿qué culpa tienen los chicos?"

*you spoke*
*a brave man*
*a very bright one*
*blame for that which the*
*living do*

Arias Gonzalo <u>jura</u> entonces en nombre de todos que los zamoranos no tomaron parte en el asesinato de Sancho, pero que su honor <u>ha sido</u> ofendido y lo van a defender.

*swears*

*has been*

**COMBATE DE LOS CAMPEONES**

A la mañana <u>siguiente</u> **salen a lidiar los campeones** contra su **retador**. Empieza la lucha, y Diego Ordóñez <u>mata</u> a los dos hijos mayores de Gon-

*next*
*the champions go out to*
*do combat*
*challenger*
*kills*

zalo. **Hiere** mortalmente al tercero, pero **antes de morir su antagonista**, el caballo de Ordóñez **salta la valla**. Según las reglas de la caballería, Ordóñez ha perdido por eso el combate, y el zamorano **moribundo queda dueño del campo**. Diego quiere volver para continuar la pelea, y el viejo Arias Gonzalo se ofrece para lidiar con él. Pero el Cid y los **jueces de campo** intervienen. Deciden que en realidad todos los campeones han defendido noblemente su honor, que Ordóñez ha **vengado** la muerte de su rey, y que Zamora queda libre de la acusación. Así termina el episodio del reto de Zamora; termina con el gesto dramático, heroico, singular; el desafío personal, el combate individual. El honor vale más que la vida; la conciencia, más que la **ventaja**. Temperamento hispánico.

*He wounds — before his opponent dies — jumps over the fence of the combat ring*
*dying*
*is dubbed the winner*

*field judges*

*avenged*
*is left*
*challenge*
*is worth*
*personal advantage*

**SUCESIÓN DE ALFONSO VI**

La muerte de Sancho iba a traer otras consecuencias a la **naciente** España. La corona pasó a su hermano Alfonso, quien inició una nueva concepción de la monarquía. Bajo Alfonso **se prosiguieron** las guerras contra los moros. Y en tiempos de Alfonso se iba a levantar definitivamente la figura épica del héroe nacional, el Cid. Pero ahí va otro cuento...

*bring*
*growing*

*were continued*

*to rise, definitely*

# 15

# El Cid: Hombre y Ficción

◈

**LOS DOS CIDES**

El Cid es en realidad dos personajes. Uno es el valiente guerrero que tomó parte en las batallas de Sancho y de Alfonso, y que conquistó a Valencia para los cristianos. El otro es una figura heroica creada por la imaginación popular, una figura **caballeresca** cuyas aventuras

*chivalrous whose*

pertenecen más al mundo de la ficción que a la historia. Vamos a tratar de separar a los dos.

**NIÑEZ DEL CID**
Rodrigo Díaz de Vivar era su nombre. Nació en Burgos a mediados del siglo XI. Era hijo de una familia noble, y desde joven se distinguió en el servicio de su príncipe y amigo, don Sancho. Esto **lo** sabemos por cierto de las numerosas crónicas de la época. Pero la tradición popular añade otros episodios acerca de su **niñez** y juventud. Cuenta, por ejemplo, que desde niño Rodrigo mostró una extraordinaria independencia de espíritu y nobleza de carácter. Que tan fuerte era que nadie podía igualarle, ¡y tan inteligente que el rey **le nombró juez** cuando tenía sólo diez años de edad!

*try*

*from youth*

*(Do not translate.)*

*childhood* adds, about, youth
showed

*appointed him judge*

**CUESTIÓN DE HONOR**
Dicen que un día el viejo padre de Rodrigo fue gravemente ofendido por un conde enemigo suyo. Llamó a sus hijos y **les sometió a prueba** para ver quién era más capaz de defender el honor de la familia. Uno **tras** otro, **les apretó** fuertemente el brazo. Los mayores **se sometieron** sin protesta. Pero cuando le llegó el turno a Rodrigo, el joven **se puso** como un tigre furioso, y le dijo estas palabras:

*he put them to a test*
*after* capable
*he squeezed* arms
*submitted*
*became*

"**Soltedes**, padre, **en mal hora**,
Soltedes en hora mala,
**Que a no ser padre**, **no hiciera**
**Satisfacción de palabras**;
**Antes con la mano mesma**
**Vos sacara las entrañas**."

*Let go � d—— it!*

*For if you weren't my father, I wouldn't be satisfied with just words; Instead with my bare hand I'd pull your insides out*

El viejo padre, loco de felicidad, le **abrazó** y dijo que Rodrigo era **el que debía** vengarle. Rodrigo aceptó el desafío. En justo combate, mató al conde, le cortó la cabeza, y la presentó **sangrando** todavía ante los ojos **asustados** de la corte. Pero le atormentaba la conciencia al joven. **Se arrodilló** delante del rey y le pidió la mano de la hija de su víctima. "**Hombre le quité**; hombre le doy", dijo. El rey se la **concedió**, y Rodrigo se casó con la hermosa Jimena. . . A lo menos,

*embraced* happiness
*the one who should* avenge
challenge, cut off
*dripping with blood*
*shocked*
*He kneeled*
*I deprived her of one man*
➔ *granted*

así va de cuento. Aunque esta leyenda no tiene ninguna **comprobación** histórica, dio origen a innumerables romances populares, y después pasó al teatro de España y de otras naciones. *proof*

**LA JURA DE SANTA GADEA** Volviendo a la historia, encontramos al Cid en el sitio de Zamora, **pasmado** por la muerte de su rey y amigo Sancho. Por todas partes **corrían** rumores **de que Urraca sola** no podía ser responsable del crimen. Tuvo que tener la colaboración de Alfonso, decían, de Alfonso **el dos veces vencido**, de Alfonso el refugiado en la corte musulmana de Toledo. Pero no había **prueba**, y Alfonso volvía a Castilla a tomar posesión del trono. Llegó el día de la coronación en la pequeña iglesia de Santa Gadea. De repente, en medio de la ceremonia se levantó **Ruy** Díaz de Vivar. "Antes de jurar mi lealtad al rey", dijo, "tengo que estar seguro de que Alfonso es inocente de la muerte de su hermano Sancho. Si el rey está dispuesto a jurar su inocencia ante toda esta **asamblea** y ante Dios, sólo entonces ofrezco a su servicio mi espada. Si no..." Alfonso **se alzó** furioso. Rodrigo estaba **de pie** delante de él. Lentamente tomó la Biblia y juró, pero nunca iba a olvidar la humillación que sufrió aquel día delante de su corte.

*stunned* *were circulating* *that Urraca alone* *He had* *the twice vanquished* *proof* *(Rodrigo—old Span.)* *ready* *assembly* *rose up* *standing slowly*

**DESTIERRO DEL CID** El episodio de la coronación tuvo repercusiones serias más tarde en la vida del Cid. Pocos años después, algunos enemigos suyos le acusaron de **haber tomado para sí** los tributos que ciertos reyes árabes debían pagar al rey de Castilla. El Cid negó las acusaciones, pero Alfonso, **aprovechándose** del pretexto, lo desterró sin darle oportunidad de defenderse. Con este momento del destierro empieza la primera obra maestra de la literatura española, *El Cantar de Mío Cid*, compuesto alrededor de 1140 por un autor **desconocido**.

*having taken for himself* *taking advantage exiled* *work, exile* *The Epic* *unknown around*

**EMPIEZA EL CANTAR DEL CID** Según el poema épico, el Cid deja **atrás** todas sus posesiones, y **rodeado** de sus amigos y vasallos se prepara para salir de Castilla. Deja a su

*back* *surrounded*

El arco de Santa María en Burgos, ciudad por donde pasó el Cid camino al exilio.
Ahora se ve encima la estatua del héroe histórico-legendario.

esposa y a sus dos hijas en un convento, y se dirige a Burgos, donde espera **dar de comer** a sus hombres y pasar la noche. Pero como ya sabemos, la gente tiene miedo de ayudarle. El Cid no quiere **arriesgar** más la vida de los burgaleses, y prosigue su marcha hacia el exilio. Al verle pasar, la gente exclama: "¡Qué buen vasallo, **si tuviera** buen señor!" Rodrigo llega a tierras de Valencia, toma la ciudad, y de allí continúa sus campañas contra los musulmanes. A pesar de la acostumbrada brutalidad de la guerra, se muestra siempre **compasivo** con sus súbditos, y aun con los enemigos vencidos. Todos lo aman y lo respetan. En efecto, son los moros **mismos** quienes le dan el nombre "Sidi", grande y noble señor, y de ahí viene su famoso **apodo**, "El Cid". Rodrigo hace venir a Valencia a su esposa y sus hijas, e **instituye un régimen benévolo** para la gente de la gran ciudad.

*turns to*
*feed*
*are afraid*
*risk*

*if he only had*

*accustomed*
*merciful*
*conquered*
*themselves*

*nickname*
*institutes a benevolent regime*

Siempre manda tributo al rey Alfonso, y con el tiempo, vuelve a la gracia del monarca.

**ÚLTIMAS HAZAÑAS Y MUERTE** *deeds* Las hijas del Cid están **creci-** *grown* **das** ya, y Alfonso **arregla su** *arranges their* **casamiento** con dos príncipes *marriage* de su corte. Pero los cobardes esposos, considerándose *cowardly* demasiado nobles para casarse con las hijas de Rodrigo, *too much, nobility* **maltratan** cruelmente a las muchachas y las dejan por *mistreat* muertas. El Cid, **apoyado** ahora por el rey, se venga *supported* de los **infames** príncipes, y Alfonso consigue otros *villainous* esposos mejores para las jóvenes. Así, con la total reconciliación del Cid y su soberano, termina el *sovereign* poema... Las crónicas de la época lo **respaldan** en su *confirm* mayor parte, y añaden más **datos** sobre las últimas *information* campañas y la muerte del Cid. Nos dicen que Rodrigo continuó con gran éxito la reconquista de tierras *success* musulmanas hasta que murió en el campo de batalla en 1099. Dicen también que su **viuda**, Jimena, de- *widow* fendió a Valencia durante algun tiempo, pero que finalmente la perdió, y la ciudad cayó otra vez en manos de los árabes.

**FIGURA LEGENDARIA Y SER HUMANO** Como siempre, las leyendas y romances que tratan del héroe dan **rienda suelta** a *free rein* la imaginación. Hablan de cómo el cadáver del Cid fue **colocado** sobre un caballo, y que a la vista del formi- *placed* *horse* dable campeón cristiano, **aun ya** muerto, se dispersaron *even though* **frenéticamente** las hordas musulmanas. Hablan de *in frenzy* su milagrosa vuelta para acabar definitivamente con *miracle, return finish* la **amenaza** de los árabes. Pero más importante, *threat* **por encima de** todas las versiones, históricas y ficticias, *above* **se destaca** una figura heroica, y al mismo tiempo, *stands out* humana; un hombre que llora cuando tiene que **despedirse** de su amada esposa y de sus hijas; un *say farewell* hombre que perdona a sus enemigos y trata con digni- dad a sus adversarios; un hombre que cree en sí, que lucha por su dignidad personal y defiende su honor, pero que mantiene siempre una conciencia de la

**soberanía** final de Dios. Individualista, contradictorio, *sovereignty*
independiente, católico, heroico, estoico. El héroe
nacional de España.

# 16
# Sobre Dios, el Diablo, y María

◈

**EL ESPAÑOL Y
LA RELIGIÓN**

El español es un **ser** profunda- *person*
mente religioso. Su fe le
sostiene durante la vida y hace
**soportable** la idea de la muerte. Necesita a Dios, y esta *bearable*
necesidad de creer caracteriza toda su historia. En
tiempos antiguos, los iberos y celtíberos pintaban y
esculpían por todas partes las imágenes de sus dioses. Y
cuando **se pusieron** en contacto con otras civiliza- *they came*
ciones, **vacilaron poco** en aceptar a los dioses nuevos *they hesitated little*
al lado de **los suyos**. Porque Dios podía tomar *their own*
muchas formas, y los primeros españoles lo **reveren-** *revered*
**ciaban** en todas. Recordamos como en la época romana,
los hispanos convertidos al cristianismo escogieron el
**martirio** antes que renunciar a su fe. Y como en la *martyrdom*
edad de los visigodos, la unidad del imperio se frag-
mentó continuamente en rivales facciones religiosas.
Después, cuando vinieron los árabes, los cristianos que
se refugiaron en el norte establecieron de nuevo sus
propios reinos, sanctificados, como decían, por la
voluntad de Dios. A pesar de los conflictos que surgieron entre ellos, estado e iglesia eran uno, y esta
unión iba a ser la base de la futura nación.

**SU INTIMIDAD
CON DIOS**

Ahora bien, ¿por qué siente el
hispano esa profunda religiosidad?
¿Cómo la siente? ¿**Cómo es su** *What is his God*
**Dios**?... La cosa que **salta a la vista** es que la *like?* ← *stands out most*

religión del hispano es **sumamente** personal. Su Dios *extremely*
vive siempre con él. Es su Señor y amigo. Lo teme y lo
ama. Cuando el hispano habla con Él, Le dice "Tú . . .
Tú, Señor, favoréceme. . . Ayúdame. . . Tú, que reinas
en los cielos". Y cuando se siente **conmovido** por *moved*
los sufrimientos de Cristo, cuando ve al Niño recién
nacido, o cuando ve su figura **esquelética**, atormentada *skeleton-like*
en la cruz, **brota de** su alma un **sollozo** y Le llama *there springs from ▬ sob*
"Jesusito". Y llega a identificarse con él. Dios creó al
hombre en su propia imagen, y el español siente dentro
de sí esa presencia íntima. Emplea Su nombre en la
ocasión más grande, o en la más mínima. ¡Por Dios!
¡Dios mío! ¡Jesús, María y José!, dice. Y cuando
nacen sus hijos, los llama Jesús, Javier, Salvador,
Emanuel, Ángel, María, Concepción, Resurrección.

**CONCEPTO MEDIEVAL** En la Edad Media la re-
**DE LA VIDA** ligión llega a ser el factor
dominante en la vida euro-
pea, sobre todo en España. Este mundo no es más que
una preparación para la vida después de la muerte,
decían. La tierra es un valle de lágrimas, un paso
transitorio hacia la salvación eterna. Dios es la
**fuerza del bien**, y el diablo es el ángel del **mal**. *force of good ▬ evil*
Jesús quiere la salvación del hombre. El diablo quiere
**arrastrarlo** a los fuegos del infierno. *drag him*

El **demonio** es un enemigo formi- *devil*
**PODERES** dable. Puede aparecer en muchas
**DEL DIABLO** formas, y con muchos **disfraces**. *disguises*
Puede entrar en el cuerpo de una persona y darle
poderes mágicos. Le puede enseñar a **adivinar** los *divine*
pensamientos secretos de los demás, a hacer **conjuros** *conjurations and spells ▬*
**y hechizos**, y a **sembrar maldades** por todas partes. *to sow evil*
Le puede enseñar a **echar el mal de ojo** y a comuni- *cast an evil eye*
carse con los espíritus del **mundo subterráneo**. O le *underworld*
puede enseñar a despreciar a Dios, a **renegar** de Su *deny*
palabra. A esta clase de diablo sobre todo hay que
combatirle con fuertes golpes, o con el fuego, **para que** *so that (the demon) will*
**salga** del cuerpo de su víctima. Puede tomar la forma *leave*
de una mujer hermosa o de **lo que quiera** y poner *whatever he wants*

Idea medieval del
Día del Juicio Final.

El Milagro de la Virgen y el Ladrón. Miniatura de las
*Cantigas* de Alfonso.

**tentaciones** delante del hombre bueno hasta llevarlo a
la perdición. **Se le ha visto** entrar aun en el cadáver de
un joven recién muerto para asesinar a un cristiano
**honrado** y filantrópico. Pero el diablo **fracasa** esta vez
porque el buen hombre pronuncia el nombre de
Cristo, y el ángel malo tiene que **huir**.

*temptations*
*He has been seen*

*honest ➤ fails*

*flee*

**EL PAPEL
DE MARÍA**
El nombre de Dios, o la **señal** de la
cruz, o una **gota de agua bendita** son
las armas más eficaces contra el diablo.
Pero hay casos también que **exigen** la intervención
de la Virgen, de María, la madre **dolorosa** que
**compadece al** hombre, que intercede por él ante
Dios. El **papel** de María es uno de los más importantes
según la concepción religiosa del hispano. Como Dios es
el padre, María llega a ser la madre todo-**comprensiva**
de la humanidad. En ella predomina siempre el amor
maternal, el perdón, la tolerancia.

*sign*
*drop of holy water*

*require*
*sorrowing*
*feels pity for*
*role*

*understanding*

**CUENTO DE LA VIRGEN
Y EL LADRÓN**
Y la Virgen ayuda **tanto
al pecador** como al
bueno. Tomemos por
ejemplo el caso del **ladrón que se encomienda** a ella
todas las veces que sale a robar. Por fin, lo **cogen** y lo
sentencian a morir en la **horca**. Llega el día de la
ejecución, lo llevan al **cadalso**, y lo **ahorcan**. Pero la
Virgen coloca sus manos debajo de los pies del ladrón,
y cuando vuelven unas horas más tarde los ministros
de la justicia, ¡lo ven todavía vivo y **descansando
cómodamente** en la horca! **Asombrados** por tal
milagro, **lo descuelgan** y lo perdonan. El ladrón
**se arrepiente** de sus antiguas maldades y **se entrega
en manos de** la iglesia.

*the sinner as much*

*thief who places himself under
her protection ➤ catch*
*gallows*
*scaffold ➤ hang*

*resting comfortably ➤
Astounded*
*they cut him down (from the
gallows) ➤ repents ➤ delivers
himself over to*

**CULTO
DE MARÍA**
María llega a ser el objeto de todo un
culto **fervoroso**. Es ella quien salva de
la **tempestad** y de la enfermedad a sus
devotos. Es ella quien protege los lugares sagrados,
quien hace **fecunda** a la esposa estéril, quien **apacigua
los dolores** de sus hijos, y **los endereza** en el camino
de la salvación. El Dios del hombre medieval es al
mismo tiempo **perdonador y vengativo, bondadoso**

*fervent*
*tempest*

*fertile ➤ assuages the
pains ➤ sets them right*

*forgiving and vengeful, kindly*

e iracundo. Y el hombre **se arrodilla** ante él. María *and wrathful ➚ kneels*
llora por la humanidad y el hombre se siente niño
delante de ella. Le besa la falda, le trae joyas y **adornos**, *adornments*
le canta dulces canciones, y la llama "madre".

# 17
# Orígenes del Teatro

"**Teatro es todo el mundo**; en él los hombres *All the world's a stage*
Y las mujeres son actores todos;
Y tienen sus entradas y salidas.
Muchos **papeles representa** el hombre, *plays many roles*
Y en vida son sus actos **siete edades**." *seven ages (stages)*

**EL MUNDO ES UN TEATRO** Así nos dice el poeta inglés,[1] y sus
palabras **encierran** una profunda *contain*
verdad psicológica. Sin duda, el *doubt*
hombre es un actor inconsciente, protagonista de su
propia vida e intérprete del papel que **le señala** la *assigns to him* *role*
realidad. Pero muchas veces quiere actuar en otro
**escenario**. Quiere sentirse otro, ser parte de una *stage* *to feel himself*
realidad distinta. Busca el mundo de la fantasía, y por *He looks for*
un breve momento **deja de ser** quien es. En el teatro *ceases to be* *who*
puede convertirse en otros seres. Puede ser todos los *become, being*
hombres—la humanidad. Puede salir del mundo
material y crear la abstracción. Por eso el deseo de *Therefore*
hacer teatro es uno de los instintos artísticos fundamentales del hombre.

**EN LA ANTIGÜEDAD** Encontramos el drama en una forma
u otra en casi todas las civilizaciones *almost*
conocidas de la **antigüedad**, en *ancient times*, *known*
Egipto, Babilonia, Siria, en el Oriente, y entre las *among*
tribus indígenas de América. Cinco siglos antes de

[1] Shakespeare, *As You Like It.*

Cristo ya se halla bien desarrollado en la gran cultura **helénica**. Pero en la **primera** Edad Media, en aquella época que llamamos "de la **oscuridad**", el teatro casi desaparece en Europa. Sin embargo, el hombre busca siempre la luz, y poco a poco el teatro empieza a **renacer**. De ese renacimiento vamos a tratar ahora.

**PRINCIPIOS DEL DRAMA RELIGIOSO**

El teatro medieval tiene su origen dentro de la iglesia misma, en los **cantos dialogados** que los sacerdotes **intercalaban** en el texto litúrgico. Tanto **éxito** tuvieron, en efecto, que los cortos diálogos **se fueron ampliando**, y con el tiempo llegaron a ser verdaderos dramas religiosos. Estos **llamados** autos eran de tres tipos principales: los **Milagros**, que trataban de las obras milagrosas de la Virgen y de los santos; los **Misterios**, que se referían a la vida de Cristo; y las **Moralidades**, en que los personajes representaban cualidades abstractas, como la Virtud, la **Esperanza**, la Fe, el Vicio.

**PARTICIPACIÓN DEL PUEBLO**

Pero el cambio más importante es el que ocurre **hacia** el siglo XII cuando se abandona el latín, substituyéndolo por la lengua romance. Ahora el pueblo empieza a tomar parte en los espéctaculos, y es inevitable que entren en ellos elementos profanos. Las Moralidades sobre todo, no siendo de tema específicamente religioso, **se prestan** fácilmente a la sátira y a la farsa. El papel del diablo llega a ser el más solicitado por los **ingenuos** actores. ¿A quién no le gusta la oportunidad de **saltar** y correr en el **tablado**, haciendo **travesuras y picardías**, aunque acabe al fin de la obra en el infierno? ¿Quién puede **pasar por alto** la ocasión de añadir una palabra **suya, un chiste intencionado**, para hacer reír a la gente? Y así fue... La popularización del teatro religioso se extiende hasta que el rey mismo interviene, y a mediados del siglo XIII prohibe la presentación de **tales** obras en las iglesias. **Se traslada** entonces el escenario a la plaza pública. La gente construye **al aire libre** un tablado

Un teatro español al aire libre. Siglo XVII.

dividido en varios compartimientos, y los **gremios** *guilds*
contribuyen a su decorado y toman parte activa en las
**representaciones**. Se ha completado el proceso. De *performances*
las cortas dramatizaciones eclesiásticas ha nacido el *short*
teatro secular. Tiene una orientación mayormente *large*
religiosa todavía, pero ahora se adapta a la voz del
pueblo.

    Al mismo tiempo se estaba desarrollan-
**LA FARSA** do una corriente paralela. Desde tiem- *Since*
**POPULAR** pos remotos había existido cierta clase de
teatro espontáneo, el de la farsa popular. No se con-
servan hoy ejemplos escritos de estas comedias primi-
tivas, sencillamente porque no se escribían. Muchas *Simply*
eran improvisadas **a base** de situaciones o personajes *on the basis* *characters*
**estereotipados**, y otras eran aprendidas de memoria y *stereotyped*
transmitidas oralmente. Con estas **divertidas** repre- *amusing*
sentaciones, los juglares o las compañías de actores
*minstrels*

itinerantes alegraban las fiestas de la gente. Ahora bien, si no hay evidencia escrita, ¿cómo sabemos que existían? Pues porque los autores de aquellos tiempos hablan de ellas, y porque las leyes las hacen objeto de atención especial. Alfonso el Sabio, por ejemplo, rey de Castilla en la segunda parte del siglo XIII y gran patrón de las artes, prohibe a los clérigos actuar en ellas **"por las muchas villanías e desaposturas"** que en ellas se cometen. También impone restricciones sobre el teatro burlesco de los estudiantes y de los juglares, en nombre de la religión y la moral. Por muchos siglos el teatro continúa, desfavorecido por las altas autoridades de la iglesia y por la corona, pero gustado siempre por la gente.

**DESARROLLO POSTERIOR** Con el Renacimiento entra en España la influencia cultural de Italia. **Se resucita** el interés por los clásicos griegos y romanos, y poco a poco se va creando el nuevo drama culto. Los patios de los castillos, o los **callejones** entre dos edificios les sirven **de escenario**, pero para fines del siglo XVI se empiezan a construir verdaderos teatros protegidos de la **lluvia** y del viento. Aumenta todos los días la producción de obras dramáticas, y pronto el teatro se hace el **género** literario más popular y más cultivado de todos. Se está acercando su **Siglo de Oro**.

# 18

# Hacia la Reconquista

◇

**CONQUISTAS DE ALFONSO VI** Como hemos visto ya, a pesar de las **incursiones** que hacían los reyes cristianos en territorio árabe, la verdadera reconquista de España no empezó hasta fines del siglo XI. Provocados por nuevas invasiones de tribus fanáticas del norte de África, los cristianos comenzaron a **reunir** sus fuerzas. *gather together* began

En Castilla se levantó la figura de Alfonso VI, cuyo reinado **principió tan turbiamente** con el asesinato de su hermano Sancho y después con el exilio del Cid. *whose* *began so darkly* reign

Pero Alfonso iba a crecer en estatura. En 1085 entró **triunfante** en Toledo, y **rescató** a los pueblos vecinos del dominio musulmán. Después **puso sitio** a Sevilla, llegó hasta la punta de Tarifa en el sur de Andalucía, hizo entrar a su caballo en las aguas del mar, y dijo: "**He aquí** el último **confín** de Andalucía, y ya lo he puesto bajo mis pies." *was going to grow, entered* *triumphantly — rescued, neighboring towns* *he lay siege* *made ... enter* *Here is — boundary* *I have already put it* *feet*

**EL SIGLO XII**
Pero la realidad no correspondió a la ambición de Alfonso. Los árabes llamaron **en su auxilio** a otras fuerzas musulmanas, y **acabaron rechazando** a los cristianos. Los castellanos tuvieron que **renunciar a** muchas de sus conquistas, **menos la joya** de Toledo, que quedó para siempre en sus manos. Una vez más las disensiones internas **se apoderaron** de los reinos cristianos, y la reconquista **languidecía**. Pero los árabes, **metidos** igualmente en luchas intestinas, **tampoco prosiguieron** la expansión territorial. Todavía seguían las alianzas entre reyes árabes y cristianos, según el momento y la oportunidad. Todavía continuaban las esporádicas guerras y **treguas**. *to their aid* *they finally set back* *give up had to* *except the jewel remained forever* *took over kingdoms* *stood still — involved* *also failed to pursue internal* *following* *sporadic* *truces*

**VICTORIA DE LAS NAVAS DE TOLOSA**
En los últimos años del siglo XII se presentó otra vez la **amenaza** de nuevos invasores africanos. Venían ahora en números tan grandes que parecía **del todo** imposible rechazarlos. Pero el español ama lo imposible, y el rey Alfonso VIII de Castilla reunió una expedición contra ellos. La tradición cuenta que cuando los cristianos llegaron al puerto de Muradal, **se les apareció** un ángel en la figura de un pastor, y les indicó un lugar por donde podían caer por sorpresa sobre las tropas musulmanas. Y así **sucedió**. El domingo, 15 de julio de 1212, los españoles recibieron la **bendición** de los obispos, y a *it presents itself* *threat* *completely it seemed to repel them* *says* *there appeared to them* *shepherd, indicated, place* *fall for surprise on* *it happened Sunday* *blessing*

la mañana siguiente se lanzaron al ataque. El ejército
musulmán formaba una **media luna**, en cuyo centro
**tremolaban sus pendones** multicolores. El califa
estaba sentado en su **tienda**, rodeado de una muralla
humana de diez mil guerreros. **Confiado en** la victoria,
tenía a sus pies su **escudo**, a su lado, su caballo. En una
mano tenía la **cimitarra**, en la otra, el **Corán**. Los
cristianos atacan, pero la fuerza de los números les hace
**retroceder**. Los musulmanes rompen ahora las filas
de los españoles y hasta llegan cerca de Alfonso. Pero
el rey **no cede**. **Blandiendo** su espada, **embiste**
heroicamente, y los cristianos le siguen y **recobran** la
ofensiva. La **matanza** es horrible, y los moros empiezan a huir en desorden. Viendo destruído a casi todo
su ejército, el califa pide su caballo y se escapa, y los
cristianos **recogen** el rico **botín**. Mandan a la Basílica
de San Pedro en Roma la lujosa tienda del rey árabe,
dividen entre sí los demás trofeos de la guerra, y así
acaba la batalla de las Navas de Tolosa, una de las más
decisivas de la Reconquista.

**NUEVOS AVANCES
CRISTIANOS**

El próximo rey de Castilla,
Fernando III "El Santo", continúa las campañas contra los
musulmanes. Córdoba cae en sus manos en 1236, y
Sevilla, doce años después. Poco a poco se van limitando los territorios árabes. Pero aun más importante,
está naciendo una nueva concepción de la relación
entre el individuo y su patria, una concepción ilus-
trada tal vez mejor por el cuento de Guzmán el Bueno.

**HISTORIA DE
GUZMÁN EL BUENO**

Alfonso Pérez de Guzmán
era gobernador de la fortaleza de Tarifa en los últimos
años del siglo XIII. Su rey, Sancho IV de Castilla, la
acababa de ganar, y Guzmán estaba resuelto a defenderla. Pronto se le iba a presentar la ocasión. Un
príncipe español, enemigo de Sancho, **se había pasado**
a los moros, y juntos pusieron sitio a Tarifa. Habían
tomado prisionero al hijo del gobernador, y amenazaban matarle si Guzmán no se rendía. Viendo a su

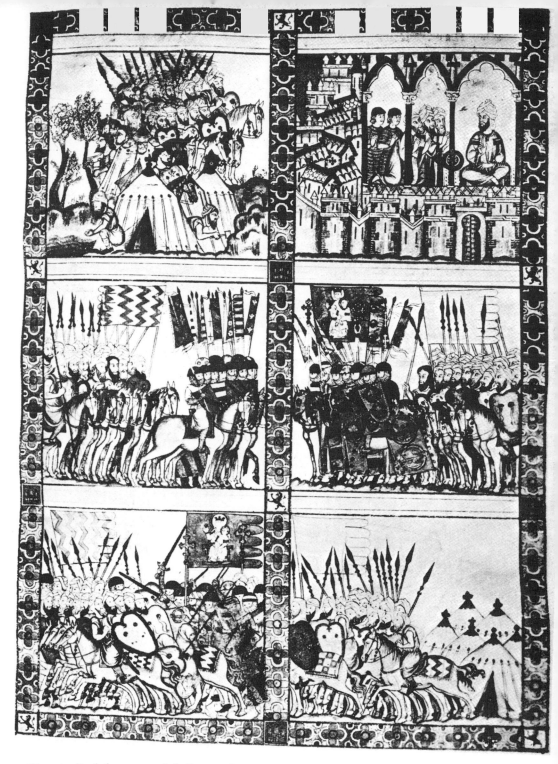

Un episodio de las guerras de la Reconquista.
Miniaturas del siglo XIII.

hijo a punto de morir, pero recordando también su obligación al rey, Guzmán toma su decisión. Saca su propio cuchillo y **lo arroja por encima del muro,**

*takes*

*throws it over the wall*
*knife*

"Y él **diz**: Matadlo con éste
Si lo habéis determinado.
Que más quiero honra sin hijo
Que hijo con mi honor **manchado**."

*dice*  *kill him*

*love*

*stained*  *than a son*

Delante de sus ojos, **degüellan** a su hijo, pero Guzmán se mantiene firme. Desmoralizados, los enemigos **levantan el asedio**, y Tarifa está a **salvo**.

*they cut the throat of*

*lift the siege ⬤ saved*

### CONCEPTO ESPAÑOL DEL HONOR

Guzmán el Bueno, hijo de Sagunto y de Numancia. El caso es interesantísimo. Pero no sólo por el gesto dramático, no sólo por la **suma** lealtad del vasallo hacia su rey. Mucho más que eso. Es interesante porque revela la relación íntima que existe entre el español y la patria. Hemos dicho que el español es un ser **poco colectivo**. Supremamente individualista, cuando siente una emoción patriótica, es una **adhesión** entre él mismo y su tierra más que una **preocupación** por la sociedad en general. **Ansía el momento cumbre** personal, **busca la realización** total del "yo". Y así nace su concepción del honor. "Que más quiero honra sin hijo/Que hijo con mi honor manchado." El honor es para el español una **liga entre él y su ideal**, no siempre entre él y la sociedad. El caso de Guzmán el Bueno es significativo porque en este momento el concepto del honor personal empieza a **unirse** con el concepto de patria. La Reconquista de España **ya no puede tardar**.

*extreme*

*loyalty*

*revels*

*We have heard*

*disinclined toward collectivity*
*Supremely*
*when feeling*

*there*

*bond*

*concern ⬤ He yearns for the high moment ⬤ he seeks the fulfillment  himself*

*stained*

*link between him and his ideal*

*join*

*can no longer be far off*

# 19

# Juan II y el Gran Condestable

**IMPORTANCIA DEL PUEBLO** Hemos hablado mucho hasta ahora de reyes y de héroes, de sus guerras y de sus conquistas. Pero en realidad, la verdadera **potencia** de un país *power* reside en el pueblo mismo, en el pueblo que **se deja** *let themselves be led* **llevar** hasta cierto punto, y entonces dice que de allí **no pasará**. Es el pueblo quien lleva en **sus hom-** *they will not be moved — their* **bros el peso** de la nación, quien **integra** los ejércitos *shoulders the weight —* de los **soberanos**, quien sostiene el **edificio mundano** *sovereigns — worldly structure* de la religión. Y cuando los reyes se han mostrado débiles, es el pueblo español quien se ha levantado en más de una ocasión para dirigir con sus manos el curso de su historia. Estudiemos por un momento el caso de Juan II, rey de Castilla.

**EL REY Y SU FAVORITO** Juan II reinó desde 1405 hasta 1454. Un hombre débil, odiaba la política, **rehuía** la guerra con los moros, y se *avoided* interesaba poco por los problemas de su país. Se rodeó de artistas y poetas y de cortesanos elegantes, y así quiso **evitar** el mundo real que **pulsaba** fuera de sus *escape from — throbbed with* palacios. **De** niño, cayó bajo la influencia de don *life — As a* Álvaro de Luna, hijo **bastardo** de un noble del reino, *illegitimate* quien le llevó a la corte para ser **paje** del joven Juan. *a page* Con el tiempo, don Álvaro llegó a ser más poderoso que el rey mismo, pero el favor que gozaba con el rey, y su **codicia** de honores le trajeron la enemistad de la *greed* alta nobleza.

**REVUELTA DE LOS NOBLES** Los primos y los **cuñados** del rey, *brothers-in-law* entre ellos los **infantes** de Aragón, *crown princes* trataron más de una vez de **desalo-** *unseat him — They even* **jarlo. Hasta lograron secuestrar** al rey y lo tuvieron *managed to kidnap* prisionero en Tordesillas durante algún tiempo. Al fin, el monarca y don Álvaro se escaparon y se refugiaron

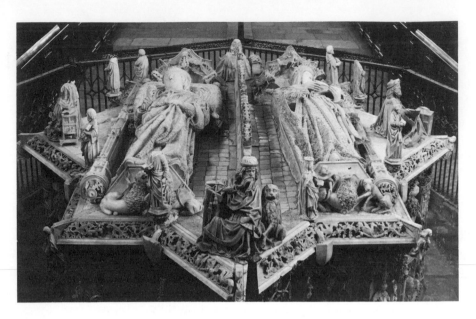

Sepulcro de Juan II y su esposa, la reina
Isabel.

en el castillo de Montalbán. Allí **los sitiaron** los
caballeros del infante Enrique, y parecía que pronto iba
a quedar en otras manos el trono de Castilla. Pero los
altos señores feudales **no contaban** con la fuerza de
las ciudades, una fuerza que **había ido creciendo**
continuamente durante los siglos **anteriores**.

**TRIUNFO DE
LAS CIUDADES**

**Favorecidos** por los reyes, los
**gremios** profesionales y las **cofra-
días** religiosas y civiles habían adquirido considerable importancia. **Hacían sentir su
voz** en los **concejos** locales, y en las reuniones de las
Cortes, el primer cuerpo parlamentario que conoce la
historia europea. Pero aun más, representaban el poder
económico de las ciudades, y ese poder se hallaba
siempre en conflicto con **el de** los nobles feudales,
**amos de los campos. Enfrentados** entonces por la
necesidad de **escoger** entre un rey débil y una nobleza
fuerte, las ciudades **optaron por** Juan, y derrotaron a
las fuerzas del infante Enrique de Aragón.

*they were besieged by*

*weren't reckoning*
*had been growing*
*preceding*
*Favored*
*guilds ⬤ brotherhoods*

*They made their voice*
*heard ⬤ councils*

*that (the power) of*
*the rural landlords ⬤ Faced*
*choosing*
*decided in favor of*

**DON ÁLVARO VICTORIOSO**

Los nobles estaban vencidos por el momento, y el poder de don Álvaro crecía. El rey le nombró **Condestable** de España y su autoridad no conocía límites. Don Álvaro inició de nuevo los ataques contra los moros en Granada, y sus éxitos iniciales le hicieron aun más popular entre la gente común. Parecía que ya no había **manera de derrocarlo**.

*Lord Constable*

*any way to overthrow him*

**NUEVAS INTRIGAS**

Pero sus enemigos no descansaban. Las intrigas se multiplicaban en la corte del rey débil. Dos o tres veces el Condestable tuvo que salir del reino, pero el monarca siempre revocaba la orden del destierro, y el favorito volvía triunfante al palacio. **Irrumpían** constantemente las guerras civiles, y don Álvaro siempre conseguía la victoria, siempre **aumentaba** su dominio sobre la voluntad del rey. Hacia 1452, el monarca **había enviudado**, y don Álvaro decidió buscarle una nueva esposa. Esperando encontrar en ella una **valiosa** ayuda contra sus rivales políticos, don Álvaro **aconsejó a** Juan casarse con la infanta Isabel de Portugal. Y así lo hizo. Pero esta vez don Álvaro **se había engañado**.

*There broke out*

*increased*
*had become a widower*

*valuable*
*advised*

*had fooled himself*

**MUERTE DE ÁLVARO Y DEL REY**

Doña Isabel, resentida de la influencia del favorito sobre su esposo, **se alió** con los enemigos de don Alvaro, y juntos le acusaron de **haber dado hechizos al** rey para dominarle. Los jueces, todos enemigos declarados del Condestable, le condenaron a muerte por ser **mago**, y obligaron a Juan a firmar la sentencia. Se dice que el rey estaba sentado a su **escritorio** con la pluma en la mano y que después de escribir cada letra de su nombre en el documento fatal, **se echó a llorar**, rogando a los jueces **que perdonaran** a su amigo. Pero ya **no le hacían caso**, y don Álvaro fue **ajusticiado** en una plaza de Valladolid en el ano 1453. Murió heroicamente, y el pueblo siempre **admirador, reunió fondos para su entierro**. Juan II, **deshecho** y enfermo, murió poco después,

*allied herself*
*having bewitched*

*magician*

*desk*

*he burst into tears ⬅ to pardon ⬅ paid no attention to him ⬅ executed*

*his admirers, collected funds for his burial*
*broken*

diciendo a la hora de morir que **le habría gustado** mucho más nacer "hijo de un **mecánico** y ser **fraile que no** rey de Castilla".

*he would have preferred*
*craftsman ← a monk rather than*

**HACIA EL ABISMO** El monarca que había reinado tantos años, gracias sólo a la lealtad de su pueblo, siempre había querido, en su más secreta conciencia, ser parte de ese pueblo. Aunque era incapaz de actuar como rey, representaba **sin embargo** para su gente la continuación de una dinastía legítima. Y los castellanos estuvieron dispuestos a defenderla. Desgraciadamente, su lealtad y **firmeza** fueron en vano. Pronto se iban a enfrentar con otro caso **análogo**, mientras la autoridad de la corona castellana **rodaba hacia el abismo**.

*nevertheless*

*devotion*

*analogous (similar)*
*hurtled toward the abyss*

# 20

# Abismo, y por fin, Luz

◈

**ENRIQUE IV** La extremada devoción del pueblo castellano a la corona iba a pasar por una **prueba** más. Porque Enrique IV era **digno** hijo de su padre, y aun peor. Un joven de poca integridad personal, había participado en las intrigas de los nobles contra su padre, Juan II, y el favorito don Álvaro de Luna. Y así, cuando Enrique ascendió al trono, se encontró en manos de una nobleza determinada **a no ceder** ninguna de sus prerrogativas ante la autoridad real. De carácter débil, y **entregado** a los vicios, el nuevo rey era una figura incapaz de inspirar la lealtad de sus **súbditos.** Era bastante culto, eso sí, pero **indolente**, y tan **aficionado a** las costumbres musulmanas que siempre tenía a su servicio una **guardia** mora, y comía y bebía al estilo árabe.

*test*
*a worthy*

*not to give up*
*given*

*subjects*
*lazy ← fond of*
*guard corps*

**ESCÁNDALO
EN LA CORTE**

Enrique inició casi en seguida algunas campañas en el sur, pero no pudo **proseguirlas**, y pronto abandonó **del todo** el proyecto. Volvió entonces a **la vida de palacio**, dedicándose con todo el corazón al ejercicio de la **caza** y casi nada a los asuntos del gobierno. **No tardaron en comenzar** los escándalos en su vida personal, y su prestigio **disminuyó** aun más. Su primer matrimonio fue anulado, y se casó la segunda vez con doña Juana, princesa de Portugal, una joven hermosa y frívola cuya conducta **dio lugar a hablillas y murmuraciones** en la corte. **Ambos** Enrique y su esposa cayeron bajo la influencia de un nuevo favorito, don Beltrán de la Cueva, un **palaciego** que, como don Álvaro antes de él, había llegado a la corte **de** simple paje. En poco tiempo, con la protección de los **reyes**, don Beltrán **disfrutaba de** los títulos y **cargos** más altos del país. Era un hombre de excepcionales **dotes** diplomáticas, decían sus **contemporáneos**, un hombre que "**demostraba** tanto amor al rey que parecía devoción, y tanta devoción a la reina que parecía amor". Como era **de esperar**, pronto se formó en la corte un partido enemigo del favorito. Y cuando nació la infanta real, los nobles **la bautizaron socarronamente** con el **sobrenombre** "la Beltraneja", y obligaron a Enrique a reconocer como **heredero del reino** a su hermano Alfonso, un muchacho de once años.

**"LAS CORTES"
DE ÁVILA**

Más tarde, el rey, viendo que había firmado su propia deshonra, revocó el documento, pero ya no podía restablecer su autoridad entre los nobles rebeldes. En una **llanura** cerca de Ávila se reunieron los enemigos de Enrique, **encabezados** por el arzobispo de Toledo, jefe de la iglesia católica española. Allí levantaron un **estrado**, colocaron en él una **efigie** del monarca, y una por una le quitaron todas las insignias reales. Después, "con los pies **lo derribaron del cadalso en tierra**", y proclamaron rey al príncipe Alfonso.

*pursue them*

*entirely – palace life*

*hunt*

*Soon began*
*diminished*

*gave rise to talk and*
*gossip – Both*

*palace hanger-on*

*as a*

*king and queen*
*was enjoying – posts*
*gifts*
*contemporaries*
*displayed*

*to be expected*

*baptized her maliciously*
*surname*
*heir to the throne*

*plain*
*headed*

*platform – effigy*

*knocked it down from the*
*scaffold onto the ground*

Las celebradas Coplas de
Mingo Revulgo, obra
popular que satiriza al débil
rey, Enrique IV.

**GUERRA CIVIL**

**Estalló** de nuevo la guerra civil, y durante *There broke out*
tres años Castilla estuvo casi sin gobierno.
Una vez más las ciudades tuvieron que
declararse en favor del débil rey, y **en contra de** los *against*
grandes **terratenientes**, sus adversarios tradicionales. *landowners*
Mientras tanto, el príncipe Alfonso había muerto
misteriosamente, y los rebeldes ofrecieron la corona
a Isabel, la hermana de Enrique. Isabel, una joven
inteligente y "muy blanca y rubia, **el mirar gracioso**, *very pleasant looking*
la cara muy hermosa y alegre", era muy popular en
todo el reino. Pero la joven princesa no quiso aceptar
el trono **en vida** de su hermano. Su decisión la hizo *during the lifetime*

aun más popular con la gente, **añadiendo** a la fama *adding*
de su discreción y hermosura la de su lealtad. Las
luchas continuaron hasta que los nobles fueron derrotados por las fuerzas del rey y de las ciudades. Y para
evitar más disturbios, Enrique **convino en** nombrar *agreed to*
a Isabel heredera del reino.

**ISABEL, ÚNICA ESPERANZA**

Pero la paz no iba a venir tan pronto a Castilla, y esta vez, Isabel sería la causa. Parece que Enrique
**ambicionaba casarla** con el rey de Portugal o con otro *had the ambition of marrying her off*
monarca extranjero. Pero la joven no quería vivir bajo
la dominación de su hermano, ni dejar para siempre a
su amada España. Una noche, ayudada por poderosos
amigos en la corte, huyó del palacio y se casó secreta-
mente con el príncipe de Aragón, don Fernando.
**Al saber** la noticia del casamiento de Isabel, Enrique *Upon learning*
se puso furioso. Aunque había sido obligado por los
nobles a nombrarla sucesora al trono, ahora la deshe-
redó. En su lugar nombró a su hija Juana "la Beltraneja". El rey de Portugal, viendo la oportunidad de
anexar a Castilla, pidió entonces la mano de Juana, y
**se arreglaron en seguida las bodas.** *the marriage was arranged immediately*

**TERMINA LA ANARQUÍA**

Poco después, en 1474, se murió el
rey Enrique, y Castilla se dividió en
dos bandos —los partidarios de doña
Juana, **apoyados** por un fuerte ejército portugués *supported*
contra los de Fernando e Isabel. La guerra duró cinco
años hasta que Fernando consiguió la victoria final.
Doña Juana se retiró a un convento donde pasó el
resto de su vida, **negándose** siempre a renunciar al *refusing*
título de reina de Castilla. Fernando e Isabel habían
triunfado definitivamente, y en el año 1479 empezó su
verdadero reinado sobre la España cristiana. Por fin
había terminado el periodo en que "nunca la justicia
**se vio tan hollada, nunca imperó con más desen-** *was so trampled, never did anarchy run so rampant*
**freno la anarquía".**

# 21
# "Tanto Monta, Monta Tanto ..."

◈

**ISABEL Y FERNANDO** Isabel era una mujer de extraordinaria dedicación y voluntad; culta, **enérgica**, y según sus muchos admiradores, una persona muy amante de la justicia. Resuelta a **llevar a cabo** la unificación de España, y segura de tener en su posesión la única verdad, consideraba como traidores a todos **los que se opusieran** a sus deseos. Hasta tal punto se mostraba inflexible que una vez el duque de Alba **le tuvo que recordar**: "Pero Señora, si **ellos** ganan, nosotros seremos los traidores". Fernando, en cambio, era un hombre **poco letrado**, práctico, astuto, fuerte, y atlético, más flexible que Isabel, pero de carácter **algo equívoco**. Modelo de *El Príncipe* de Maquiavelo, empleó todos los **medios** posibles para realizar sus ambiciones. **Faltó** constantemente **a sus promesas, nunca vaciló ante una mentira provechosa**, y como cuentan, cuando el rey Luis XII de Francia se quejó de que Fernando le había mentido dos veces, el monarca español se rio y dijo: "No, no le mentí dos veces; le mentí diez".

*energetic*

*bring about*

*those who might oppose*

*had to remind her*
*they (the other side)*
*of little education*

*somewhat doubtful*
*means*
*He went back on*
➤ *he never hesitated at a profitable lie*

**SU IGUAL AUTORIDAD** Aunque Isabel era reina de Castilla, y Fernando era rey de Aragón, siempre actuaron juntos sobre todas las cuestiones de importancia. Los dos monarcas se sentaban juntos en el trono, y firmaban juntos todos los documentos oficiales. Para **subrayar** su igual autoridad, **hicieron inscribir** por todas partes su **lema**: "Tanto monta, monta tanto, Isabel como Fernando". **Es decir**, Isabel y Fernando son iguales; la palabra del uno vale tanto como la del otro.

*emphasize*
*they had inscribed* ➤ *motto*
*In other words*

**LOS REYES CONTRA LOS NOBLES**

Juntos Fernando e Isabel se dedicaron a las **tareas** que se les enfrentaban. Favoreciendo a la **alta** clase media, y encontrando su mayor **apoyo** en las ciudades, iniciaron una campaña para destruir el poder de la antigua nobleza feudal. Prohibieron a los nobles construir nuevos castillos sin permiso de los monarcas, los **alejaron** de las Cortes, llenando sus puestos con miembros de la alta burguesía,

*tasks*

*upper*

*support*

*removed*

Fernando e Isabel, los Reyes Católicos.

*Isabel la Católica, Fernando de Aragón, Bermejo*

y revocaron antiguas **dádivas** de propiedades reales a las familias nobles. Los **grandes** del reino tenían alternativa: de convertirse en vasallos de la corona, en **meros** cortesanos, o de ser **aniquilados.** Nada ni nadie iba a impedir la unificación de España bajo una sola autoridad.

*gifts*

*grandees*

*mere ➤ annihilated*

**HACIA LA UNIFICACIÓN TOTAL**

Fuera de Granada, casi toda España estaba ya en manos de Fernando e Isabel. Dentro de sus territorios, se reorganizaba la estructura del gobierno para eliminar a **todo** elemento disidente. Aun la clase media, que gozó del favor de los monarcas en sus luchas contra la nobleza, poco a poco iba a verse **privada** de sus derechos tradicionales, y las Cortes

*any*

*deprived*

**destituídas** de su poder. Pronto los judíos y los moriscos iban a sufrir también las trágicas consecuencias de la nueva política de unificación total. — *stripped*

**1492: LA TOMA DE GRANADA**  Ganada la guerra con Portugal, los Reyes Católicos reanudaron sus campañas en el sur, **aprovechándose** de las luchas **intestinas** entre los musulmanes. El 6 de enero de 1492 hicieron su entrada triunfal en Granada. Según la tradición, Boabdil, el último rey árabe, se acercó a Fernando, y le dijo con lágrimas en los ojos: "Éstas son, Señor, las **llaves** de este **paraíso**. Recibe esta ciudad, **que tal** es la voluntad de Dios." El heraldo gritaba: "Granada, Granada, por los Reyes don Fernando y doña Isabel", y después de ocho siglos, la Reconquista había terminado. Por primera vez desde los tiempos visigóticos, España estaba unida. — *taking advantage* — *internal* — *keys* — *paradise* — *for such*

**EXPULSIÓN DE LOS JUDÍOS**  Tres meses después **se promulgó** el edicto de la expulsión de los judíos. Durante más de quince siglos los judíos habían vivido en España, contribuyendo con su trabajo y su cultura a la riqueza del país. **Pasmados por** el **golpe**, quisieron apelar la sentencia. Abrabanel, un judío distinguido que había sido **exento** del edicto por su amistad con la familia real, se presentó ante el rey y le ofreció una suma inmensa de dinero por la libertad de su pueblo. Se dice que Fernando estaba a punto de concedérsela cuando entró en el cuarto el **Gran Inquisidor** Torquemada, gritando que Judas había vendido a su Señor por un **puñado de monedas**. **Cohibido**, Fernando se negó a revocar la orden. Abrabanel **eligió** el destierro con su gente, y en ese momento empezó el trágico **éxodo** de los judíos españoles a todos los **rincones** del mundo. — *was promulgated* — *stunned by* — *blow* — *exempted* — *Grand Inquisitor* — *handful of coins* — *Abashed* — *chose* — *exodus* — *corners*

**DESCUBRIMIENTO DE AMÉRICA**  Mientras tanto, la reina estaba **tramitando** con Cristóbal **Colón** su viaje a la India. Según las fuentes históricas, el cuento de las joyas de Isabel no tiene ninguna comprobación, y en efecto, es — *negotiating* — *Columbus*

*Doña Juana la Loca*, Pradilla

Juana la Loca siguiendo el féretro de su esposo.

casi seguro que ella no las vendió. Pero no importa. Su visión y su interés en el proyecto fueron los elementos decisivos en el descubrimiento de América. Colón mismo nos dice que sólo "el **esfuerzo** de Nuestro Señor y de Su Alteza (Isabel) hizo que yo continuase". El **sueño** se realizó, y el 12 de octubre de 1492 representa el **comienzo** de la **subida** de España en la escala de las naciones. Pronto iba a ocupar la **cima**.

*encouragement*

*dream*

*beginning ➝ rise*

*top*

### EL GRAN CAPITÁN Y LAS CAMPAÑAS ITALIANAS

Fernando dirigía su mirada al mismo tiempo hacia el norte de África, y hacia las ricas provincias italianas. Bajo el mando del Gran Capitán, Gonzalo Fernández de Córdoba, las tropas españolas tomaron a Nápoles y se extendieron por gran parte de la península. Cuentan que un día se le ocurrió a Fernando pedir **cuentas** al Gran Capitán de

*an accounting*

los **gastos** que había incurrido en sus campañas. Pro- *expenses*
fundamente ofendido, porque él había tenido que
**suplir** con su propio dinero los insuficientes fondos que *supplement*
le mandaba el rey, Gonzalo le envió un documento
irónico en que le decía: "Gastado, en frailes, **monjas**, *nuns*
y pobres, **para que rogasen** a Dios por la prosperidad *so that they would pray*
de las armas del Rey, 200,736 **ducados** y 9 reales. En *ducats*
espías, 700,494 ducados. En **guantes** perfumados, 5000 *gloves*
ducados. En **picos, palas y azadones**, quinientos *pickaxes, shovels, and hoes*
millones, y **otros tantos, en reparar campanas, hen-** *the same amount for repairing*
**didas de tanto repicar** por las continuas victorias." *bells that split from so much ringing out*
Fernando **no volvió a pedirle** cuentas, pero tampoco *never again asked for*
se acordó de sus promesas al Gran Capitán, una vez
concluída la guerra.

**CONTRADICCIONES**
**Y CONTRASTES**

Pero no todo fue repicar campanas en tiempos de Fernando
e Isabel, y su vida contiene
una extraña historia de contradicciones y contrastes.
Mientras que los reyes fomentaron la educación y las
artes, estableciendo universidades y centros de cultura,
la Santa Inquisición que crearon para facilitar la unificación sofocaba toda libre expresión. Mientras que la
reina dictaba leyes para proteger a los indios de
América, y amaba la justicia y la compasión, permitía
los **horrendos autos de fe**, oyendo **impasiva** los *horrible "acts of faith" (public*
gritos de las víctimas de la **hoguera**. Y mientras *punishment by the Inquisi-*
mostraba ante el mundo una resolución casi masculina, *tion) ▸ impassively ▸ flames*
Isabel **ardía dentro** con los **celos** que le producía la *was burning inside ▸ jealousy*
conducta de su esposo. Sus últimos años fueron **amar-** *embittered*
**gados** por la muerte prematura de casi todos sus hijos,
y por la **locura** de su hija y sucesora, doña Juana— *madness*
Juana, esposa del príncipe **austríaco** Felipe el Hermoso, *Austrian*
y madre del futuro emperador Carlos I; Juana la Loca,
**encerrada** por más de cuarenta años en el convento de *locked up*
Tordesillas.

**FIN DE**
**UNA ÉPOCA**

**Agobiada** por la tristeza, Isabel *Worn out*
murió en 1504. Fernando de Aragón
la sobrevivió doce años, participando
siempre en las intrigas políticas de su tiempo, pero no

llegando nunca a ocupar el trono de Castilla. Sólo en
tiempos de su **nieto**, el joven Carlos, iba a realizarse la *grandson*
unificación verdadera de España. Pero ya **se había** *there had been laid*
**asentado** la base de su grandeza.


# 22
# La Historia de "Usted"

◎

**ESPEJO DE
UN PUEBLO**
La lengua es el **espejo** psicológico *mirror*
de un pueblo. Su estructura, sus
expresiones idiomáticas, revelan toda
una manera de pensar. Pero la lengua puede transmitir
**fielmente** los sentimientos de su gente sólo si cambia *faithfully*
cuando **ella** cambia, si incorpora en su vocabulario las *it (the people)*
**etapas** históricas **por las que** ella pasa. Dinámica y *stages ← through which*
flexible, vive. Estática, muere. El castellano es un
idioma vivo, y así, refleja los momentos significativos
de su pueblo, sus periodos de lucha y de desintegración,
sus periodos de desarrollo y de unión. Tomemos por
ejemplo el caso de la palabra "usted", una palabra que
no tiene antecedencia **como tal** ni en el latín clásico ni *as such*
en el latín vulgar. Su historia es interesantísima.

**TÚ, VOSOTROS,
Y USTED**
Como sabemos ya, en el español
moderno hay dos maneras de tratar a la persona con quien se habla.
Se pueden usar las formas de la segunda persona—*tú* y
*vosotros*—cuando existe una relación familiar entre
los dos **interlocutores**. (Estas formas de segunda per- *speakers*
sona son las que vienen del latín.) O se puede emplear
una forma de tercera persona—*usted, ustedes*—cuando
hay una relación de respeto, de cortesía, de distancia
entre ellos. Pero, ¿cuándo entró en la lengua castellana
la forma "usted"? ¿Cuál es su **razón de ser**? Volva- *reason for existence*
mos por un momento a la historia.

Un Caballero, El Greco

Un caballero desconocido, pintado por El Greco. El retrato capta la esencia orgullosa, pero humana, del hidalgo.

**LUCHA POR LA DIGNIDAD**

Desde los primeros tiempos, el hispano ha demostrado siempre una fuerte **conciencia del yo**. La dignidad personal vale más que la vida, más a veces que el concepto del estado. Y hasta tal punto la defiende que el orden social **se ha disuelto** repetidamente casi en la anarquía. A pesar de las tradicionales distinciones de clase que caracterizan a las épocas antiguas, a pesar del feudalismo que **rigió** en toda la Europa medieval, el español **logró exigir y conservar** siempre ciertos derechos fundamentales. El vasallo cumplía con sus justas obligaciones hacia su señor, pero no se sometía totalmente a su voluntad. En Castilla se estableció el primer cuerpo parlamentario del mundo occidental, las Cortes, y así **se pudo llevar al oído** del monarca la voz de su pueblo. En Aragón y en otras partes los reyes tuvieron que conceder "fueros", privilegios especiales, a su gente, y **antes que** perderlos, el pueblo estaba dispuesto a luchar hasta la muerte.

*awareness of self*

*has been dissolved*

*held sway*
*managed to obtain and keep*

*could be brought to the ear*

*rather than*

**CREACIÓN DE UNA NOBLEZA MENOR**

Pues bien, recordemos los tristes reinados de Juan II y de su hijo Enrique IV. La nobleza rebelde quiso imponer su voluntad sobre la de la

*90*

corona, y la autoridad real **yacía** en el **polvo**. Se *lay — dust*
levantaron entonces las ciudades, afirmando el valor de
su realidad **burguesa**, y derrotaron a las fuerzas de los *bourgeois (middle class)*
altos nobles. Y entonces llegó la época de los Reyes
Católicos. Fernando e Isabel **soñaban con** una nación *dreamed of*
unificada, **íntegra**, unida no solamente en su religión *whole*
y en su política, sino unida también bajo un solo poder
central, el de la corona. Y la antigua nobleza feudal
representaba el obstáculo mayor a su realización. Los
reyes se dirigieron entonces a la clase media, a la gente
de las ciudades. En cambio de su ayuda—su dinero, sus
brazos—les ofrecían títulos de nobleza **menor**. A los *lesser*
que se distinguían en la lucha contra los nobles, les
nombraban **hidalgos**, "hijos de algo", y les daban el
privilegio de ser llamados *Vuestra Merced*. De ese título
de respeto viene la palabra moderna "usted".[1]

**EL TÉRMINO "USTED" COMO SÍMBOLO SOCIAL** Poco a poco **se fue cre-** *there was being created*
**ando** toda una nueva
clase social, la nobleza
menor. En algunas ocasiones los reyes concedieron el
título de honor a ciudades enteras por su gran contribución a la causa de la monarquía. Y así se fue extendiendo
el uso de "Vuestra merced", hasta el punto de que
muchas personas se consideraban profundamente
ofendidas si **se les trataba todavía de** "tú" o de *they were still spoken to as*
"vos". Hay casos de caballeros que **llegaron a** *actually stabbed*
**apuñalar** a otros por el insulto de llamarles "vos", en
vez de "usted", ¡y que fueron **absueltos** del crimen! *acquitted*
Y un **mal aplicado** "tú" o "vos" fue causa de más de *badly applied*
un **duelo** mortal. *duel*

**CONSECUENCIAS DE LA HIDALGUÍA** La creación de la nueva clase
social iba a tener consecuencias
aun más serias en años y
generaciones posteriores. La **hidalguía excluía** la posi- *position of "hidalgo"*
bilidad del trabajo manual. Por eso, muchos hidalgos *excluded*

---

[1]Algunas de las formas intermediarias muy usadas en los siglos XV y XVI
son: Vuesarcéd > usarcéd > ucéd; y vuesa-mestéd > vues-astéd > vustéd >
usted.

buscaron carrera en los ejércitos del rey, tomando parte
en la conquista de Granada y en las expediciones a
América. Pero no todos pudieron encontrar la gloria
y fortuna en la vida militar. Gran número de ellos
**se acogieron a** la iglesia, y otros se quedaron en un    *took refuge in*
mundo donde, imposibilitados de trabajar, se morían
**honradamente** de hambre.                                  *honorably*

**POPULARIZACIÓN**          Con el tiempo se popularizó
**DE "USTED"**              tanto el uso de la palabra
                           "usted" que ya iba perdiendo
todo su sentido original de distinción social. "Cada
hombre vale tanto como **su prójimo**", pensaba el          *the next fellow*
español. "Cada uno es hijo de sus obras", y **no debe**     *there shouldn't be*
**haber** diferencias en el **trato**. Hoy en día "usted" es   *➤ treatment*
la forma más empleada en el trato normal de respeto,
pero su historia es la de toda una época en la vida de su
pueblo.

# 23
# Sobre Magos y Médicos

◈

**MAESTRO DE LA**          E nrique de Villena era una
**MAGIA NEGRA**             figura muy conocida en la
                           corte de Enrique III en los
primeros años del siglo XV. "Pequeño de cuerpo y
grueso", tenía "el **rostro** muy blanco e **colorado**";    *face ➤ high-colored*
era "muy **sotil** en la poesía, e muy **copioso** y **mez-**   *clever ➤ prolific ➤ involved*
**clado** en diversas ciencias. Sabía hablar muchos len-
guajes; comía mucho, y era muy inclinado al amor de
las mujeres." Era intelectual, estudioso, amante de los
placeres del cuerpo y del espíritu, pero poco honrado
en su conducta personal. Y **en cuanto a "los negocios**    *as for business matters and*
**del mundo y el regimiento** de su casa e **hacienda,**      *the running ➤ properties*
**tanto inhábile** e inepto que era una gran maravilla".    *so clumsy (**tan inhábil**)*

Pero para la gente de su época, Enrique de Villena era
el maestro universal de la **magia** negra. Famosísimo    *magic*
por su **afición** a las ciencias **ocultas**, "sabía adivinar e    *devotion ➤ occult*
interpretar sueños y **estornudos** e otras **cosas tales**    *sneezes ➤ such things*
que ni a príncipe real e menos a católico cristiano
**convenían**. Y por esto **fue habido** en pequeña reputa-    *were suitable ➤ he was held*
ción **de** los reyes de su tiempo, y en poca reverencia de    *by*
los caballeros."

**VILLENA**   Por fin, Villena murió en el año 1434,
**LEGENDARIO**   y con su muerte empezó a crecer su
fama. El rey Juan II **mandó quemar**    *ordered his books burned, put-*
**sus libros, encargando de ello** al obispo de Segovia,    *ting in charge of it*
**un tal fray** Lope de Barrientos. Pero resultó que el    *a certain Brother*
obispo también se interesaba por las artes mágicas, y
no los quemó todos, **salvando de las llamas** ciertos    *saving from the flames*
libros que "en **algund** tiempo podrían **aprovechar a**    *(algún) ➤ benefit*
**los sabios**". La gente **no dejó de hablar** del episodio    *scholars ➤ didn't stop talking*
del obispo y la biblioteca del mago. Seguramente,
decían, así como se escaparon de las llamas algunos
de sus libros, así Villena mismo **se escaparía** también de    *probably escaped*
las manos de la muerte. Villena había vendido su alma
a Satanás, comentaban, pero siendo más astuto que
el diablo, ¡**le entregó** al momento de morir sólo su    *gave him (to the devil)*
**sombra**! Y el mago se había convertido en **humo**, y    *shadow ➤ smoke*
**se encerró en una redoma** que tenía en su laboratorio,    *locked himself up in a flask*
y allí estaba todavía, **aguardando** la oportunidad de·    *awaiting*
volver a la vida. Sin duda, Villena el **brujo** estaba    *wizard*
**siempre** presente. **Sabía adivinar** el futuro, o hacerse    *still ➤ He could foresee*
invisible **cuando quisiera**; podía **oscurecer** el sol;    *whenever he chose ➤ darken*
era **señor** de la lluvia y del **trueno**, y gran maestro    *master ➤ thunder*
de la geometría y de la **alquimia**. Y lo que era peor,    *alchemy*
Villena no estaba solo en el mundo de los brujos y
magos. Había otros muchos como él.

**CIENTÍFICOS**   Porque todas las ciencias tenían cosas
**Y MAGOS**   ocultas. Los astrólogos se comuni-
caban con los planetas y las **estrellas**    *stars*
para saber el destino del hombre. Los alquimistas
**se escondían** en oscuros laboratorios donde buscaban    *hid*

los secretos de la vida humana, y querían convertir todos los metales en oro. Los químicos sacaban las **mismas materias** de que estaba compuesto el mundo, y *very materials*

Un boticario en su farmacia, y un médico atendiendo a un paciente. Miniatura del *Libro del Ajedrez* de Alfonso el Sabio.

después las entregaban a los **boticarios**, quienes trabajaban juntos con los médicos y con los **enterradores** para matar a la pobre gente. Sí, **había que cuidarse mucho de** los hombres de ciencia. *druggists undertakers you had to really watch out for*

### LA MEDICINA EN LA EDAD MEDIA

La medicina gozaba de poco prestigio en la España medieval. Aunque las enfermedades **abundaban, debido** a la falta de **medidas** sanitarias, había muy pocos médicos en los reinos cristianos. (Los mo- *abounded, due ⚬ measures*

narcas y los grandes nobles sí tenian sus médicos personales, siendo judíos muchos de ellos.) Los **cirujanos** *surgeons*
cortaban brazos y piernas sin el uso, **por supuesto**, de *of course*
ningún anestésico. Y los demás **tratamientos** médicos *treatments*
consistían mayormente en la administración de **sudores** *sweat baths*
o en cambios de dieta, juntos con las **perennes san-** *perennial bloodletting*
**grías.** Pero no eran los médicos quienes hacían las
sangrías, sino los barberos, y este aspecto de su profesión está simbolizado todavía en las **rayas** rojas de la *stripes*
**divisa de peluquería.** El barbero iba a la casa del *barber's pole*
paciente y le abría una vena para dejar salir los malos
humores, o **le ponía encima una cantidad de san-** *put a number of leeches on*
**guijuelas para chuparle** la sangre mala. Por lo general, *him to suck out*
el barbero y el boticario eran el único contacto que
tenía la gente pobre con el mundo de la medicina. Los
boticarios y los **herboleros** dispensaban toda clase de *herb sellers*
medicamentos. Las **comadres** ayudaban en los **partos,** *midwives ◆ births*
y para **todo lo demás**, los pobres dependían simple- *everything else*
mente de sus oraciones. **No hay que decir** que la *It goes without saying*
vida era corta.

**LA PROFESIÓN MÉDICA** Más tarde aún, en el
**HASTA EL SIGLO XVII** Siglo de Oro, en los siglos XVI y XVII, la pro-
fesión médica seguía tan **desestimada** como antes. *little esteemed*
El padre de Miguel de Cervantes era médico cirujano,
y tan pobre era que tuvo que **trasladar** a su familia *move*
**de pueblo en** pueblo en busca de clientela. Los poetas *from town to*
y escritores de aquellas épocas **no vacilan** tampoco en *don't hesitate*
hacer comentarios satíricos sobre los miembros de esa
profesión. Francisco de Quevedo, por ejemplo, dice
que las enfermedades por sí solas no podrían
**acabar con** la gente, si no tuvieran la colaboración de *finish off*
los médicos. Y que "el **clamor del que muere** *death knell of the dying man*
empieza en el **almirez** del boticario, va al **pasacalles** *mortar ◆ quick step*
del barbero, **paséase por el tableteado de los guantes** *dances to the clapping of the*
**del dotor,** y **acábase** en las campanas de la iglesia". *doctor's gloves ◆ ends*

**UN POETA PERUANO** Juan del Valle Caviedes,
**SOBRE EL MISMO TEMA** un escritor peruano del
siglo XVII, **resume** la *sums up*

actitud de la gente respecto a la digna profesión:

"... Porque **soles ni desmanes**,　　　　*neither sun nor excesses*
la **suegra** y suegro peor,　　　　　　　*mother-in-law*
fruta y nieve sin licor,[2]
**bala, estocadas y canto**,　　　　　　*bullet, stabbing or stoning*
no matan al año tanto
como el médico mejor."

# 24

# Nuevos Horizontes

◈

**PRIMER CONTACTO CON**
**EL HOMBRE DE AMÉRICA**

Viernes 12 de octu-
bre (de 1492)
"... porque conocí que
era gente que mejor **se libraría** y convertiría a nuestra　*save themselves*
santa fe con amor que por fuerza, les di a algunos de
ellos unos **bonetes colorados** y unas **cuentas de**　*red sailor hats ➼ glass*
**vidrios** que se ponían **al pescuezo**, y otras cosas　　*beads ➼ on their necks*
muchas de poco valor, **con que hubieron mucho**　*with which they were delighted;*
**placer; y quedaron tanto nuestros** que era mara-　*and they were so won over*
villa."

Domingo 14 de octubre
"... venían todos a la **playa** llamándonos y dando　*beach*
gracias a Dios. **Los unos** nos traían agua; otros, cosas　*Some*
de comer; otros, cuando veían que yo **no curaba de**　*I didn't care to*
ir a tierra, se echaban a la mar **nadando** y venían. Y　*swimming*
entendíamos que nos preguntaban si **éramos venidos**　*if we had come*
del cielo. Y vino uno viejo en el **batel dentro**. Y otros,　*in a little skiff*
**a voces grandes**, llamaban a todos, hombres y　*in loud voices*
mujeres:—Venid a ver los hombres que vinieron del
cielo; **traedles de** comer y de beber.—Vinieron　*bring them something to*

[2]Se consideraba peligroso **enfriar las bebidas** (*chill drinks*) con nieve, **a**
**menos que se les añadiera una buena dosis de licor** (*unless a good dose*
*of liquor was added*).

muchos y muchas mujeres, cada uno con algo, dando gracias a Dios, **echándose** al suelo, y levantaban las manos al cielo, y después **a voces nos llamaban que fuésemos a tierra.**"

*including*

*throwing themselves*

*shouted to us to go onto the shore*

Lunes 24 de octubre

"**Crean Vuestras Altezas** que en el mundo todo **no puede haber** mejor gente ni **más mansa.** (. . .) Todos de muy **singularísimo trato,** amorosos y habla dulce. . ."

*Believe me, Your Majesties*

*there can't be ← more gentle*

*most extraordinary niceness*

### PRINCIPIA LA CONQUISTA DEL NUEVO MUNDO

Así describió Cristóbal Colón en una carta a los Reyes Católicos sus primeras impresiones del Nuevo Mundo. Colón pensaba que había llegado cerca de la costa de Asia,

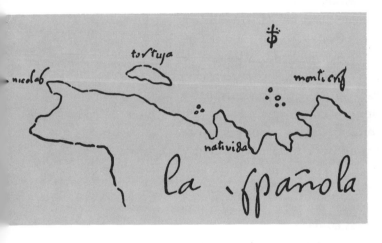

Mapa de La Española, dibujado por la mano de Cristóbal Colón.

y aun murió sin saber que había descubierto un continente nuevo. Pero la conquista de América había empezado, y se iniciaba con ella una **etapa** nueva en la historia humana.

*epoch*

### ANTECEDENTES DEL DESCUBRIMIENTO

En realidad, el descubrimiento de América no fue un **golpe casual en el vacío.** **Desde siglos atrás,** se habían ido preparando en la Península Ibérica estos viajes a **lo desconocido.** Aun en el periodo de la dominación árabe, Sevilla había llegado a ser uno de los puertos de mar más importantes

*accidental stroke in the dark*

*For centuries*

*the unknown*

de toda Europa. Y en la corte de Alfonso el Sabio, a mediados del siglo XIII, trabajaron juntos los sabios árabes, judíos, y cristianos **para adelantar** sus conocimientos en matemáticas, astronomía, y **náutica**. En el siglo XV el príncipe portugués Enrique el **Navegante** estableció nuevas bases navales, y fomentó **intrépidas** expediciones a las costas de África, a las islas del Atlántico, y al lejano Oriente. En aquella misma época, los españoles también empezaron a dirigir su mirada hacia otras tierras, hacia Italia y el norte de África. Mientras tanto, los **científicos del primer Renacimiento** perfeccionaban nuevos instrumentos de navegación, instrumentos que iban a hacer posibles los largos viajes en **alta mar**. Así es que la reina Isabel pudo **prestar oído** a los **estrafalarios** planes del aventurero **genovés**. Así es que la ciencia anticipó **a la casualidad**.

*to further*

*nautical science*

*Navigator*

*daring*

*scientists of the early*
  *Renaissance*

*the high seas*

*pay heed ➝ extravagant*

*Genoese ➝ chance*

**LOS REYES RECIBEN
A COLÓN**

Colón regresó a España en marzo de 1493, y los reyes le hicieron una gran recepción en Barcelona, **concediéndole** el título de **almirante y cargándole de** honores. Se cuenta que para mostrar su gratitud, Colón presentó a los monarcas varios **cofres** llenos de oro y de otros metales y piedras, y junto con ellos, les ofreció dos indios que traía consigo. Y dicen que la reina, al verlos **encadenados**, mandó a Colón ponerlos en libertad, porque ninguna criatura humana debía vivir **esclavizada**.

*bestowing upon him ➝*
  *admiral and loading him with*

*coffers*

*in chains*

*enslaved*

**SEGUNDO VIAJE
DE COLÓN**

En seguida **se diseminó** la noticia del gran descubrimiento, de unas tierras **lejanas** de fabulosas riquezas, de unas tierras donde **no se envejecía nunca**, donde... De todas partes **acudieron** hombres dispuestos a arriesgar su vida por la gloria y fortuna que les esperaban allí. En septiembre de 1493 **zarpó** otra vez la **flota** del almirante, pero esta vez, **integrada por 17 buques** y 1500 hombres. A principios de noviembre llegaron a las Antillas, y poco después se desembarcaban en Española (ahora Haití), sólo para encontrar destruído el **fuerte** que habían

*there spread*

*far-off*

*people never grew*
  *old ➝ rushed forth*

*set sail ➝ fleet*

*composed of 17 ships*

*fort*

dejado allí, y muerta toda su **guarnición**. Los sueños *garrison*
de riquezas fáciles se iban convirtiendo en realidad.
El oro y los metales preciosos no abundaban, y los
**indígenas se mostraban** menos mansos cuando *natives turned out to be*
**se trataba de quitarles** sus tierras y su libertad. Las *it came to taking away*
enfermedades mataban a blancos y a indios, y aun más,
los españoles habían empezado ya a pelear entre sí.

**CAÍDA Y MUERTE DEL ALMIRANTE** Parece que Cristóbal Colón también, como sus hijos y sus hermanos, era mejor marinero que gobernador, y pronto las **quejas** contra el al- *complaints*
mirante llegaron a oídos de los monarcas. Al fin de su
tercer viaje en 1498, Colón fue **encarcelado** por orden *jailed*
de un juez enemigo suyo, y volvió a España **menia-** *with his hands tied* ➤
**tado**. Cuando apareció por fin ante los reyes, **éstos** le *they (the monarchs)*
dieron toda clase de satisfacciones, pero su prestigio
había **decaído ya irremediablemente**. Colón realizó *had fallen already beyond*
un viaje más en 1502, y regresó a España en noviembre *repair*
de 1504, veinte días antes de la muerte de su protectora,
la reina Isabel. Viejo, cansado, y destituído de algunas
de sus posesiones, Colón murió en mayo de 1506. Pero
la gloria de España estaba **para** empezar. *about to*

# 25

# La Rebelión de los Comuneros

◈

**EL JOVEN CARLOS I** Fernando de Aragón, el Rey Católico, había muerto. Juana, la legítima
sucesora al trono de Castilla, estaba
encerrada en un convento de Tordesillas, incapaz de
reinar. Y la corona caía sobre la cabeza de un joven de
diez y siete años, Carlos, hijo del austríaco Felipe el

Hermoso y de la loca Juana. Nacido y educado en Flandes, Carlos I, primer rey español de la familia Hapsburgo, venía a España en 1517 a tomar las **riendas** del gobierno.

*reins*

**PRINCIPIO FUNESTO DE SU REINADO** Rodeado de consejeros y amigos **extranjeros**, y no sabiendo aun hablar castellano, el joven Carlos al principio conocía muy poco el carácter español. Dio a sus amigos **flamencos** los puestos más importantes del reino. Hizo demandas excesivas de dinero para facilitar su elección como Emperador del Santo Imperio Romano. **Cargó nuevos impuestos** sobre la gente, y trató de anular los derechos tradicionales de las Cortes, el Parlamento castellano. El pueblo reaccionó con indignación, pero el rey no le hizo caso. **Rechazó** sus justas peticiones, **persiguiendo** sólo sus propias ambiciones, y los abusos crecían.

*foreign*

*Flemish*

*He imposed new taxes*

*He rejected pursuing*

**SURGEN LAS COMUNIDADES** Hacia fines de 1519, Carlos fue a Alemania para recibir la corona imperial, y en España irrumpieron las sublevaciones. Toledo **se alzó** primero, seguido de Segovia, donde **ahorcaron** a dos **alguaciles** y a otros **funcionarios** del gobierno. Pronto la rebelión se había extendido a otras ciudades—Guadalajara, Alcalá, Soria, Ávila, Murcia... Toda Castilla se levantaba en armas contra los abusos de la autoridad real. Se formaron **juntas** en las ciudades **hermanadas**, y se les dio el nombre "comunidades". A todos los que participaron en el movimiento popular llamaron "comuneros".

*rose up*
*they hanged ⬭ constables*
*officials*

*councils ⬭ joined in alliance*

**MEDINA HEROICA** El regente de España, un austríaco designado para reinar durante la ausencia del rey, envió tropas contra Segovia, pero el ejército del cruel general Ronquillo fue vencido por los segovianos. Ronquillo fue entonces a la ciudad de Medina, y pidió la artillería que **se guardaba** allí. Pero los **medinenses, en vez de** obedecer, llevaron las **piezas** a la plaza y las **desarmaron para impedir** que

*was being kept*
*people of Medina, instead of*
*artillery pieces ⬭ took them*

El castillo de Medina del Campo, escena de la
heroica resistencia de los comuneros.

las tropas del rey las usaran. **Enfurecido**, Ronquillo *apart to prevent ✎ Furious*
mandó castigar a la ciudad, y sus tropas **le pegaron** *set it on fire*
**fuego**. La ciudad quedó destruída, pero no la voluntad
del pueblo. El día 2 de agosto de 1520 los medinenses
escribieron a sus compatriotas segovianos: ". . . veíamos
delante de nuestros ojos que los soldados **despojaban** *were ravishing*
a nuestras mujeres e hijos, y de todo esto no teníamos
tanta pena como de pensar que con nuestra artillería
querían ir a destruir la ciudad de Segovia".

**FIN DE LA REBELIÓN** Otras ciudades se juntaban ahora a
la causa. El rey recibió noticias de
la situación y mandó que se hicieran
ciertas pequeñas concesiones. Pero ya era tarde. Bajo
sus jefes, Juan de Padilla, Juan Bravo, y Francisco
Maldonado, el movimiento empezó a ganar ímpetu y
su triunfo parecía casi seguro. Pero dentro del movimiento mismo, existían los **gérmenes** de su propia *seeds*
destrucción. Los nobles, preocupados por el carácter
**cada vez más** popular y **anti-señorial** del movi- *increasingly ✎ anti-noble*

miento, empezaron a abandonar la causa. El dinero
**escaseaba,** y no había manera de pagar a los soldados. *was running short*
Entre algunos de los jefes **surgieron desacuerdos** y *arose disagreements*
rivalidades. La tendencia anárquica del español se
hacía evidente otra vez, y poco a poco comenzó la
desintegración. Las fuerzas monárquicas **alcanzaron** *caught up*
por fin **a** los **milicianos** indisciplinados de los comu- *with ▬ militiamen*
neros y los derrotaron definitivamente en abril de
1521. Sus jefes fueron **prendidos** y sentenciados a *captured*
muerte.

**EJECUCIÓN
DE LOS JEFES**
Cuentan que al próximo día los
llevaron al lugar de la ejecución.
El **pregonero** gritaba: "Ésta es la *town crier*
justicia que manda hacer Su Majestad a estos caballeros.
**Mándalos degollar** por traidores." Se levantó Juan *He orders them to be beheaded*
Bravo. "Mientes", dijo. "Traidores no, **mas celosos** *but zealots for*
**del bien** público y defensores de la libertad del reino." *the good*
Pero Padilla mismo le contestó: "Señor Juan Bravo,
ayer fue día de pelear como caballeros. Hoy **lo es de** *is the time to*
morir como cristianos." Bravo no dijo más, y así
murieron heroicamente los tres jefes de los comuneros.

**ACABA LA
RESISTENCIA**
La viuda de Padilla continuó la
lucha en Toledo unos seis meses
más, hasta que se vio obligada a
capitular, en cambio de ciertas concesiones favorables.
Pero las concesiones no fueron honradas por el
gobierno, y la señora tuvo que huir a Portugal. Al
regresar Carlos a España, anunció el perdón general de
todos los comuneros. Sin embargo, a pesar del perdón
público, muchos fueron condenados a muerte, y se
acabó para siempre la resistencia del **frente** popular. *front*
En épocas posteriores, los comuneros iban a renacer
en otra forma, pero ahí va otro cuento—otro cuento
del alma española, vencida por el momento pero
**indómita**. *unbowed*

# 26

# Carlos I, Carlos V

�‍◌

**ESPAÑOLIZACIÓN DEL "CÉSAR"**

Sofocada la rebelión de los comuneros, Carlos I, rey de España y emperador del Santo Imperio Romano (**del cual** era Carlos V) quiso **reconcentrar** en sus manos las riendas del gobierno. Sin duda, su reinado había principiado mal. **Obsesionado** por sus ambiciones personales, había hecho poco caso de las peticiones de las Cortes. No se sentía español. No tenía nada en común con esa gente que le rogaba "que **se sirviese su Alteza** hablar castellano, para que así **se entendieran** mejor mutuamente él y sus súbditos". Pero vino el momento de enfrentarse con la realidad. Y el monarca comenzó a españolizarse. Aprendió la lengua, **se empapó de** las costumbres y tradiciones de su país, y empezó a pensar como un español. Ya no era un rey extranjero **venido** a España a gobernar, sino el legítimo heredero de Fernando e Isabel, y el pueblo **se hacía suyo**. El César, le llamaban. Y en muchos respectos, era como otro Julio César—**valeroso, confiado** y aventurero, generoso y magnánimo, pero **sediento de** poder; general, escritor y **hombre de estado**, **infatigable** trabajador, e inflexible en su determinación. En su tiempo, **no se iba a conocer igual**.

*of which*
*to gather*

*Obsessed*

*his Majesty please*
*might understand each other*

*he steeped himself in*

*who had come*
*became his*

*brave, self-assured*
*thirsting for*
*statesman, tireless*

*his equal was not to be found*

**GUERRAS CON FRANCIA**

El reinado de Carlos coincide con la mayor expansión territorial de España. **A diario** partían los barcos para América. Y en toda Europa se hacía sentir la fuerza militar de los ejércitos imperiales. Pero el predominio español no podía continuar **sin reto**. La primera amenaza a la supremacía de Carlos se presentó en la figura del rey Francisco I de Francia, quien también había solicitado el trono del Santo Imperio

*Daily*

*unchallenged*

Romano. Frustradas sus ambiciones, y resentido de las pretensiones españolas en Italia, se aprovechó de las guerras de las comunidades para entrar en España por los Pirineos y tomar Pamplona y otras ciudades del norte. Pero no había contado con el carácter español. Viéndose atacados desde afuera, los comuneros olvidaron por el momento sus propios **rencores**, y ayudaron *grievances* a las fuerzas reales a rechazar a los invasores. Durante algún tiempo continuaron los ataques franceses hasta que Francisco decidió dirigir su atención definitivamente a Italia.

**CAMPAÑAS EN ITALIA** Las campañas en Italia iban a ocupar la mayor parte del reinado de Carlos. Allí se encontraron **una y otra vez** *again and again* los ejércitos rivales en una **red** complicada de alianzas *network* e intrigas, y siempre iba creciendo la enemistad personal entre el monarca español y el francés. En la Batalla de Pavía en 1525, Francisco, que había luchado valientemente con sus hombres, fue tomado prisionero y llevado a Madrid. Allí desde la prisión escribió sus palabras famosas: "Todo se ha perdido, menos el honor y la vida, que se han salvado". Firmó entonces la **Concordia** de Madrid, renunciando a sus preten- *Treaty* siones en Italia. Pero una vez puesto en libertad, volvió a Francia diciendo "Todavía soy rey", y se negó a cumplir el pacto. Entró en alianza entonces con Enrique VIII de Inglaterra y con varios príncipes italianos, incluso con el **Papa** Clemente VII, y juntos *Pope* dirigieron sus fuerzas contra los españoles.

**EL SACO DE ROMA** Carlos, cuyo catolicismo era irreprochable, **quiso apartar al Papa de la Liga**, *tried to separate the Pope from* pero no pudiendo, envió los ejércitos *the League* imperiales contra Roma. El seis de mayo de 1525, los españoles atacaron la ciudad santa. Durante el asalto cayó muerto su jefe, y viéndose libres de la disciplina, los soldados españoles, hambrientos y **sin paga desde** *unpaid for quite some time,* **hacía tiempo, saquearon** toda la ciudad. El Papa *sacked* resistió un mes, pero al fin tuvo que capitular, quedando prisionero en el castillo de Santángel. Aunque

Carlos I, Carlos V: el César.

Carlos **se dolía de** los excesos cometidos por sus    *regretted*
tropas, **no se apresuró** a libertar al Papa, hasta que el    *he didn't hasten*
Santo Padre le pagó un alto **rescate** siete meses    *ransom*
después. A pesar de las victorias españolas, las guerras
de Italia se prolongaron muchos años más. Sólo la
muerte de Francisco iba a poner fin a la enemistad
personal entre el rey de Francia y el Emperador.

            Al mismo tiempo, sin embargo, surgía
**MARTÍN**    otro problema de mayor importancia
**LUTERO**
           **aun**. En Alemania se levantaba la voz de    *still*
un humilde **sacerdote** y profesor de teología, Martín    *priest*
Lutero, denunciando los abusos de la Iglesia Católica,
y declarándose abiertamente contra el poder del
**papado**. Carlos, como emperador del Santo Imperio    *papacy*
Romano, tomó sobre sus **espaldas** la defensa de su    *shoulders*
religión. Pero esta vez no le iba a **valer** ni la diplomacia    *do him any good*
ni las armas. El protestantismo **se había aferrado** en el    *had taken hold*

espíritu de millones de personas, y no se iba a extinguir
por la fuerza. En 1555, viejo ya, y humillado por las
vanas luchas, Carlos tuvo que reconocer finalmente la
igualdad política y legal de católicos y protestantes.
Poco después renunció la corona de España, dejándola
a su hijo mayor, Felipe, y se retiró a un convento,
donde murió a fines de 1558.

**LA HERENCIA DE CARLOS**
Así acabó la vida de Carlos I de
España, Carlos V del Santo Imperio
Romano. Su reinado no había sido
una época de paz, ni dentro ni fuera de sus posesiones.
Había **suprimido** la independencia de las Cortes, y    *suppressed*
había sofocado la libertad religiosa de los moriscos de
Andalucía. Había sacrificado las energías de su país en
campañas militares en Europa, en Turquía, en África.
Pero era un hombre de acción, el César, y su dignidad
imperial había llevado a España a la cima en la escala
de las naciones del mundo. Durante su reinado em-
pezaron a **florecer** las artes y los estudios, hasta que la    *flourish*
contribución intelectual y artística de España rivalizaba
la riqueza de sus tesoros. España había llegado a su
**apogeo**, pero su gloria iba a ser de poca duración.    *high point*

# 27
# Sobre Caballeros y Pícaros

◈

**EXTREMOS DEL CARÁCTER ESPAÑOL**
Hombre de contradic-
ción y de lucha. Tu-
multo de pasiones opuestas.
Noble y **mendigo**. Caballero y pícaro. El español    *beggar*
habita todos los extremos del alma humana, a veces
dentro de un **solo ser**, otras veces, en distintas formas    *single being*
y existencias. Volvamos por un rato a la España del
Renacimiento, al siglo XVI, época del César, y

encontraremos allí algunos ejemplos interesantísimos de esa dualidad del carácter hispano.

**GARCILASO DE LA VEGA, POETA–GUERRERO**

Garcilaso de la Vega era la encarnación del caballero ideal del Renacimiento. Sus contemporáneos le describen como un hombre "**proporcionado de cuerpo**, de ojos vivos, **rostro** sereno y **grave**, **talle** de hombre noble y **esforzado**. . . y de una hermosura verdaderamente **varonil**". Nacido en Toledo hacia 1503, hijo de una familia noble, era un espíritu elegante, sensitivo, culto, cosmopolita, educado en la tradición grecorromana y saturado de la mitología clásica. Y al mismo tiempo, fue el guerrero más intrépido y más leal del ejército del emperador. Gran **espada** y valiente **por encima aun de** la prudencia, la tradición popular le pinta **venciendo solo** a caballo a **centenares** de bandidos en el **bosque**. Pero al mismo tiempo era un hombre que componía exquisita poesía, y que **tañía la vihuela**; era **cantor** y ávido lector, y tierno y apasionado amante. Fue Garcilaso quien perfeccionó en el castellano la nueva **métrica** italiana, y la popularizó en España. Fue él quien cambió el curso de la poesía española. Pero cuando su rey lo llamaba, pasaba sin vacilar de los salones de palacio al campo de batalla.

*well-built*

*face ➤ serious, the bearing*

*vigorous*

*manly*

*swordsman ➤ beyond*

*defeating by himself ➤ hundreds*

*woods*

*played the guitar (an early form) ➤ a singer*

*poetic meter*

**MUERTE DEL POETA**

Garcilaso luchó siempre al lado de Carlos, contra las comunidades, contra los franceses, contra el pirata **Barbarroja** en **Túnez**, en todas las campañas del emperador. Hasta que en octubre de 1536, viendo la impaciencia de su monarca por tomar el castillo de Muey en **Provenza**, Garcilaso **escaló el muro, sin coraza ni casco**, para dar ejemplo a sus soldados. Pero esta vez, el gesto heroico iba a acabar en la tragedia. Una gran piedra **arrojada** por los enemigos le cayó sobre la cabeza y le mató. Carlos, **entristecido** por la pérdida de su mejor caballero, reanudó con furor el ataque, tomó el **fuerte**, lo destruyó, y ahorcó a todos sus defensores. El César se había vengado, pero el poeta

*Redbeard (a dreaded pirate)*
*Tunisia*

*Provence (France) ➤ scaled the wall, without a chest plate or helmet*

*hurled*

*saddened*

*fort*

Guitarrista y cantor de
romances de la época
y estilo de Vicente Espinel.

más grande del Renacimiento español **había dejado
de ser**. . .

*was no more*

**JUVENTUD DE
VICENTE ESPINEL**

Vicente Espinel pertenence a la
segunda mitad del mismo siglo
XVI y principios del XVII.
Andaluz de nacimiento, pasó su juventud en Sevilla,
donde vivió en "la sociedad de pícaros", y donde,
según su propia confesión, llegó a ser "protagonista de
una serie de **pendencias y amoríos** en que la justicia
tuvo que intervenir más de una vez". Más tarde,
estudió en la Universidad de Salamanca, entró en el
servicio de varios altos nobles, fue soldado en Italia, y
aun cayó en manos de piratas **argelinos** que lo
llevaron a tierras africanas. Mientras tanto, había
demostrado ya una extraordinaria habilidad musical.
**Vuelto a** España, entonces, se hizo famoso como
guitarrista y **compositor**, y **se cree** que fue Espinel
quien **agregó** la quinta **cuerda** a la guitarra moderna.

*fights and love affairs*

*Algerian*

*Back in*
*composer ► it is believed*
*added ► string*

**PÍCARO, POETA, MÚSICO,
Y SACERDOTE**

El **antiguo** pícaro y
vagabundo había su-
bido **bastante** en la
escala social, pero su vida iba a seguir aun otros
caminos. **Vivaracho, locuaz**, y oportunista, se hallaba
a menudo en situaciones **precarias**. Ahora la corte de
Madrid y el campo de la literatura le llamaron la
atención. Dentro de poco tiempo, ya se había hecho

*former*

*quite a bit*

*Boisterous, talkative*
*precarious*

poeta de corte, escritor, y novelista. Al fin, **sintiendo cerca la vejez**, se hizo sacerdote, y aun fue nombrado **capellán** de la **capilla** del Obispo de Madrid. Allí murió en 1624 a los setenta y cuatro años de edad.

*feeling old age approach*

*chaplain ➞ chapel*

### HOMBRE DE MÚLTIPLES FACETAS

Éstos son los **datos** externos de la vida de Vicente Espinel. Pero sus escritos revelan aun más el carácter del hombre. **Por** un lado era humanista y erudito latino, y **tradujo** al castellano algunas obras del poeta romano Horacio. Por otro lado, era un alma **plebeya**, democrática, nunca **alejada** totalmente de la sociedad baja y alegre. Decía que cada hombre merecía publicar su autobiografía, **aunque no fuera** de los grandes de su época. Porque "no hay vida de hombre **ninguno**, de **cuantos** andan por el mundo, de quien no se pueda escribir una gran **historia**..." Y así, Vicente Espinel tomó algunos episodios de su propia vida, los **salpicó** con un poco de ficción, de humorismo y de sátira, y escribió su *Marcos de Obregon*, una novela de tipo picaresco, y uno de los comentarios **más agudos** sobre la sociedad de su tiempo.

*data*

*On*

*he translated*

*plebeian (low class)*

*removed*

*even if he weren't*

*any ➞ all those who*

*story*

*sprinkled*

*sharpest*

### SU GOCE DEL VIVIR

Finalmente, poeta y músico, compuso un gran número de *Rimas*— **poesías** líricas, delicadas, íntimas, de técnica refinada y de **motivos** bellos. La nota predominante de toda su obra es una alegría de vivir, una sensualidad hecha de todos los **goces** humanos. Aunque **se acogió** a la religión en sus últimos años, era al mismo tiempo un **ser** profundamente de la tierra. "Bien sé que no soy angel, sino hombre", dice en uno de sus versos. Y con estas palabras pasa **al recuerdo** el poeta músico novelista soldado vagabundo erudito pícaro cortesano clérigo hombre, Vicente Espinel, esencia hispana.

*poems*

*subject matters*

*pleasures*

*he turned*

*being*

*into memory*

### PARADOJAS HISPANAS

Garcilaso y Espinel son sólo dos aspectos de una sociedad de infinitos contrastes. En el tiempo de su mayor participación mundial, la España de Felipe II cerró sus puertas a las influencias intelectuales extranjeras. En el momento de sus mayores conquistas, defendía los derechos de los pueblos conquistados. En el periodo de su mayor riqueza, **sembraba las semillas** de su propia ruina económica. España en la cima; España **al borde** del abismo. **Místico** y cínico. Hidalgo y plebeyo. Conquistador y mendigo. Caballero y pícaro.

*she sowed the seeds*

*at the edge ➤ Mystic*

# 28
# Hombres y Conquistadores

◈

**EXPLORADORES DE AMÉRICA**

Ya conocemos **de sobra sus hazañas**. Hernán Cortés conquistó a México; Francisco de Pizarro, al Perú. Balboa descubrió el Pacífico, Orellana, el Amazonas, De Soto, el Misisipí. Sus nombres **resuenan** todavía. Ponce de León, Coronado, Valdivia, Almagro, **Magallanes**, Alvarado, Cabeza de Vaca, Olid. . . Exploradores de América, hombres y conquistadores.

*all too well their deeds*

*resound*
*Magellan*

**¿POR QUÉ VINIERON?**

Digo hombres primero, porque el hombre explica **el hecho**. ¿Por qué vinieron estos hombres al Nuevo Mundo? ¿Por qué estuvieron dispuestos a arriesgar su vida, **a merced** del mar, a merced de la **intemperie**, cruzando oceanos y ríos y montañas y selvas, peleando contra indios salvajes, y sabiendo que la muerte les esperaba a cada **vuelta** del camino? ". . . y como somos hombres y temíamos la muerte, **no dejábamos de pensar en ello**", dice Cortés mismo. Entonces, ¿fue sólo por el deseo de riquezas? Tal vez, en algunos casos. Pero eso no explicaría toda su conducta. El carácter de la conquista es demasiado variado para una explicación

*the fact*

*at the mercy ➤ inclement weather*

*turn*
*we didn't stop thinking about it*

Hernán Cortés y doña Marina, la joven india que le
sirvió de intérprete.

tan fácil. Así es también el carácter de sus protagonistas.
Empecemos, por ejemplo, con el caso de Hernán
Cortés.

**HERNÁN CORTÉS**
Un historiador contemporáneo suyo le
describe como un hombre "de **gentil**
presencia y agradable rostro, **festivo** y
discreto en las conversaciones", un hombre que
"**partía** con sus compañeros **cuanto** adquiría con
tanta generosidad que sabía ganar amigos sin buscar
**agradecidos**". Nació en Extremadura en 1485, de una

*refined*

*lively*

*shared ← all that*

*thanks*

familia hidalga. A los catorce años, sus padres le mandaron a la Universidad de Salamanca, pero el joven volvió dos años después con poco éxito en los estudios. Su inclinación natural le llevó a la carrera militar. Tomó parte en una expedición a Árgel, y más tarde, en la conquista de Cuba. Es allí donde empieza su historia verdadera.

**DESOBEDECE AL GOBERNADOR DE CUBA**

El 10 de febrero de 1519, Cortés estaba en Cuba, a punto de **zarpar** *sail* para Yucatán, cuando recibió órdenes del gobernador Velázquez, **retirando** el permiso para realizar la *withdrawing* expedición. Cortés, que había trabajado muchos meses haciendo los **preparativos** del viaje, aun **gastando en** *preparations* ➤ *spending on* **él** gran parte de su propio capital, no tuvo la menor *it* intención de abandonarlo. Desobedeciendo las órdenes de Velázquez, **se hizo a la vela**, y en ese momento *he set sail* empezaba la conquista del gran imperio azteca.

**CAMINO ADELANTE**

Los españoles llegaron a tierras mexicanas con cuatrocientos soldados, doscientos indios, y treinta y dos caballos, una fuerza pequeñísima para **enfrontarse con** los *meet head on* ejércitos de Moctezuma. Pronto comenzaron las dificultades: hambre, enfermedades, ataques de indios hostiles, y disensiones en su propio campamento. Y **a medida que** crecían los obstáculos, crecía también el *as* descontento. Unos partidarios del gobernador Velázquez entre los hombres de Cortés conspiraron para hacerle prisionero y volver a Cuba. Pero Cortés descubrió el **complot**, ahorcó a dos, hizo cortar los *conspiracy* pies a otro, y mandó **azotar** a los demás. Más tarde *whipped* cuenta un soldado y amigo suyo: "**Acuérdome** que *I remember* cuando Cortés firmó aquella sentencia, dijo con grandes **suspiros** y sentimientos:— ¡Oh, **quién no** *sighs* ➤ *I'd rather not know* **supiera escribir, por no firmar muertes de hom-** *how to write, and not have* **bres!**" Pero el Capitán no era hombre para conten- *to sign death sentences!* tarse con vanos sentimientos. Y **actuó**. Para eliminar la *he acted* **tentación** de volver a Cuba, **hizo hundir sus barcos.** *temptation* ➤ *he had his ships* **La suerte estaba echada.** *sunk* ➤ *The dice were cast*

**CONQUISTA DE MÉXICO**

Algunos **hechos** de la conquista de México son bien conocidos: como Cortes encontró dos intérpretes, la joven india doña Marina, y un **náufrago** español, y como le ayudaron a establecer contacto con las tribus indias; como los mexicanos pensaban al principio que los hombres blancos eran dioses; como los españoles se aprovecharon del resentimiento de otras naciones indias para romper el dominio de los aztecas; como murió Moctezuma por una piedra **lanzada** por sus propios súbditos; y como los españoles fueron obligados a abandonar la capital **entre** la horrible **matanza** de la Noche Triste. Como Cortés tuvo que derrotar a un ejército grande mandado por Velázquez para prenderle, y como para fines de 1521 el territorio de la Nueva España **se había agregado** ya al imperio del César.

*facts*

*shipwrecked*

*thrown*

*amid*

*massacre*

*had been added*

**CARÁCTER DE CORTÉS**

Pero hay otros hechos muy poco conocidos. Por ejemplo, que el mismo Cortés que había **mandado ejecutar a** algunos de sus propios hombres, el mismo Cortés que hizo cortar las manos a cincuenta espías indios, era un hombre que lloraba al ver los cuerpos **destrozados** de las víctimas sacrificadas por los aztecas. Que arriesgó su vida y el éxito de su expedición insistiendo en que los indios **dejaran de hacer** esos sacrificios, tratando de explicarles la fe cristiana, **derribando él mismo a** los ídolos; construyendo altares, y cuando era posible, iglesias; negándose a aceptar las **doncellas** que los **caciques** le ofrecían hasta que las muchachas se convirtieran al cristianismo; tratando de vencer por medios pacíficos, por la diplomacia, por la palabra, pero **acudiendo** a la fuerza sin vacilar cuando él la consideraba necesaria.

*ordered the execution of*

*mutilated*

*stop making*

*he himself knocking down*

*maidens*

*chieftains*

*resorting*

**SOLDADOS, MISIONEROS, Y COLONOS**

Muy distinta era la personalidad de Francisco de Pizarro. Un hombre de origen humilde, **analfabeto** y **rudo**, vivió y murió **sobre las armas**, y dejó a su muerte una

*illiterate ⬤ coarse*

*by the sword*

tierra **desangrada** por las guerras civiles. Hasta que *bled dry*
la corona tuvo que intervenir y **restablecer** el proceso *reestablish*
de la colonización. **Muy otra** también era la imagen *Very different*
de los muchos misioneros, hombres dedicados a la
**enseñanza** y a la paz; y de los colonos que vieron en *teaching*
América la realización de un sueño; y de los escritores
que vinieron para eternizar la emoción de un mundo
nuevo, gastando en papel más que en la comida.

En fin, las **cifras** son difíciles **de sumar**. *figures ➤ to add up*
**RESUMEN** Pero entre las infinitas paradojas
**se destacan** claramente ciertos hechos. *stand out*
Es verdad que los españoles, como toda nación
colonialista, deseaban riquezas, y cometieron atrocidades, y causaron la destrucción casi total de las culturas indígenas que encontraron. Pero eran hombres de
su época, una época acostumbrada a las atrocidades,
y a lo menos **quisieron templarlas** un poco con el *they tried to temper them*
ideal religiosoy con su **afán de poblar**. Cortés, *desire to populate (the new*
Pizarro, Balboa, De Soto... Hombres **de razón y** *lands) ➤ Sometimes right,*
**de sinrazón**, al fin, hombres y conquistadores. *sometimes wrong*

# 29
# La Cuestión Moral

**DIOS CASTIGA**
**LA CRUELDAD**
"**D**ios... quiere que **no sea** *the conquest not be*
**la conquista como ti-** *achieved by tyranny ➤*
**ranos**... Y así, **los que tales** *those who <u>were</u>*
**fueron**... **los más** han muerto miserablemente *tyrants ➤ most of them*
y con muertes **desastradas**. Y aun parece que *horrible*
**las guerras que ha habido tan grandes** en el Perú, *the awful wars that have taken*
las permitió Dios como **castigo**... El **mariscal** *place ➤ punishment ➤*
don Jorge Robledo, **consintiendo hacer** en la provincia *marshal ➤ since he allowed*
de Pozo **gran daño** a los indios... Dios permitió que *great harm to be done*
... **tuviese por sepultura los vientres** de los mismos *his grave should be the*
indios... **No se engañe ninguno** en pensar que Dios *stomachs ➤ Let no one fool*
*himself ➤ won't punish*
**no ha de castigar a los que fueren crueles para con** *those who are cruel to*

estos indios, **pues ninguno dejó de recibir la pena conforme al delito.**"

*for nobody failed to receive his just deserts*

**PREOCUPACIÓN MORAL DE ISABEL**

Así habló el capitán Pedro Cieza de León, uno de los que tomaron parte en la conquista del Perú. Pero la voz del intrépido explorador no fue la primera en alzarse contra la cruel explotación de los indios. Desde los primeros días de la conquista, ya había surgido la cuestión moral que iba a **sacudir** la conciencia de toda la nación espanola. Recordamos cómo Isabel puso en libertad a los indios traídos por Cristóbal Colón. La Reina Católica nunca iba a olvidar la emoción de aquel momento, y poco antes de morir, dictó en su testamento: "**Suplico** al Rey mi Señor[1] muy afectuosamente, y **encargo y mando** a la princesa mi hija y al príncipe su marido,[2] que **no consientan ni den lugar a** que los indios . . . reciban **agravio** en sus personas y bienes y si algún agravio han recibido, **lo remedien. . .** "

*shake*

*I beg*

*I request and order*

*they don't allow or tolerate*

*injury*

*that they remedy it*

**PROTESTAS CONTRA LOS ABUSOS**

A pesar de las buenas intenciones de la reina, la explotación de los indios continuaba. La **esclavización** de los indígenas estaba prohibida, pero existía todavía el sistema de la encomienda. Según este sistema, **se concedía** a una persona de importancia una gran parcela de tierra, y con ella, el dominio sobre todos los indios que la habitaban. Un domingo en el año 1511 se levantó en una pequeña iglesia de Santo Domingo el fraile dominicano Antonio Montesinos y dio un sermón **fulminante** contra los abusos de las encomiendas. El gobernador, Diego Colón, y los **encomenderos** de la isla **exigieron** de su superior una "**rectificación**", pero Montesinos se negó a **retirar** las acusaciones. La disputa continuó hasta que llegó a **oídos** de la corte española, y en 1512 **se promulgó** una serie de leyes bien intencionadas para aliviar la situación. Otra vez, el efecto práctico de las leyes fue

*enslavement*

*there was granted*

*scathing*

*people to whom an "encomienda" had been granted ➤ demanded ➤ retraction ➤ withdraw*

*the ears ➤ there was issued*

[1]El rey Fernando.    [2]Juana la Loca y Felipe el Hermoso.

casi **nulo**, pero ahora la causa del indio **iba adqui-** *nil ➥ was beginning to*
**riendo** algunos poderosos **abogados**. *acquire ➥ advocates*

**BARTOLOMÉ DE LAS CASAS** El padre Bartolomé de las Casas había sido uno de los encomende-ros de la isla de Cuba. Pronto, convencido de la injusticia del sistema, vendió sus propiedades y emprendió una campaña en defensa de los indios. Fue a España y habló ante la corte. Volvió a América y escribió libros denunciando el mal tratamiento de los indígenas. Y sus palabras se iban a escuchar en todas partes del mundo.

**EL PADRE VITORIA Y LA CONCIENCIA NACIONAL** La **discusión** se puso *argument*
aun más **encendida**. *heated*
De un lado, **encabe-** *heading*
**zando** el partido de los colonialistas, estaba Juan Ginés de Sepúlveda, **alegando** que los indios eran una *alleging*
raza inferior, y que era **lícito** obligarles a aceptar el *right*
cristianismo. El Papa, continuaba Sepúlveda, había dado aquellos territorios del Nuevo Mundo a los españoles, y así, el emperador Carlos era su dueño absoluto. Los indios eran salvajes y no tenían derechos. Al otro lado estaba un **catedrático** de la Universidad *professor*
de Salamanca, un padre dominicano de nombre Francisco de Vitoria. En la ocasión de la **apertura del** *opening of the academic*
**curso académico** de 1532, Vitoria vio su oportunidad *year*
para defender públicamente la causa de los indios. La justicia y **el derecho** están por encima de la autoridad *right*
espiritual del papa, por encima de la autoridad tem-poral del rey, dijo. El Emperador no era señor de todo el mundo, continuó, y "las leyes humanas no pueden tener dominio sobre los indios porque los indios como todos los hombres están **sometidos** a las leyes di- *subject*
vinas". Negó entonces el derecho de la conquista, condenó la conversión obligatoria de los indios al catolicismo, y **predicó** la libertad e igualdad de todos *he preached*
los **pueblos** del mundo en la comunidad humana. *peoples*

**LAS NUEVAS LEYES DE INDIAS** Las palabras de Vitoria **incli-** *tipped the scales*
**naron el peso de la balanza**, y el Emperador mismo decidió

Bartolomé de las Casas, defensor de los indios.

actuar. En 1542 se promulgaron las Nuevas Leyes de Indias, proclamando oficialmente a los indios como hombres libres, limitando los privilegios de los encomenderos, y **asentando** ciertas condiciones mínimas de trabajo. Curiosamente, a pesar de las numerosas **providencias** que contenían en favor de los indios, ¡al mismo tiempo **no se les permitía** viajar a caballo! Los indios no eran iguales ante la ley, sino que **gozaban de ciertas exenciones** y garantías, y estaba terminantemente prohibida su esclavitud.

*setting down*

*provisions*
*they were not allowed*
*they enjoyed certain*
*  exemptions*

**SUEÑO Y REALIDAD**          Las Nuevas Leyes encontraron mucha resistencia entre los antiguos encomenderos, y en realidad cambiaron muy poco la situación de los indios. Sin embargo, hay que recordar que España fue la única nación imperialista que trató a lo menos de mitigar las consecuencias de la conquista para la gente conquistada. Extraña mezcla de crueldad y de compasión, de **carne** y de

*flesh*

alma. Si el sueño de un las Casas o de un Vitoria **se hubiera** realizado, Hispanomérica habría sido la primera Utopía del mundo. Pero la vida **dictó otra terminación**. En su lugar, Hispanoamérica **se creó de la materia** y sustancia del español mismo, mezcla de sentimientos opuestos, con todos sus defectos y con todas sus virtudes.

*had been*

*dictated another*

*ending ↝ was created*

*out of the material*

# 30

# Cantor Épico de América

**FUSIÓN DE SANGRE Y DE ESPÍRITU**

El español llega a América, la conquista, y se deja **conquistar** por ella. Transplanta en la tierra nueva sus ciudades, su arte, su lengua, y su religión. Y los indios que se ponen en contacto con él **se van españolizando**. Al mismo tiempo, se siente **atraído** por la civilización indígena. Se mezcla con los **naturales**, y sus hijos son mestizos, medio blancos, medio indios. Llega a amar a las tierras americanas, y **se arraiga** allí. El conquistador-explorador se convierte en colono, habitante de América. O si vuelve a España, se ha hecho ya otra persona, **dotada de una conciencia americana**. La **epopeya** de sangre y de posesión es también una epopeya de **compenetración mutua**. Garcilaso de la Vega el Inca, un peruano mestizo, llega a ser uno de los **altos valores** de la literatura española del siglo XVI. Y un cortesano español, Alonso de Ercilla, se hace la voz palpitante de las gentes de América.

*be conquered*

*begin to be Hispanized*

*attracted*

*natives*

*he takes root*

*imbued with a consciousness of America ↝ epic*

*mutual penetration*

*greats*

**EL JOVEN ERCILLA**

Ercilla, hijo de una familia noble, nació en Madrid en 1533. Desde adolescente vivió en el palacio real, sirviendo **de** paje y compañero al joven príncipe

*as*

Alonso de Ercilla, autor de la primera epopeya de América.

Felipe. El rey Carlos le mandó acompañar a Felipe a Flandes, y Ercilla visitó con su príncipe diversos países de Europa. A los veinte y dos años de edad, movido por el deseo de la aventura, Ercilla **pasó** a América. Cuentan que el joven cortesano llegó a Chile rodeado de sus amigos de palacio, incluso algunas damas ilustres de la corte. Pero el espectáculo que **se le ofrecía a la vista** era del todo distinto a su imaginación **caballeresca**. La gran aventura era en realidad una guerra trágica, y los muertos que caían de ambos lados eran seres humanos, no creaciones **novelísticas**. Ercilla empezó a ver con otros ojos.

*went*

*met his eyes*

*chivalrous*

*fictional*

**EPOPEYA DE LAS GUERRAS DE ARAUCO**

Los indios del valle de Arauco se habían suble-vado, y Ercilla fue despachado con otros para sofocar la rebelión. El joven noble cumplió con las órdenes, luchando valientemente, y conociendo **de primera mano** las realidades **amargas** de la guerra. Impresionado igualmente por la valentía de los españoles y por la heroica defensa de los indios araucanos, "la pluma **ora** tomando,

*first hand*

*bitter*

*now*

ora la lanza", se puso a componer un poema épico sobre los **sucesos** de aquellos días. Había poco tiempo para escribir, nos explica en su introducción. ". . . y así el [tiempo] que **pude hurtar le gasté** en este libro, **el cual, porque fuese más cierto** y verdadero se hizo en la **misma guerra**, y en los mismos **pasos y sitios**, escribiendo muchas veces en **cuero, por falta** de papel, y en pedazos de cartas, algunos tan pequeños que **apenas cabían seis versos, que no me costó poco trabajo después juntarlos**." Y así, de estas impresiones americanas y de su rico **fondo** de cultura europea, Ercilla creó un gran poema épico, *La Araucana*, historia de la conquista de Chile.

*events*

*I could steal, I spent*
*which, so that it might be*
*more accurate ~ midst of*
*the battles ~ spots and*
*sites ~ leather, for lack*

*six lines of verse hardly fit, so*
*it was very hard later to put*
*them together ~ background*

**REBELIÓN DE LOS INDIOS**

La obra empieza con la llegada de los españoles a tierras chilenas. Al principio, los indios pensaban que eran dioses, y se sometieron a ellos. Pero la vanidad y la avaricia se apoderaron pronto de los conquistadores:

"**Sin pasarles jamás por la memoria**
que en siete pies de tierra al fin **habían**
**de venir a caber sus hinchazones**,
su gloria vana y vanas pretensiones."

*And it never occurred to them*
*all their self-importance*
*would wind up*

Los indios, viendo a sus **amos** peleando entre sí y **comportándose** más como hombres que como dioses, se sintieron "**avergonzados por verse de** mortales conquistados". El viejo **cacique** de los araucanos anuncia una **competición** para ver quién será el jefe nuevo de la tribu. De todas partes acuden los jóvenes guerreros para probar la fuerza de sus brazos. Por fin se presenta Caupolicán.

*masters*
*behaving*
*ashamed to see themselves by*
*chieftain*
*contest*

"Era este noble mozo de **alto hecho**,
**varón** de autoridad, grave y severo,
**amigo de guardar todo derecho**,
**áspero, riguroso, justiciero**,
de cuerpo grande y **relevado** pecho,
hábil, **diestro, fortísimo y ligero**,
sabio, astuto, **sagaz**, determinado
y **en casos de repente reportado**."

*lofty deed*
*a man*
*devoted to maintaining right*
*harsh, stern, just*
*massive*
*skillful, very strong and swift*
*prudent*
*self-controlled in times of stress*

Caupolicán levanta el tronco de un árbol, y lo sostiene en sus **hombros** por casi dos días. Nadie le puede igualar, y Caupolicán es escogido para llevar la guerra a los invasores.

*shoulders*

**HEROÍSMO Y DERROTA** Los araucanos inician el ataque, y luchan con tanto heroísmo que Ercilla mismo los empieza a admirar. Dice "que son pocos los que con tal constancia y **firmeza** han defendido su tierra contra **tan fieros** enemigos como son los españoles". Describe como, muertos sus padres, "los hijos, antes de tiempo tomando las armas, se ofrecen al rigor de la guerra", y como, habiendo perdido a sus esposos, "las mujeres, peleando algunas veces como varones, **se entregan con grande ánimo** a la muerte". El pueblo araucano llega a ser protagonista verdadero de su poema, no el conquistador español. Pero los españoles **se imponen.** Caupolicán cae en sus manos, y lo **ajustician** cruelmente. Ercilla se lamenta del bárbaro tratamiento del noble jefe araucano, "**al cual**, señor, no estuve presente . . . que si yo **a la sazón** allí estuviera, la cruda ejecución **se suspendiera**".

*dedication ☛ such tough*

*go valiantly*

*win out*
*they execute*

*to which*
*at the time*
*would have been stopped*

**PLEGARIA POR LA PAZ** Más tarde, el cortesano **hecho** soldado y poeta volvió a Madrid, donde se casó y vivió ricamente. Pero **hastiado de** la guerra, indignado por la avaricia y la crueldad humanas, tomó la pluma para **registrar** una última **plegaria** por la paz:

*now become a*

*sick of*
*make*
*plea*

"**Todo ha de** ser batallas y **asperezas**,
discordia, fuego, sangre, enemistades,
odios, **rencores, sañas, bravezas**,
**desatino**, furor, **temeridades**,
**rabias, iras**, venganzas, **fierezas**,
muertes, **destrozos, rizas**, crueldades,
**que al mismo Marte ya pondrían hastío,
agotando un caudal mayor que el mío?**"

*Must everything be ☛ harsh-
ness*
*rancour, anger, fury*
*unreason ☛ rashness*
*rage, ire ☛ fierceness*
*destruction, ravages*
*that would surfeit Mars himself
(god of war), exhausting a
strength greater than mine*

Así habló Alonso de Ercilla, voz española **compenetrada de** América.

*suffused with*

# 31

# Más sobre la Lengua

◈

**PRIMER DESARROLLO DEL CASTELLANO**
Hasta la época de los Reyes Católicos, el castellano había sido sólo una de muchas lenguas españolas. Hablado por el pueblo y por la corte de Castilla, se iba **diseminando** *spreading* por toda la península con la extensión del poder castellano. Pero a pesar de su influencia **creciente**, a *growing* pesar de haber producido ya algunas grandes obras de literatura, no había adquirido todavía la dignidad del latín como lengua culta, académica. **Faltando** *Since there were no* diccionarios y libros de gramática, hasta tal punto llegaban las variaciones idiomáticas que era casi imposible fijar definitivamente el uso popular.

**LA GRAMÁTICA DE NEBRIJA**
La labor de encontrar la base estructural del castellano fue **emprendida** *undertaken* finalmente por Elio Antonio de Nebrija, profesor de la Universidad de Salamanca y **conocido** humanista. En 1492, año *a well-known* triunfante de la conquista de Granada y del descubrimiento de América, año trágico de la expulsión de los judíos, apareció la obra de Nebrija, el primer libro de gramática de la lengua castellana y de todas las lenguas de la Europa occidental. El español había tomado forma específica, y desde ese momento iba a continuar su mayor desarrollo.

**"ARMA PRINCIPAL DEL IMPERIO"**
Cuentan que cuando Nebrija presentó a la reina el primer **ejemplar** de su libro, Isabel, *copy* **algo** sorprendida, le preguntó: "Pero, ¿para qué *somewhat* sirve?" Y Nebrija le contestó: "La lengua, señora, es el arma principal **del imperio**". Dentro de poco tiempo, *of empire* su profecía se iba a realizar. La lengua castellana se impuso sobre las demás, y fue uno de los factores más

importantes en la unificación de España. Con la publicación de la gramática de Nebrija, el castellano iba a continuar su evolución natural pero en una forma más consciente, más **ordenada**.

*orderly*

### USO MODERNO DE NOS-OTROS, VOSOTROS, Y VOS

Hemos hablado ya de la historia de "usted". Vamos a ver ahora cómo se desarrollaron algunas otras formas del español moderno. Por ejemplo, en el latín clásico aparecen las formas **pronominales del sujeto** *nos* y *vos* (*we, you—plural*). Estas formas se usaban en el castellano hasta principios del siglo XVII, cuando **se generalizó** la adición de "otros", para darles un sentido enfático: *nos-otros, vos-otros* (*we others, you on the other hand*). *Nosotros* y *vosotros* son las formas que seguimos usando hasta hoy. Pero en la Argentina, por un fenómeno curioso, todavía se usa *vos* en vez de *tú*. Parece que *vos*, la forma original traída por los exploradores españoles, se quedó intacto **debido** al **aislamiento** cultural de aquella región en tiempos coloniales. Pero en México y en el Perú, donde las cortes de los **virreyes** mantenían un **estrecho** contacto cultural con España, la lengua **evolucionó** más rápidamente siguiendo el modelo del castellano.

*of the subject pronoun*

*there became generalized*

*due ➦ isolation*

*viceroys*
*close*
*evolved*

### HISTORIA DE LAS FORMAS DEL FUTURO

La conjugación del futuro en el español moderno es otro caso interesante. Porque las formas modernas no vienen de la conjugación tradicional latina, sino de una expresión idiomática muy **corriente** en el español antiguo. Para expresar el futuro, la lengua antigua usaba el infinitivo seguido del presente de haber.[1]

*much used*

| | |
|---|---|
| hablar he (*I am to or have to speak*) | hablar hemos |
| hablar has | hablar heis (*Heis* es la forma antigua de *habéis*.) |
| hablar ha | hablar han |

[1]El uso antiguo corresponde bastante al moderno **haber de**, seguido del infinitivo: **Ha de venir**. *He is to come.*

Antonio de Nebrija (o Lebrija), cuya gramática de
la lengua castellana facilitó el camino a la unificación
de España.

En el castellano de hoy escribimos: *hablaré, hablarás,
hablará*. . .[2]

**LEYENDA DE
LA CETA**

La cuestión de la **ceta** castellana
merece una consideración especial.
Primero, porque ha sido víctima
de una **calumnia** totalmente **infundada**, y segundo, porque es un fenómeno de curiosísimos
antecedentes históricos. Se ha repetido a menudo el
cuento de que en tiempos antiguos (nadie dice exacta-

*"th" sound*

*slander ⚊ unfounded*

---

[2]El condicional viene de la misma expresión idiomática, usando el
antiguo imperfecto de **haber** (hía, hías, hía . . .) en lugar del presente:
**hablar hía→hablaría.**

mente cuándo) había un rey español (nadie dice exactamente dónde) que tenía un marcado defecto en la pronunciación. **Siempre que** quería decir la **ese,** *Whenever ➤ "s", his* **se le enredaba la lengua** en la boca, hasta que por fin *tongue would twist* **la sacaba por entre** los dientes y decía: *th.* Ahora *he'd stick it out* bien, según la leyenda, los miembros de su corte, no *between* queriendo **mortificar** más al pobre rey de la lengua *embarrass* **trabada,** empezaron a imitarle. Si todos hablaban *stuck* así, ya se hacía correcta la pronunciación incorrecta del monarca, pensaban. Así lo hicieron, y así nació la *ceta*... A lo menos, así dicen.

**REFUTACIÓN**
La verdad es del todo diferente. En primer lugar, si el rey no podía pronunciar la *ese,* ¿por qué hay todavía en la lengua castellana **miles** de palabras que *thousands* emplean ese sonido?—muchas más palabras, en efecto que **las** que usan la *ceta*? ¿Por qué hay todavía tantos *those* **pares** de palabras de **significado** totalmente distinto, *pairs ➤ meaning* pero cuya única diferencia es la *ese* o la *ceta*? (Por ejemplo: casa, caza; poso, pozo; sumo, zumo; sima, cima; coser, cocer; consejo, concejo, y cientos más.) ¿Por qué aparecen la *ese* y la *ceta* en la misma palabra? (Sentencia, residencia, ausencia, etc.) ¿Y por qué existe el mismo fenómeno en inglés? (*Sink, think; pass, path; moss, moth* para nombrar sólo unos pocos.)

**EL SESEO**
Ahora bien, en Andalucía, territorio ocupado durante muchos siglos por los árabes, sólo existe el sonido *ese,*[3] aparentemente porque la lengua árabe no tiene *ceta,* y su influencia **se hizo sentir** en el español. (Esta ausencia total de la *made itself felt* ceta, es decir, el uso exclusivo del sonido *ese* para *ce, z,* y *s,* se llama *seseo.*) En el periodo de la exploración de América, casi todos los **barcos** salían de Sevilla, y *ships* por la mayor parte, **eran tripulados** por marineros y *they were manned* soldados andaluces. Así es que la pronunciación que

[3]En algunas partes de Andalucía, la gente poco educada **confunde** (confuses) la *ese* con la *ceta,* pronunciando *s* como *th.* Esta ausencia total del sonido *s* (sentencia→centencia) se llama **ceceo.**

se radicó primero en América fue la andaluza. Y así es   *took root*
que el seseo predomina hasta hoy en todos los países
americanos.

**FLEXIBILIDAD DE**    Una lengua, como hemos
**UNA LENGUA VIVA**    visto, no es una cosa hecha en
la piedra de la historia y
conservada **íntegra**. Es más bien una expresión que   *whole*
**brota** de la vida de un pueblo, y la vida es flúida,   *springs*
flexible, variable. Así ha sido, y así será el castellano.

# 32

# Soldado de Dios

◈

**¿REALIDAD?**   ¿Vida? ¿Ficción? A veces es
**¿FANTASÍA?**   difícil saber dónde empieza
la una, dónde termina la otra. El
mundo de la fantasía puede invadir aun la realidad y
tomar posesión de ella. Así ocurrió, por ejemplo, en la
España del siglo XVI, cuando la **boga caballeresca**   *vogue of chivalry*
se había apoderado de la imaginación popular.

**LA BOGA**    Desde la publicación en 1508 de
**CABALLERESCA**    la primera novela caballeresca,
*Amadís de Gaula*, habían aparecido
innumerables imitaciones y continuaciones, y el
público **se lamía las manos tras de ellas**. Claro está,   *licked its chops over them*
no todo el mundo sabía leer en aquellos tiempos,   *(adored them)*
**ni mucho menos**. Pero podían escucharlas de noche   *far from it*
en las posadas y ventas, o en la plaza pública, o **don-**   *wherever*
**dequiera que** se reunía la gente. Porque abrían ante
sus ojos un mundo de nobles héroes y de princesas
enamoradas, de **gigantes** y de monstruos y de luchas   *giants*
**desiguales**, de magos y **encantos** y de pociones   *unequal ◆ magic spells*
amorosas... Esta vez seguramente el caballero ten-
dría que caer ante la fuerza superior de sus enemigos.

Diez mil contra uno. **Ya no podría más**. Pero de repente un **trueno agita** el cielo, y aparece **como llevado** por un **relámpago** el amigo del caballero, **el de** la espada encantada, el invencible. Y juntos los dos acaban con los diez mil. . .

*This time he couldn't hold out – roll of thunder shakes – as if carried – bolt of lightning*

*he of*

**HOMBRE Y SUPERHOMBRE**

El concepto del héroe se había **aferrado** en la mente española. La Reconquista de su tierra se había realizado ya. La conquista del Nuevo Mundo iba haciéndose realidad. El hombre podía ser un superhombre. ¿Dónde **se trazaba** la distinción entre vida y ficción? Amadís de Gaula, el Gran Capitán, Amadís de Grecia,[1] Hernán Cortés, Reinaldos de Montalbán,[1] Ponce de León, Palmerín de Inglaterra[1], Pizarro, Colón. . .

*taken hold*

*could one draw*

**INFLUENCIA DE LA NOVELA CABALLERESCA**

Las novelas caballerescas llegaron a ejercer su influencia aun en la sociedad española, en la concepción de la cortesía y del honor, en el deseo de gloria, en la noción exaltada del valor. Eran **gustadas** por los más altos y los más bajos del reino, desde el emperador Carlos, y el rey Felipe, hasta el humilde pastor o **ventero**. Cuando llegaron los exploradores españoles al oeste de los Estados Unidos y encontraron allí una tierra hermosísima, la llamaron California, nombre sacado de una de las novelas caballerescas. Y cuando Santa Teresa era niña, quiso hacerse **caballero andante**, y una noche huyó de casa con su hermanito para ir a la guerra contra los infieles. Los dos niños fueron **alcanzados y devueltos** a su casa. **No obstante**, la gran aventura de la santa todavía se iba a realizar.

*enjoyed*

*innkeeper*

*a knight errant*

*caught and returned*

*However*

**LA FIGURA CABALLERESCA DE IGNACIO DE LOYOLA**

Pero la figura más **destacada** de todo ese mundo caballeresco es San Ignacio de Loyola, **fundador** de la orden jesuita, soldado de Dios. Su historia es interesantísima.

*outstanding*

*founder*

[1]Héroes ficticios de novelas caballerescas.

San Ignacio de Loyola, fundador de la orden jesuita, y soldado de Dios.

Loyola era vasco, nacido en San Sebastián en 1491, el menor de trece hijos de una familia noble. **De joven** él también leyó novelas de caballería y se entusiasmó por la vida caballeresca. Primero sirvió como paje en la corte de Fernando, el Rey Católico, y después se dedicó a la carrera militar. Cuando los franceses atacaron a Pamplona durante la rebelión de las comunidades, y los habitantes de la ciudad estaban dispuestos a **rendirse**, fue Loyola quien inició la heroica defensa, y luchó hasta que cayó **herido de las dos** piernas. Poco después la ciudad **se entregó**. La batalla iba a tener poca importancia en la historia territorial de España. Pero en otro sentido tendría consecuencias **duraderas** para todo el mundo occidental.

*As a youth*

*surrender*
*wounded in both*
*gave up*

*lasting*

**EL LLAMADO DE LA RELIGIÓN**

Herido de las dos piernas, como hemos dicho, el **gallardo** caballero fue atendido por los cirujanos franceses, y después, por otros españoles. **Por poco pierde** la vida, y aun después de muchos meses de horribles sufrimientos, todavía quedaba

*gallant*

*He almost lost*

**cojo**, una pierna más corta que la otra. **Ya se** *lame* ► *He realized by then*
**daba cuenta de** que no podría volver nunca a su
vida de soldado y de **galán**. Sería mejor arriesgar otra *ladies' man*
vez la vida con una tercera operación, **hacerse romper** *have (his legs) broken*
otra vez las piernas, **todo antes que** vivir así. Y *anything rather than*
**realizaron** la operación. Durante su larga convale- *they performed*
cencia, Ignacio de Loyola pensó en su vida anterior, en
las batallas que había **presenciado**, en las mujeres que *witnessed*
había amado. De repente se le apareció la cara de la
Virgen María y la halló mucho más hermosa que las
otras. Siguió leyendo novelas caballerescas, pero
ahora pedía también vidas de santos. Un gran cambio
**se estaba operando** en su alma, y Loyola decidió *was taking place*
hacerse soldado otra vez—soldado de Cristo y de la
Virgen.

**CRUCE DE** Cuentan que mientras **se dirigía** al *he was on his way*
**CAMINOS** convento de Montserrat en Cataluña,
encontró en el camino a un morisco,
y se pusieron a hablar de la Virgen. Cuando el moro se
despidió, Loyola, profundamente ofendido por su
**cinismo respecto a** María, quiso seguirle hasta el *cynicism concerning*
pueblo y matarle. Pero la vocación le llamaba, y no
se podía decidir. Pensó entonces en los héroes caba-
llerescos, y **de acuerdo con** su mejor tradición, dejó a *in accordance with*
su caballo escoger el camino. El caballo le llevó cerca,
muy cerca del lugar a donde iba el moro, pero de
repente **se volvió** y tomó el camino del monasterio. *he turned around*
Dios había decidido. Ignacio de Loyola **colgó** sus armas *hung up*
en el altar de la Virgen, dio sus vestidos a los pobres, y
tomó el hábito de peregrino.

**SOLDADO** La historia recuerda bien el resto de su
**DE DIOS** vida. Se retiró primero a un convento
dominicano, donde escribió el libro de
los Ejercicios Espirituales. Fue a pie a París, y el
número de sus discípulos crecía. En 1539 se fue a Roma,
y consiguió permiso para fundar una nueva **orden** *order*
religiosa, dándole un nombre militar, la Compañía de
Jesús. "**No creo haber dejado** el servicio militar", *I don't think I have left*
dijo, "sino **haberlo consagrado** a Dios." Quiso *I have consecrated it*

combatir a los enemigos de la Iglesia, y la doctrina que
impuso en el Concilio de Trento se hizo la ley del
reino en 1564. El caballero andante **hecho** santo había     *now become a*
alcanzado su ideal.

# 33
# La Última Cruzada

◎

**CARÁCTER**
**DE FELIPE II**

Felipe II era un hombre **retraído**,      *withdrawn*
solitario, nacido más para monje
que para rey. De niño se había
mostrado estudioso y serio, **aficionado a** las mate-     *fond of*
máticas y a la arquitectura. Pero **heredó** un imperio     *he inherited*
donde nunca **se ponía** el sol, y con él heredó un **celo**     *set ⬢ all-consuming desire to*
**todo consumidor de** mantener el predominio
español en el mundo. Aun más, vivía obsesionado por
el deseo de ganar **el cielo** por medio de su conducta en     *Heaven*
la tierra. Pero **le tocó** vivir en una época amenazada     *it was his fate*
por la **herejía** de los protestantes. Para conquistar el     *heresy*
cielo, tendría que vencerlos **de una vez y para**     *once and for all*
**siempre**.

**JUVENTUD Y**
**PRIMER MATRIMONIO**

Felipe había vivido bajo
la sombra de su padre,
Carlos el César. Desde el
principio, Carlos le preparaba para el **cargo** que algún     *position*
día sería suyo. Le hizo estudiar política, le dio oportunidades de gobernar durante sus largas ausencias, y
le dejó visitar sus estados en Flandes, Italia, y Alemania.
De acuerdo con su **política** expansionista, Carlos casó     *policy*
al joven Felipe con una princesa portuguesa, prima
suya. La **infanta** murió pocos días después de **dar**     *royal princess ⬢ giving birth*
**a luz** a un hijo, pero Felipe ya tenía base segura para
sus pretensiones al trono de Portugal. Más tarde lo iba
a ocupar. Pero el hijo nacido de ese matrimonio

representaría una de las mayores tragedias de la vida del "Rey Prudente". Deformado, **enfermizo**, y dado a actos de violencia, el joven príncipe Carlos dio desde niño **señales indiscutibles de desequilibrio** mental. Por fin murió misteriosamente a la edad de 23 años, posiblemente por causas naturales, posiblemente por "razones de estado". **Sea lo que fuera**, Felipe iba a llevar siempre en su conciencia y en su imagen pública el **peso** de la vida y muerte de su primer hijo.

*sickly*

*unquestionable signs of imbalance*

*Be that as it might*

*burden*

**SEGUNDO Y TERCER MATRIMONIOS**

Pero nos hemos **adelantado** un poco en la historia. Muerta su esposa, Felipe se enamoró de una hermosa infanta portuguesa, pero Carlos tenía otras ambiciones para su heredero. Esta vez le hizo casarse con María Tudor, hija de Enrique VIII de Inglaterra, una señora mucho mayor que él, y de pocos atractivos físicos. El matrimonio resultó tan **infecundo** como las esperanzas de Carlos de intervenir en los asuntos ingleses. Después de la muerte de María, Felipe se iba a casar dos veces más, la primera, felizmente, con la francesa Isabel de Valois, quien le dio dos hijas, y últimamente con Ana de Austria, **de cuyo** matrimonio nació el próximo rey de España, Felipe III.

*gone ahead*

*unproductive*

*from which*

**EMPIEZA LA CRUZADA**

A la abdicación de Carlos I en 1555, Felipe se dedicó con toda el alma a gobernar su reino. Era **trabajador** hasta el extremo de que todos los asuntos del estado pasaban por sus manos. Pero no había heredado de su padre ese **genio** para el gesto dramático, esa visión del futuro, ni esa habilidad **de retirarse a tiempo** cuando veía **cierta la derrota**. Reservado y sobrio (si exceptuamos su gran pasión por las damas), **pesaba** tanto sus decisiones que a menudo perdía el momento **supremo** para su realización. Sólo en una cosa mostraba una fuerte resolución. Había tomado sobre sus espaldas la defensa del catolicismo en todo el mundo occidental, y **de ahí** dependía su entero programa

*hard-working*

*genius*
*to withdraw on time*
*certain defeat*
*he weighed*

*ideal*

*on that*

El traslado de la capital de España a Madrid en
tiempos de Felipe II.

político. Por consecuencia, el reinado de Felipe II iba
a ser una larga cruzada contra todas las fuerzas que
el consideraba **inímicas** a le fe verdadera. La tarea no    *inimical (opposed)*
sería fácil.

**GUERRA
TRAS GUERRA**

**Sucedieron** las guerras en los    *There followed*
Países Bajos[1], y Felipe trató de
**reforzar** con sangre española los    *reenforce*
**diques** rotos por la **ola** del protestantismo. Tuvo    *dikes* ➤ *wave*
ciertos éxitos, pero España **se iba agotando**. Intervino    *was becoming exhausted*
también en las guerras civiles de Francia, donde los
protestantes amenazaban tomar el poder. Se halló
**metido** en constantes luchas con turcos y **berberiscos**,    *involved* ➤ *Berbers*
hasta que la gran batalla naval de Lepanto en 1571
acabó definitivamente con la amenaza mahometana en
Europa. Pero todavía estaba lejos la paz. Dentro de

[1]Hoy Holanda y Bélgica.

España, se habían rebelado los moriscos de Granada, y Felipe los castigó fuertemente. Además, continuaban las guerras en Italia, contra Francia, contra varios estados italianos, y aun contra el Papa mismo. Irónicamente, el muy católico Felipe, como su padre antes de él, fue excomunicado por el Papa Paulo IV, eterno enemigo de la familia real española.

## 1588: LA ARMADA DERROTADA

Pero el enemigo principal del Rey Prudente era la Reina Isabel de Inglaterra. Protestante ella misma, **protegía a los** que profesaban la religión reformada. Una mujer, además, de una voluntad extraordinaria, más práctica que escrupulosa, fue ella quien fomentó las **piraterías** de Drake en aguas americanas, y quien **apoyaba** a los rebeldes de Flandes. Desesperado, Felipe **proyectaba** su venganza. Usando como pretexto para atacar a Inglaterra la ejecución de María **Estuardo**, empezó a reunir la flota más grande y formidable jamás conocida. El 30 de mayo de 1588 la Armada Invencible zarpó de Lisboa. Pero desde el principio, la fortuna le resultó adversa. Llegados cerca de Plymouth, los españoles fueron atacados **a la vez** por los barcos ingleses bajo el mando de Drake, y por una fuerte **tempestad**. La Armada Invencible fue **empujada** hacia los **bancos** de Dunquerque, donde **se hundieron** más de la mitad de sus **buques** y se perdieron miles de hombres. Desde ese momento, la estrella española se iba a eclipsar.

*she protected those*

*piracy*
*supported*
*was planning*

*Stuart*

*at the same time*

*tempest ⬥ pushed*
*banks ⬥ were sunk*
*ships*

## ASÍ LO QUISO DIOS

Mientras tanto, Felipe estaba en el Escorial, su palacio monasterio, esperando la noticia de la gran victoria. ¡Tan confiado estaba, en efecto, que ya había preparado un documento anunciando el triunfo de la Armada, e incluso la captura de Drake mismo! Pronto tendría que **encararse con** la realidad. **Incrédulo**, al principio, dijo por fin, "Envié mis **naves** a luchar con los hombres, no contra los elementos", y se retiró a **rezar**.

*face*
*Incredulous (unbelieving)*
*ships*
*pray*

**SOMBRA DEL FRACASO**

Diez años después, Felipe II moría en su cuarto ascético en el Escorial. Desde su cama podía ver el altar principal de la capilla. Frustradas sus mayores ambiciones, perdida su fe en los hombres, **presentía** la *he could foresee* futura caída de su España imperial. "Dios, que me ha dado tantos reinos, me ha negado un hijo capaz de gobernarlos", dijo. Y así iba a ser. La última cruzada había fracasado.

# 34

# Época de Gigantes

◈

**EDADES DE ORO**

La antigua Grecia tuvo su Edad de Oro, y la Roma de los Césares su Edad de Plata. En un tiempo o en otro, parece que toda gran civilización pasa por un periodo de extraordinaria riqueza artística, un periodo cuando el impulso **creador** no conoce *creative* límites, cuando todas las **alturas se aplanan** ante el *heights are leveled* genio humano. La Italia de Dante,[1] Petrarca,[2] y Da Vinci; la Inglaterra **isabelina**; la Holanda del siglo *Elizabethan* XVII; la Francia del XVIII; la España del Siglo de Oro.

**EL SIGLO DE ORO ESPAÑOL**

En realidad, el Siglo de Oro español ocupa más de un siglo. Dura casi un siglo y medio, desde los primeros años del siglo XVI, hasta mediados del XVII. **Renacentista y barroco**, culto y popular, **se despliega** con una energía que rivaliza con la de sus conquistas territoriales. **A partir del** reinado de Fernando e Isabel, España es una nación consciente de su ex- *Renaissance and Baroque — it unfolds* *Starting with*

---

[1] Poeta italiano del siglo XIV, y autor de *La Divina Comedia*.
[2] Poeta y novelista del Renacimiento italiano.

presión vital. Se construyen universidades y bibliotecas y centros de estudios donde **queda al alcance** de la mano la **sabiduría** de las épocas. Con la diseminación de la **imprenta** llega a muchas casas la magia de los libros. Y con la extensión de sus horizontes, su arte refleja un mundo **más amplio**.

*there remains within reach*
*learning*
*printing*

*broader*

**POESÍA Y POETAS** Recordamos la nueva poesía que popularizó en España el poeta guerrero Garcilaso de la Vega. Siguiendo sus **pasos**, los escritores de la próxima generación incorporan al lado de la **métrica** tradicional castellana las innovaciones rítmicas italianas. Y su lenguaje adquiere más flexibilidad, más **sonoridad**. **Resuena** en el soneto de Hernando de Acuña, cuyo "Un Monarco, un Imperio, y una Espada" simboliza la **plenitud** del **poderío** español en la época de Carlos. **Tiembla** en la obra del místico Fray Luis de León al contemplar la dulce creación de Dios:

*footsteps*
*poetic meter*

*resonance ← It resounds*

*fullness ← power*
*It trembles*

"¡Qué **descansada** vida
**La del que huye el mundanal ruido**!"

*peaceful*
*Is that of the man who flees the worldly turmoil*

Y otra vez:

"¡Ay, levantad los ojos
A **aquesta celestial eterna esfera**!"

*this eternal celestial sphere (the Heavens)*

Y se levanta heroico en la canción de Fernando de Herrera a la victoria de Lepanto.

"Llorad, **naves** del mar; que es destruída
Vuestra vana **soberbia** y pensamiento."

*(Turkish) ships*
*arrogance*

Más tarde da vuelo a la pasión **culterana** de Luis de Góngora, "Príncipe de Luz y **Tinieblas**", y al **ingenio** satírico de Francisco de Quevedo, jefes del barroco español.

*loftily elegant*
*Shadows*
*wit*

**PROSA Y NOVELA** Y la prosa florece también. Se escriben libros de historia y de biografía, libros de ciencia, de **teología**, y de filosofía. La novela sentimental de Petrarca tiene sus imitadores en España, pero los españoles no se

*theology (religion)*

Lope de Vega, ídolo
literario del Siglo de Oro.

contentan con la mera imitación. Pronto aparecen la
novela caballeresca, **idilio** heroico, y la novela *idyll*
**pastoril**, idilio **campestre**, y la novela morisca, idilio *pastoral ‿ rural*
**fronterizo**. Y a su lado nace la novela picaresca, *of the (Moorish) frontier*
novela del anti-héroe, negación de todos los **valores** *values*
caballerescos, sátira y **lágrima** de la sociedad. Última- *tear (sorrow)*
mente, hay *El Quijote*, irónico e **ingenuo**, real e ideal, *naïve*
**obra cumbre** del Siglo de Oro español. *master work*

**GIGANTES DEL TEATRO**    El teatro, que antes había sido una
de las formas literarias menos esti-
madas, **alcanza su plena realiza-** *reaches its fulfillment*
**ción** en esta época de gigantes. Renovado por el
prodigioso Lope de Vega, ídolo del público y autor de
más de mil obras dramáticas, la comedia española
**llega a abarcar** todos los aspectos de la historia y de *comes to encompass*
la conciencia nacionales. Dinámico, **atrevido**, volátil, *daring*
Lope abre caminos antes **no pisados**, y los escritores de *untrampled*
su escuela son innumerables. Tirso de Molina crea
a don Juan, el amante satánico-trágico cuyo **fracaso** es *failure*
inevitable cuando trata de imponer la voluntad
humana sobre la de Dios. Juan Ruiz de Alarcón, el
**genial** mejicano **jorobado y pelirrojo**, evoca un *brilliant ‿ hunchbacked and*
mundo satírico-moral donde triunfa la **entereza** sobre *redhaired ‿ personal honesty*

la hermosura superficial. Y Pedro Calderón de la Barca, **cortesano** y sacerdote, **plantea** en *La Vida es Sueño* la cuestión eterna de nuestra realidad. Éstos son los **colosos**, pero son sólo una **faceta** del periodo que produce también al Greco, a Rivera, a Zurbarán, a Murillo, y a Velázquez, pintores de Cristo y de la humanidad.

*courtier* • *poses*

*colossal figures* • *facet*

**¿POR QUÉ HAY SIGLOS DE ORO?**

Ahora, ¿por qué? ¿Por qué es que en ciertas épocas **brota de** un pueblo una gran creación en todos los campos artísticos, y después decae? ¿**Tendrá que ver** con su prosperidad económica o con su potencia política en aquel momento? No siempre. Porque muchas veces la Edad **Dorada** viene después de la gran expansión política, después del máximo momento económico. Tal vez sea porque toda su energía está dirigida entonces hacia la **meta** inmediata, y el arte **queda al lado**. Pero los cambios políticos y económicos traen consigo consecuencias sociales. La estructura de la nación empieza a cambiar. Se rompe la antigua **estratificación**; **se crea** una nueva clase alta, o semi-alta; crece la burguesía; crecen las ciudades. Y el hombre ve delante de sus ojos una nueva perspectiva, la posibilidad de subir en la escala social, la oportunidad **de hacer escuchar su voz**. Le entran nuevas energías, y las emplea para crear un Siglo de Oro. Lope, Calderón, Velázquez, Cervantes. . .

*there springs from*

*Can it have to do with*

*Golden*

*goal*

*is put aside*

*stratification* • *there is created*

*to make his voice heard*

# 35
# Cervantes y el Destino

**"DIOS DISPONE"**

"El hombre **propone**, y Dios **dispone**", dice el viejo refrán. Y en el caso de Miguel de Cervantes, **resulta** diez veces verdad. Volvamos por un momento

*proposes* • *disposes*

*it turns out*

a la historia de su vida, y veremos con qué frecuencia intervino en ella la mano del destino.

**NIÑEZ Y JUVENTUD DE CERVANTES** Cervantes nació en 1547 en la ciudad universitaria de Alcalá de Henares, a poca distancia de Madrid. Su padre era hidalgo de familia, médico cirujano de profesión. (¡Bien recordamos la poca estima que gozaba la profesión médica en aquellos tiempos!) Faltándole medios económicos, entonces, Rodrigo de Cervantes viajó de pueblo en pueblo con su familia en **busca** de mejor fortuna, y el joven Miguel **se fue educando** en la escuela de las calles. Madrid, Salamanca, Sevilla, Valladolid... En 1569 lo encontramos otra vez en Madrid, estudiando ahora en la escuela de Juan López de Hoyos, y aparecen algunos poemas suyos en una colección **reunida** por el maestro en la ocasión de la muerte de la reina. Su vida parece **encaminada** ya hacia la carrera literaria. Pero no. La mano del destino le **señala** otro curso.

*search*

*was being educated*

*gotten together*

*headed*

*points out*

**IDA A ITALIA** De repente Cervantes sale de Madrid y se va a Italia **al** servicio del cardenal Acquaviva. No se sabe seguramente por qué tomó esa decisión. Podría ser por el deseo de aventura, **de ver mundo**, de conocer de primera mano la **fuente** de la cultura renacentista. O posiblemente **tendría que ver con** un **proceso** criminal contra un "Miguel de Zerbantes", acusado de haber **apuñalado** a otro hombre en una pelea, y sentenciado a perder **por ello** un brazo. Siendo **bastante** común el nombre, nunca se sabrá si fue éste el Cervantes de la historia o si fue otro. **Sea lo que sea**, su vida toma en aquel momento una dirección nueva.

*in the*

*to see new places*

*source*

*it could have to do with ▬ trial*

*stabbed*

*for it ▬ quite*

*Be that as it may*

**"EL MANCO DE LEPANTO"** Cervantes deja después de un tiempo el servicio del cardenal, y **se alista** en el ejército español. El 7 de octubre de 1571 está **a bordo de la galera** La Marquesa, enfermo y con **fiebre**, y su capitán le manda **quedarse bajo cubierta**. Pero la batalla de

*enlists*

*aboard the galley*

*fever*

*to stay below deck*

El autor de *Don Quijote de la Mancha*. Retrato sacado en los últimos años de su vida.

*Cervantes*, Jauriguí

Lepanto había comenzado, "y el **dicho** Miguel de Cervantes respondió que . . . **más quería** morir peleando por su Dios y por su rey, **que no meterse so cubierta**". Cervantes luchó valientemente, hasta que cayó herido con dos **balas** en el **pecho**, y una en la mano izquierda. Quedó para siempre **lisiado** de esa mano, y **de allí en adelante** le iban a llamar "el **manco** de Lepanto".

*aforesaid*

*he preferred*

*rather than take cover*

*bullets — chest*

*crippled*

*from then on*

*one-armed man*

**CAPTURADO POR PIRATAS** Lo llevaron otra vez a Italia, donde, **recuperada** la salud, volvió a la vida militar. A pesar de su **man-quera**, tomó parte en varias expediciones, y tuvo ocasión de visitar muchas ciudades italianas. Fue ávido lector, y así **llegó a compensar** la falta de educación

*having recovered*

*disability*

*he managed to make up for*

formal de su niñez. Para 1575, armado con cartas de recomendación de personajes tan altos como don Juan de Austria, hermano ilegítimo de Felipe II, y el duque de Sessa, Cervantes preparaba su **regreso** a España. Sin duda, le iban a **ascender** a capitán. La fortuna le parecía **sonreír**. En septiembre de aquel año se embarcó con su hermano Rodrigo en la **galera** *Sol*, **rumbo a** España. Pero cerca de Marsella, el barco fue atacado por tres galeras turcas, y Cervantes y su hermano fueron llevados prisioneros a Argel.

*return*
*promote*
*smile*
*galley*
*bound for*

**CAUTIVERIO EN ARGEL**   Los cautivos cristianos eran un negocio muy **provechoso** en aquellos tiempos. Vendidos como esclavos, tenían que esperar hasta que sus **familiares reunieran** bastante dinero para pagar su **rescate**. Pues bien, viendo los documentos oficiales que llevaba Miguel, sus **amos** le tomaron por una persona de importancia, y pusieron en su cabeza un rescate altísimo. Cervantes se sintió perdido. Cinco años estuvo en el **cautiverio**. Cuatro veces **intentó** escaparse. **Se cuenta** que una vez había realizado ya la **fuga**, pero que volvió para salvar la vida de sus compañeros que quedaban todavía en la prisión. Fue condenado a muerte, y aun entonces se negaba a decir los nombres de sus cómplices. "**Yo solo he sido**. . . Ninguno de estos cristianos que aquí están **le tienen culpa**." Los amos, admirados de su valor, le perdonaron al último momento, y Cervantes continuó en el cautiverio hasta 1580.

*profitable*
*relatives could get together*
*ransom*
*masters*
*captivity*
*he attempted ▰ It is said*
*escape*
*I was alone in this*
*are to be blamed*

**VUELTA A ESPAÑA**   Vuelto a España, por fin, cansado y lisiado, no se le abrían muchas oportunidades para **ganarse la vida**. Se casó, infelizmente. Tuvo una hija ilegítima, tal vez la única alegría de su vida. Escribió una novela pastoril y algunas obras para el teatro. Pero **le tocó** vivir en la época de Lope, y la fama del gran **prodigio** monopolizaba el gusto popular. **Consiguió varios empleos menores**. Escribió una carta al gobierno solicitando un cargo en el Nuevo Mundo, pero se lo negaron. Fue **cobrador de impuestos**, **y recaudador** para la

*earn a living*
*it was his lot*
*prodigy*
*He got several minor jobs.*
*tax collector, and supplier*

Armada Invencible. Y aun estos empleos de poca consecuencia le iban a producir grandes **disgustos**. En una ocasión fue excomunicado por haber confiscado ciertas propiedades de la Iglesia en nombre del gobierno. Varias veces estuvo en la cárcel por irregularidades en sus **cuentas**, sobre todo cuando un **conocido suyo huyó** con el dinero que Cervantes le había **confiado** en sus manos. Pero el destino **le guardaba todavía otra suerte**.

*troubles*

*accounts*
*acquaintance of his made off*
*entrusted*
*had yet another fate in store*
*for him*

**DON QUIJOTE DE LA MANCHA**

Se dice que fue en la cárcel misma donde Cervantes concibió su *Don Quijote de la Mancha*.[1] Viejo ya y **abofeteado** por la vida, pero amándola todavía, se puso a escribir su obra **genial**. En 1605 apareció la primera parte y tuvo un éxito inmediato. Pero Cervantes **no salió ganando** porque había vendido antes por una suma mínima sus **derechos de autor**. Siguió trabajando en otras obras—en novelas, **piezas de teatro**, cuentos, y poco a poco en la segunda parte de su *Don Quijote*. Nueve años pasaron, y todavía no había terminado la continuación. Tal vez no la habría acabado nunca **si no hubiera aparecido** entonces una continuación falsa, hecha por un autor desconocido, aparente enemigo suyo. Bajo el **seudónimo** "Avellaneda", el falso continuador no sólo le robaba su creación literaria, sino que llenaba el libro **de** insultos contra Cervantes mismo. Enfurecido, Cervantes acabó su trabajo. En 1615 salió la continuación verdadera, la segunda parte de *Don Quijote de la Mancha*, y su obra más grande. Por fin, el genio que nunca alcanzó riquezas, conoció a lo menos por un breve tiempo la fama que tanto merecía. Un año después, el 23 de abril de 1616, la figura más grande de la literatura española pasó a su último destino.

*buffeted*
*of genius*

*didn't profit by it*
*author's royalties*

*theatrical pieces*

*if there hadn't appeared*

*pseudonym*

*with*

[1]Una región seca y plana en el centro de Castilla.

# 36
# La Doble Corriente

◇

**MUNDO DE CONTRASTES** Noble y mendigo, hemos dicho. Caballero y pícaro. **Pródigo** y **asceta**. Soldado y fraile. Contradicciones del alma española, donde al lado de una profunda espiritualidad surge siempre un impulso fuertemente humano; donde al lado de una íntima **conciencia de la tierra**, nace un deseo constante **de volar, de trepar en lo** inaccesible. Y así, el mundo de su arte **no puede menos de revelar** también esta extraña dualidad. Velázquez, pintor de reyes y príncipes, **enanos** y ciegos, Jesús y María, **Marte y Vulcano**, campesinos y **borrachos**, condes y generales, Felipe IV, Luis de Góngora, un **aguador sevillano**, una criada **tosca**. Y Murillo, el Greco, Goya, Picasso, cultos y populares, palpables, y al mismo tiempo intangibles, pintores de carne y espíritu, realidad e ideal.

*Prodigal*
*ascetic*

*awareness of earth ➤ to fly, to tread on the*

*cannot help revealing*
*dwarfs*
*Mars and Vulcan (pagan mythological gods) ➤ drunks*
*water seller of Seville*
*untutored*

**LITERATURA CULTA Y POPULAR** Desde los principios existe también en su literatura la misma **polaridad** que caracteriza al español. Junto al solemne drama religioso crece la farsa popular. Junto a las estudiadas poesías cortesanas y a las fábulas y alegorías clásicas se oye la voz del juglar y del **cantor de romances**, del burgués que satiriza con sus versos las debilidades de los más altos, o del pastor que ofrece su canción para **ahuyentar el cansancio**. **Sentencias y aforismos** de los sabios; **refranes del genio popular**. Mundo alto, mundo bajo, y frecuentemente, **entremezclados** en una sola obra.

*polarity (tendency toward opposite poles)*

*ballad singer*

*to chase away his boredom ➤ Learned sayings and aphorisms ➤ proverbs from the wit of the ordinary people*
*intertwined*

**JUAN RUIZ Y EL LIBRO DE BUEN AMOR** Vivió en el siglo XIV, por ejemplo, un cura del pequeño pueblo de Hita. Juan Ruiz, se llamaba, **arcipreste** de Hita. Un hombre

*archpriest*

de profunda devoción religiosa, escribió un libro para enseñar el "buen amor" de Dios. Pero hombre todavía, no pudo **pasar por alto** la ocasión de inyectar *pass up* algunos ejemplos **sabrosos** del "mal amor", el amor *zesty* carnal humano. Y aun añade algunos comentarios personales sobre el asunto. Por ejemplo, cuando abandona los sobrios tonos eclesiásticos y **alaba** las *praises* virtudes de las mujeres chicas y jóvenes:

"En pequeña **gironza yace** gran **resplandor**. — *precious stone lies • brilliance*
En azúcar muy poco, yace mucho **dulzor**; — *(dulzura) sweetness*
En la **dueña** pequeña yace muy gran amor; — *woman*
**Pocas palabras cumple al buen entendedor.** — *A word to the wise is sufficient.*
Es pequeño el grano de la buena **pimienta**, — *pepper*
Pero más que la **nuez conforta y más calienta**: — *walnut it comforts and warms you*
Así dueña pequeña, si todo amor consienta,
No hay placer del mundo, que en ella no se sienta."

(. . .)

Y concluye su poemita diciendo:

"**Siempre quis**" mujer chica más que **gran ni mayor**: — *I've always liked (quise) • a big one or an older one • unwise to run away from a big evil • "Of something bad, take the least you can," says the wise man. • That's why (old Span.)*
No es **desaguisado de gran mal ser huidor**;
"**Del mal, tomar lo menos**"—dícelo el sabidor.

¡**Por end**' de las mujeres la menor es mejor!"

*El Libro de Buen Amor* es una de las obras maestras de la literatura española, precisamente porque al lado de lo espiritual, **deja entrever** siempre lo humano. Culto y — *it lets show through* popular, profundamente sincero en su adoración de Dios, se mantiene fiel al mismo tiempo al hombre. Carácter español.

**LA CELESTINA** En 1499 aparece otra obra cumbre de la literatura española, una novela escrita en forma dialogada y llamada popularmente "La Celestina". Otra vez aparecen juntos los aspectos múltiples de la conciencia española en una curiosa mezcla de mundo alto y mundo bajo. Celestina es una vieja **bruja, alcahueta** y mujer de — *witch, go-between* pocos escrúpulos. Cuando el joven caballero Calisto

solicita su ayuda para vencer la voluntad de su amada
Melibea, Celestina le da una poción amorosa a la joven
inocente, y Melibea **se entrega** locamente a su     *surrenders*
amante. Su pasión **desenfrenada** acaba trágicamente     *uncontrolled*
con la muerte accidental de Calisto y el suicidio de la
desolada Melibea. Y Celestina muere a manos de sus
propios cómplices **por haberse negado** a dividir     *for having refused*
con ellos el dinero que le pagó Calisto. La **trama es**     *plot is simple*
**sencilla**, pero no la caracterización de los polos
opuestos de la sociedad española. Al lado del mundo
refinado, de palabra dulce y de amor **idílico, late el de**     *idyllic, throbs that of*
los rufianes y mujeres malas que **integran**, y explican,     *make up*
la vida de Celestina. Son dos mundos distintos, y sin
embargo, inseparables, porque existen entremezclados en la subconciencia del español.

## LA DOBLE VIDA DE ALONSO QUIJANO-DON QUIJOTE

Finalmente, habla-
remos de *Don Qui-*
*jote de la Mancha*,
creación de Cervantes, o mejor dicho, creación *con*
Cervantes. Digo "con", porque don Quijote habría
existido dentro del español **aunque** Cervantes no le     *even if*
hubiera dado forma concreta. De Alonso Quijano
**emana** la figura caballeresca de don Quijote—de     *emanates*
Alonso Quijano, un humilde hidalgo de unos cincuenta años que vive solo en la Mancha con su sobrina
y su **ama de casa**. Y de tanto leer novelas caballerescas     *housekeeper*
se vuelve loco. Toma el nombre "don Quijote de la
Mancha" y sale a la aventura, pensando que va a
**enderezar** todos los **males** del mundo. (¿Es locura     *right ⬥ wrongs*
esto? Tal vez. O quizás esté más loco el que piense que
no se podrán remediar nunca los males de la humanidad, que no vale la pena tratar siquiera de remediarlos.)
**En fin**, cuando quieren hacerle volver a su **hogar**,     *At any rate ⬥ home*
diciéndole que debe dejar esas locuras, que se llama
Alonso Quijano y no don Quijote, el caballero
responde: "Yo sé quién soy... y sé que puedo ser...
los doce **Pares** de Francia..." y todos los demás     *Peers*
héroes caballerescos juntos. **Es decir**, don Quijote     *That is*
no ha olvidado del todo a la realidad. Sabe que Alonso

*El Aguador de Sevilla*, Velázquez

*El Aguador de Sevilla* revela el aspecto popular de la
obra de Velázquez, pintor de reyes y de seres
humildes.

Quijano tiene que **arrastrarse por el suelo** con los
hombres. Pero sabe también que el hombre puede
**superarse**, que puede volar si quiere, aunque caiga y
**se aplaste** algún día.

*crawl on the ground*

*outdo himself*

*and may be crushed*

### INERCIA Y DINAMISMO

Sancho es un rudo campesino, **crédulo**, ignorante, "con poca **sal en la
mollera**", un **puñado** de tierra.
Pero ese puñado de tierra es **galvanizado** por el
impulso dinámico de don Quijote, y empiezan a
entrar en su mundo de realidades absolutas unas
posibilidades nunca **soñadas**. Muchas personas han
dicho que don Quijote representa lo ideal, y Sancho
lo material. Pero hay mucho más que eso en su
carácter. Don Quijote y Sancho simbolizan **más bien**
al hombre **inerme** que de repente se siente **empujado**
por un estímulo más fuerte que **la materia**. ¿Quién
vale más—el sencillo hidalgo Alonso Quijano,
hombre, "**cuerdo**", o don Quijote, loco, y finalmente derrotado, pero que crea un mundo donde el
hombre es mejor **de lo que** era antes?

*gullible*

*salt in his shaker (not much
  brainpower)* ▸ *handful*

*activated*

*dreamed of*

*rather*

*unmoving* ▸ *impelled*

*material things*

*sane*

*than*

### EL *QUIJOTE*: ESENCIA HISPANA

"... Y sé que puedo ser..."
Melodramático, contradictorio, orgulloso, y al mismo
tiempo humilde ante su ideal, egoísta, pero con una
profunda compasión humana, don Quijote va a la
**derrota** inevitable sabiendo que es mejor perder
luchando que no haber luchado nunca. Don Quijote y
Sancho, los dos **entre sí**, y cada uno **dentro de sí**, son
la encarnación máxima de la doble corriente del
alma hispana.

*defeat*

*between each other* ▸ *within
  himself*

# 37
# Sobre Locos, Mancos, y Pelirrojos

◎

**EL OTRO LADO DE LA MONEDA** Hemos hablado de Cervantes y de Lope, de reyes, de conquistadores, de santos y pintores, de los grandes tocados por el destino. Pero hemos visto muy poco el otro lado de la moneda, el lado que predomina por los números, pero cuya voz es **callada**, cuyos **hombros se doblan bajo la carga** de los gigantes. Porque al lado de los colosos han existido siempre los **enanos** de la vida, los **ignorados**, los desafortunados, los locos, mancos, y **pelirrojos** . . . ¿Por qué **agruparlos** así? Ya lo vamos a ver.

*hushed ◄ shoulders are bowed under the weight*

*dwarfs ◄ undistinguished*

*redheads*

*group them*

**OBJETOS DE RISA** En tiempos antiguos, y hasta en épocas no tan remotas, en el Siglo de Oro y aun después, la gente manifestaba por lo general una actitud **poco compasiva** hacia las deformidades físicas y mentales. Las víctimas de la naturaleza eran objeto legítimo de **risas**, y los **dementes** sobre todo eran **blanco** de infinitas **trampas y burlas pesadas.** Cuando **se veía andar a un tonto** por la calle, los niños le seguían, **tirándole** piedras y **asustándole** con sus gritos. Y los **mayores** también **se entretenían** cruelmente a sus expensas.

*unsympathetic*

*laughter ◄ demented ◄ the target ◄ tricks and practical jokes ◄ a fool was seen walking*

*throwing . . . at him*

*frightening him ◄ adults amused themselves*

**LOS LOCOS Y LOS ESPÍRITUS DEL OTRO MUNDO** Los locos eran objeto **a la vez** de mucha consideración seria. Generalmente, se dividían en dos clases. Había **los que** estaban posesionados por un espíritu malo. Éstos hacían **muecas** horribles y cometían actos de violencia, y el único remedio era **golpearlos** hasta que saliera el demonio. Pero había otros, los que hablaban poco, los que sólo miraban **hacia lo lejos**, y que

*at the same time*

*those who*

*grimaces*
*to beat them*

*off into the distance*

*147*

Una enana del séquito de la princesa.

Detalle de *Las Meninas*, Velázquez

parecían como **enajenados** de la sociedad humana.    *removed*
Ésos, pensaba la gente, tenían contacto con las almas
del otro mundo. Ésos vivían más cerca de los ángeles.
Y así el Greco, el pintor más grande del barroco
español, pidió **licencia a un manicomio en las**    *permission of an insane*
**cercanías** de Toledo para llevar a su casa durante    *asylum in the outskirts*
varios meses a algunos de esos locos. Fue precisamente
en ese periodo cuando pintó los **retratos** de los    *portraits*
**profetas**. Si estudiamos los ojos de sus profetas,    *prophets*
podemos ver una expresión de **angustia**, o de ele-    *anguish*
vación casi **sobrehumana**. ¿ Son ojos de locos u ojos de    *superhuman*
profetas? Nunca lo sabremos definitivamente, pero
la probabilidad es que los locos le sirvieran de modelos.

**VIDAS SIN**     Aunque había manicomios y sanata-
**ESPERANZA**     rios, muchos de ellos bajo la super-
visión de la iglesia, la **locura** se    *madness*
consideraba una **maldad**, no una enfermedad. Y    *evil*

148

**no habiendo** verdaderos tratamientos psiquiátricos, la mayor parte de los dementes acababan allí, o en sus propias casas, esas vidas sin esperanza.

*since there were no*

### COJOS, MANCOS, Y DEMÁS

Los **cojos** y los mancos también eran víctimas de la **burla** popular. Según la opinión general, la deformación física era un castigo que habían sufrido por sus pecados, por haber invocado la furia de Dios **antes de nacer** o durante su vida. Aun entre las clases más altas se encontraban esas ideas. Recordamos, por ejemplo, como Cervantes perdió el uso de su brazo izquierdo en la batalla de Lepanto, y como desde entonces le llamaban "el manco de Lepanto". Pues bien, Avellaneda, el falso continuador de *El Quijote*, ataca la gran obra de Cervantes, diciendo que **no se podía esperar** nada bueno de un manco y un viejo. Y Cervantes se defiende, contestando que quedó manco luchando por su patria y por su religión, y que por eso no tenía que **avergonzarse de ello**. Y no debemos olvidar como el dramaturgo Juan Ruiz de Alarcón vivió siempre atormentado por las burlas de sus contemporáneos, precisamente porque era feo, **jorobado**, y pelirrojo.

*lame*
*ridicule*

*before birth*

*you couldn't expect*

*he ashamed of it*

*hunchbacked*

### EL PELIRROJO Y SATANÁS

El pelo rojo también se consideraba un defecto físico en aquellos tiempos. La gente creía que el pelirrojo había sido quemado antes de nacer por las **llamas del infierno**, o posiblemente, que **fuera pariente** de Judas Iscariote. En cualquier caso, su pelo era una señal de la **maldición** que tendría que llevar toda su vida, y **había que cuidarse mucho de él**.

*flames of Hell*
*he might be a relative*

*curse*
*you really had to watch out for him*

### POSICIÓN VENTAJOSA DE LOS CIEGOS

Los ciegos, por lo contrario, gozaban de cierto respeto entre el **vulgo**. Aunque la mayor parte de ellos eran mendigos, la gente **les atribuía** ciertos poderes milagrosos y **les compraban oraciones para la curación** de numerosas enfermedades. Había oraciones especiales para los **dolores de muelas** y para las **jaquecas**, para los

*common people*

*attributed to them* — *bought prayers from them for the cure*
*toothaches* — *headaches*

partos y para los demás **males**. Y los ciegos las
vendían según la condición económica de sus clientes.
Además, tenían un gran repertorio de maldiciones
que podían **arrojar gratis** sobre aquellas personas que
no quisieran comprar sus oraciones, o darles una
**limosnita**. Los ciegos también eran los tradicionales

*ills*

*hurl free of charge*

*little alms*

Un mendigo.

Dibujo por Eugenio Lucas

cantores de romances, y ejercían su profesión en las
plazas públicas de ciudades y pueblos. **Hoy en día**
venden **boletos** de lotería en las calles de Madrid. . .

*Nowadays*
*tickets*

**EL MENDIGO:
FENÓMENO HISPANO**

Hasta cierto punto, gran
parte de lo que hemos
dicho respecto a los locos,
los cojos y los mancos se puede **aplicar** a otros países
europeos también. Pero el caso del mendigo es una
especialidad hispana. Hasta tiempos recientes,[1] el
mendigo ha ocupado un lugar importante en la
tradición española, y **el suyo era un oficio** tan digno
como cualquier otro. Cristo **predicó** la pobreza, y el
español encontraba cierta **santidad** en ese ejemplo de la
humildad humana. Le daba su limosna con un sentido

*apply*

*his was an occupation*
*preached*
*holiness*

[1]En años recientes, varios gobiernos hispanos han prohibido la mendicidad
(*begging*).

de obligación, aun con una **especie** de gratitud, y    *kind*
**faltándole** dinero, compartía con él su pan. El mendigo,    *when he had no*
por su parte, tenía su clientela personal, y entre ellos
existía una relación casi familiar, casi paternal. Así
era el mundo que vivía en la sombra de los gigantes—
el mundo de los menos afortunados, de los **necesi-**    *needy*
**tados**, de pícaros y mendigos, de locos, y cojos,
mancos y pelirrojos—un mundo trágicamente humano,
pero a lo menos, siempre humano.

# 38
# Notas sobre la Música

◆

**LENGUAJE
DEL ALMA** La música. Brota del corazón siem-    *whenever*
pre que lo sacude una fuerte
emoción. Felicidad, tristeza, amor,
ilusión. Dicen que es el lenguaje de los ángeles, que
levanta el alma, y que **hace más fácil** hablar con Dios.    *it makes it easier*
En los templos de la antigua Grecia, cantaban **odas**    *odes*
al acompañamiento de la **lira**. Y en la Biblia se habla    *lyre*
de **ella**, de las canciones que se cantan, de la música del    *it (music)*
arpa. La música. **Eslabón** entre hombre y hombre,    *Link*
eslabón entre el hombre y Dios.

**LA MÚSICA EN
TIEMPOS VISIGÓTICOS** En la España antigua, en
el periodo visigótico, por
ejemplo, la música y aun
el baile eran admitidos en el ritual de la iglesia cristiana.
San Isidoro de Sevilla, quien vivió en el siglo VI,
eclesiástico, enciclopedista, y compositor también, fue
considerado durante doscientos años la mayor autoridad sobre la música en el mundo occidental. En el
siglo VII vivieron en Toledo tres santos que compu-
sieron innumerables himnos, **salmos**, y otra música    *psalms*
litúrgica. Y se cree que uno de ellos, San Eugenio, fue

Músicos en la corte de Alfonso el Sabio. En el
centro vemos al rey mismo, patrón de todas las
ciencias y artes.

el primer compositor conocido de música secular.
Pero con el tiempo vinieron también los abusos. La
gente empezó a inyectar sus propias canciones en el
**rito**, y hasta tal punto llegaron que el Concilio de *religious rite*
Toledo tuvo que prohibir en el año 589 la intro-
ducción de "bailes y canciones **profanos**" en los *unholy*
festivales **sagrados**. La iglesia tomó la ocasión tam- *sacred*
**bién para** condenar los **cantos** y bailes que hacía la *singing*
gente común en los funerales, una vieja costumbre
asociada con el culto pagano de la muerte. Pero el
**llamado** de la música no se podía apagar con leyes *call*
ni con edictos de la iglesia. Vivía en el alma del pueblo,
y siguió creciendo siempre.

**EN LA ESPAÑA**  Mientras tanto, en las lujosas
**MEDIEVAL**  cortes de los árabes, la música
**hacía un papel cada vez más** *was playing an increasingly*
**importante**. Se iban multiplicando los músicos y *important role*
bailarines que llenaban las salas **alfombradas** de los *carpeted*
palacios musulmanes. En una fiesta del califa Harun-al-

Rashid, por ejemplo, cantaron dos mil esclavas, acompañadas por unos mil músicos y bailarines. Poco a poco la música de los árabes **fue influyendo en** la España *was influencing* cristiana. Los reyes del norte empleaban músicos árabes y moros en sus cortes, y muchos de sus instrumentos son de ese origen. Para el siglo XIII, época del rey castellano Alfonso el Sabio, se conocen gran número de instrumentos musicales—**laúdes, gaitas,** *lutes, bagpipes, psalters,* **salterios, flautas, castañuelas, pífaros, tambores,** *flutes, castanets, fifes,* **arpas, campanillas, y vihuelas** de varios tipos, entre *drums, harps, bells, and early forms of the guitar* ellas las **antecesoras** de la guitarra moderna, para *ancestors* mencionar sólo algunos. Y en las miniaturas que acompañan las **Cantigas** de Alfonso a la Virgen *(poems with music)* María, aparecen no menos de setenta músicos tocándolos.

**DISPUTA SOBRE EL RITO MOZÁRABE**

La influencia de la música árabe penetró aun en la misa de los cristianos mozárabes que vivían en sus tierras. En ciertas regiones, el rito mozárabe empezó a reemplazar al rito tradicional romano. Y surgieron tantos conflictos sobre la cuestión que en la época de Alfonso VI, rey de Castilla en tiempos del Cid, se decidió poner **a prueba** a los dos *to the test* ritos. Hicieron un gran fuego y echaron en él al rito romano y al mozárabe. Milagrosamente, el rito mozárabe no fue destruído por las llamas y por el momento parecía haber triunfado. Pero el rey era partidario del romano, y su palabra era la ley. Declaró que **hasta que hubiera** mejor prueba, el rito romano *until there was* predominaría todavía. Entonces quisieron decidir la cuestión por medio de un combate individual entre dos caballeros, uno defendiendo al rito mozárabe y el otro al romano. Vino el día de la pelea, y otra vez, el campeón del rito mozárabe salió victorioso. El monarca ya no podía cerrar sus ojos ante la triste realidad. Dio permiso para emplear el rito mozárabe en Toledo y en otros lugares vecinos, y hasta el siglo XIV, la música mozárabe **reverberaba** dulcemente en *reverberated* aquellos templos de la cristiandad.

**MÚSICA POPULAR**

La música popular siguió creciendo al lado de la culta. En tiempos primitivos, el poeta romano Marcial habla de la gracia seductiva de las bailarinas celtíberas, y de su maravillosa destreza con las castañuelas. Los pastores entretenían sus horas de soledad con canciones de amor, de ausencia, de tristeza, de alegría. Y los peregrinos que caminaban hacia el santuario de Santiago **aligeraban** sus pasos con su canto. Los juglares y los trobadores **alegraban** las largas noches con sus cantares de héroes, o con sus melodías cortesanas. Y la gente celebraba la Navidad con hermosos **villancicos** al Niño Jesús, o recordaba las hazañas épicas de los héroes nacionales con una infinidad de romances espontáneos.

*lightened*

*gladdened*

*carols*

**MÚSICA DEL TEATRO**

Poco a poco la música empezó a infiltrarse en las piezas dramáticas, en las obras de los **renacentistas** Juan del Encina y Gil Vicente, y más tarde en la obra de Lope de Vega y de Pedro Calderón de la Barca. Calderón, en efecto, es el padre de la zarzuela moderna, una forma de opereta popular. Y las varias regiones de España desarrollan sus propios ritmos, su propio sonido, desde la música flamenca de los gitanos andaluces hasta las **cadencias** casi escocesas del norte gallego. España, **crisol** de muchas razas, refleja sus varios mundos en las múltiples formas de su expresión músical.

*Renaissance artists*

*cadences*
*melting pot*

# 39
# Piratas del Nuevo Mundo

◙

**MONOPOLIO ECONÓMICO ESPAÑOL**

Con la energía que les **sobraba** de la Reconquista, con el ímpetu de su celo religioso, y de la avaricia humana, los

*they had left over*

españoles habían hecho suyo al Nuevo Mundo. Y para conservar su dominio exclusivo, impusieron no sólo sus costumbres, sino también un monopolio económico sobre el comercio de sus colonias. Prohibieron el contacto directo comercial entre sus posesiones y los demás países europeos, y mandaron sus **carabelas** para proteger las riquezas que venían de América. Los cofres de Carlos I y de Felipe II se llenaban de oro y de piedras preciosas, y las flotas españolas reinaban en el mar.

*caravels (ships)*

### EMPIEZA LA PIRATERÍA

Los enemigos de España **no veían con buenos ojos** el enriquecimiento de su rival principal. Durante muchos años España y Francia habían luchado sobre sus mutuas pretensiones en Italia. El **mismo rey** Francisco I había caído en manos de Carlos, y los franceses no olvidaban las antiguas—y **actuales—humillaciones**. En Holanda habían surgido nuevos movimientos religiosos, y el católico Felipe II de España les llevaba la guerra para sofocar la herejía. Y sobre todo, en Inglaterra reinaba Isabel, ambiciosa, poderosa, **resuelta** a crear un imperio que **se extendiera** a los cuatro horizontes, resuelta a poner fin a la amenaza católica en su tierra. Los enemigos de España buscaban cualquier oportunidad para atacar los barcos españoles que venían de América. En tiempos de guerra, lo hacían abiertamente. Pero en tiempos de **supuesta paz**, **subvencionaban** a piratas. Algunos de estos piratas llegaron a ser figuras nacionales, como el gran Sir Francis Drake, como el valiente y desafortunado Sir Walter Raleigh, como el **temible** capitán Morgan.

*did not look favorably upon*

*king himself*

*present ⚬ humiliations*

*determined*
*would extend*

*supposed peace, they sponsored*

*awful*

### EL FLUJO DE ORO

Durante todo el siglo XVI, España **se vio acosada** por todos lados, pero todavía podía resistir. Su economía dependía del comercio con América, y los españoles lo defenderían a toda costa. Y los **ingresos eran** increíbles. En 1537, por ejemplo, un **corsario** francés, comandante de una flota privada, atacó un convoy español y **se apoderó** de nueve **galeones** que regresaban del Perú llenos de oro. La pérdida fue enorme,

*found itself beset*

*income was*
*corsair (pirate)*

*captured ⚬ galleons*

Carabelas del pirata Morgan cerca del Lago de
Maracaibo.

¡pero el **valor de lo que** traían los barcos **restantes**
que llegaron a España **ascendió** todavía a unos diez
millones de pesos!

*value of what ▸ remaining*
*amounted*

**AUMENTAN
LOS PIRATAS**
Pero vino el año 1588, vino la
derrota de la Armada Invencible, y
se acabó la supremacía naval de
España. Ya no podía defender como antes el **flujo** de
oro de América. Cada vez se hallaba más susceptible a
los piratas ingleses, franceses, y holandeses que **aguar-
daban** ahora **en las mismas costas** de sus colonias.
Los piratas venían a veces solos, otras veces en flotillas
de treinta o cuarenta barcos, con dos mil hombres armados. Desembarcaban en tierra española, saqueaban
pueblos y ciudades, conventos e iglesias. Mataban a
hombres y mujeres, atormentaban a los defensores
españoles para obligarles a revelar dónde tenían
**escondidos** sus bienes, y robaban los tesoros destinados
para la corona.

*flow*

*were waiting*
*right off the shores*

*hidden*

**INCURSIONES EXTRANJERAS EN TIERRAS ESPAÑOLAS**

La isla de Jamaica se convirtió en el **nido** de los piratas *nest* ingleses, y más tarde, con Bermuda y las Bahamas, se hizo colonia inglesa. Los franceses tomaron la mitad de la isla de Española, ahora Haití. Los holandeses se apoderaron de unas islas **a lo largo de** las costas de *along* Sudamérica. Y todos tres fundaron pequeñas colonias en el norte del continente sudamericano mismo—las *Guayanas*.

**INCENDIO DE LA CIUDAD DE PANAMÁ**

En 1670, un ejército de piratas bajo el mando del inglés Morgan atacaron el istmo de Panamá. Llegaron primero a unos pequeños pueblos donde esperaban encontrar comida. Pero los españoles habían huído, quemando sus casas y todas sus posesiones para que no cayeran en manos de los piratas. Sagunto. Numancia. Medina del Campo... **Adondequiera que** llegaban, los ingleses hallaron lo *Wherever* mismo, la obstinada resistencia de los españoles ante un enemigo superior en números y en armas. Por fin se acercaron a la ciudad de Panamá, y allí **se libró** la *took place* batalla. Murió el gobernador, murieron casi todos los hombres, y las mujeres ocuparon entonces sus lugares. Pero la heroica defensa de los habitantes de Panamá fue en vano. Los piratas tomaron la ciudad y pegaron fuego a la mayor parte de sus edificios. **Exigieron** grandes sumas de dinero a los **sobre-** *They exacted* **vivientes**, y tres semanas después, salieron de Panamá, *survivors* dejando atrás una ciudad en ruinas. Las atrocidades cometidas por Morgan fueron denunciadas públicamente por el gobierno inglés, pero poco después, Morgan fue nombrado vice-gobernador de la isla de Jamaica como **premio de su hazaña**. *a reward for his deed*

**BUCANEROS Y CONTRABAN-DISTAS DEL SIGLO XVIII**

Para fines del siglo XVII, Inglaterra y Francia ya tenían posesiones considerables en Norteamérica, y ahora ellos **a su vez eran acosados** por los piratas que infestaban *in turn were harassed* el mar. Aunque todavía se aprovechaban de sus servicios de vez en cuando para atacar los barcos españoles, **no les convenía ya** subvencionar demasiado la piratería. La mayor parte de los bucaneros eran ahora **empresarios** privados, sin motivos políticos, y no se limitaban a las antiguas **correrías** en alta mar. **De más provecho** eran sus negocios **de contrabando** con los pueblos **costeros** de Hispanoamérica, donde eran recibidos muchas veces con los brazos abiertos. Porque España había decaído **política** y económicamente, y el monopolio comercial que trataba de mantener era **poco realista**. Siendo una nación principalmente **agrícola**, no podía **suplir** todas las necesidades económicas de sus colonias. Y así, el contrabando que realizaban los piratas aun traía consigo ciertas **ventajas** para el pueblo americano.

**FIN DE LA PIRATERÍA** — Durante el siglo XVIII, la estrella de España se fue eclipsando aun más. Poco a poco las otras naciones europeas empezaron a infiltrarse en el comercio de América. Vino el periodo de la invasión de Napoleón en España. Vino el periodo de la independencia de América. Se rompió definitivamente el monopolio español, y ahora todos los países comerciales de Europa, como la joven nación norteamericana, coincidían en el deseo de defender las **rutas** de América. La piratería desapareció entonces en los primeros años del siglo XIX ante los **cañones** de los buques de guerra, y la época de los corsarios del Nuevo Mundo pasó a la historia.

*it no longer suited their interests*

*entrepreneurs*

*attacks* — *More profitable* — *smuggling*

*coastal*

*politically*

*unrealistic*

*agricultural* — *supply*

*advantages*

*routes*

*cannons*

# 40
# Cuentos Coloniales

◇

**CULTURA HISPÁNICA EN
LA AMÉRICA COLONIAL**
Cien años antes de la llegada de los peregrinos a Plymouth Rock, ya existía una civilización europea en América. Cincuenta años antes de **tocar los veleros de Hudson** en la costa de Nueva York, los españoles ya habían explorado gran parte de Colorado, Arizona, Nuevo México, y California, fundando misiones y pueblos y ciudades. Lima, México, Quito, y Cuzco eran grandes centros culturales. Por todo el continente del sur se alzaban escuelas y universidades, teatros de comedias, magníficas catedrales, e **imponentes casas señoriales**. Y a las cortes de los virreyes acudían poetas, músicos, artistas, sabios.

*Hudson's sailing ships touched*

*imposing aristocratic homes*

**MISERIA JUNTO
A RIQUEZA**
Claro está, no era todo casas señoriales, riqueza y poesía en la América hispana colonial. En medio del lujo, existía la pobreza. Los indios **se habían recogido** por la mayor parte en una actitud de triste resignación, y sufrían **calladamente** la explotación de los amos. La Inquisición **vigilaba celosamente** la conducta moral de sus **feligreses**, castigando con igual rigor **al que** acusaban de prácticas heréticas como al que leía libros prohibidos. Las supersticiones abundaban al lado de las antiguas leyendas y costumbres indígenas. Y **a medida que** decaía el poder de España, a medida que **se agotaban** las minas de metales preciosos, **se hacían sentir** cada vez más las **llagas de la miseria**. Pero el español se doblaba muy poco ante la ruda realidad. Había fundado un nuevo mundo, y la visión de su gloria le quitaba de la vista todo lo demás.

*had taken refuge*

*quietly*
*kept careful watch over*
*parishioners*
*the person whom*

*as*
*were being exhausted*
*were being felt ← wounds*
*    of poverty*

La gran mina del Potosí, fuente de riquezas increíbles.

**EL PURITANO**

El carácter del español se manifiesta en todos los aspectos de la vida colonial. Sus ciudades, sus casas aun, revelan claramente la diferencia psicológica entre él y el puritano inglés del norte. El puritano era más bien un ser colectivo, de gustos sencillos y de pocas pretensiones. Construía pueblos de casas pequeñas **acurrucadas una junto a otra**, y encontraba la **seguridad** en la proximidad del vecino. Sus iglesias eran funcionales. Eran lugares de adoración donde el hombre aparecía **desnudo** de riquezas ante Dios y se mostraba humilde.

*huddled next to each other ▸ security*

*bare*

**EL ESPAÑOL INTROVERTIDO**

El español, al contrario, buscaba la seguridad construyendo un muro alrededor de su casa. Desde la calle se veía sólo una **fachada** austera, formidable. Por encima de la grande puerta **de enfrente**, sólo el **escudo de armas** identificaba a la familia señorial que residía dentro. Pero cuando uno pasaba por ese portal exterior, encontraba otra puerta hermosamente labrada; y al abrirla se hallaba en un patio de fuentes y flores y pájaros y perfumes. Porque el español vive **para**

*facade*
*front ▸ shield of arms*

*inwardly,*

160

Un auto de fe en la Lima colonial.

**adentro, para sí**, mostrando al mundo un frío orgullo que **disfraza** por el momento su calor íntimo. Pero el calor, el amor existe, como el patio detrás del muro imponente. Esta mezcla de orgullo y amor es lo que le hace construir catedrales con altares de **mármol** y de oro. Es lo que le hace adornar cada **rincón**, cada capilla con maderas labradas, con pinturas y ricas esculturas. Es amor porque está dando de sí a Dios. Es orgullo porque no quiere presentarse desnudo ante Él. Dar es recibir. Extraña paradoja.

*to himself*
*disguises*

*marble*
*corner*

**VIDA COLONIAL**   Individualista y anárquico, el español de tiempos coloniales se prestaba fácilmente a las disensiones, y pronto surgieron facciones rivales en todas las provincias. Orgulloso y consciente de su dignidad personal, se alzaba contra el virrey mismo cuando se consideraba maltratado. Católico ante todo, dejaba entrar la religión en todos los aspectos de su vida diaria. Ricardo Palma, un escritor del siglo XIX, reconstruye aquella época en su colección titulada *Tradiciones Peruanas*. Nos cuenta, por ejemplo, el caso del "virrey hereje", como le llamaba la gente. **He aquí** su historia.

*Here is*

**TRISTE HISTORIA DEL "VIRREY HEREJE"**

Don Luis Henríquez de Guzmán, conde de Alba de Liste y de Villaflor, era un hombre de buenas dotes administrativas y de ideas algo avanzadas para su tiempo. Vino al Perú con título de virrey a principios de 1655, y **apenas llegado**, comenzaron los desastres. Un galeón que conducía a España cerca de seis millones en oro y plata **naufragó** en una tempestad, y perecieron casi seiscientos **limeños**. Poco después, tres buques españoles que volvían de América fueron atacados por corsarios ingleses. Pero los españoles, **antes que** rendirse, pegaron fuego a sus propios barcos. Siguieron otras catástrofes navales, pero nada tan **horrendo** como el **terremoto** que sacudió la ciudad de Lima en noviembre de 1655. Hubo procesiones de penitentes; **se arrepintieron grandes pecadores**, y se dice que muchas personas devolvieron fortunas robadas a sus legítimos dueños. Un año después, **sucedió otro temblor** en Chile, y luego, la tremenda erupción del **volcán** Pichincha cerca de Quito. Seguramente, alguien debía ser responsable de tantas calamidades. Tal vez el virrey mismo, el que leía libros peligrosos, el que **desde hacía años** vivía en guerra abierta con la Inquisición. Las desgracias continuaban. En 1660 apareció en el cielo un cometa brillante, otro **agüero del mal**. Estalló una guerra civil, encabezada por un indio que se proclamó descendiente de los Incas. Y en Jamaica los piratas se apoderaron de la isla y la hicieron una colonia inglesa. Sin duda, el "virrey hereje" tendría la culpa. El médico de Guzmán fue prendido por la Inquisición, y **por poco muere** en la hoguera. Y el pueblo exigía el castigo del virrey también. En agosto de 1661 el conde de Alba de Liste y de Villaflor entregó el gobierno del Perú a otro distinguido noble español, y regresó a su país "muy contento de abandonar una tierra en **la que** corría el peligro **de que lo convirtieran en chicharrón, quemándolo por hereje**".

*barely had he arrived when*

*was wrecked*
*residents of Lima*

*rather than*

*horrible ▪ earthquake*

*great sinners repented*

*there was another quake*
*volcano*

*for years*

*evil omen*

*almost died*

*which*
*of being barbecued as a*
*heretic*

**DESARROLLO DEL CARÁCTER HISPANOAMERICANO**

Palma relata otros episodios de tiempos coloniales, episodios de la venganza de los humildes contra los grandes, episodios de heroísmo, de amor, de lealtad, de creación, de la fuerza y de la debilidad humana. Por todos **resalta** el carácter del español en sus primeros *stands out* contactos con un mundo nuevo. El español conserva en América su alma formada en Europa y en el norte de África. Pero le añade la sensibilidad artística, la pasión supersticiosa, y la frustración resignada del indio. **De esta amalgama** va naciendo el hispanoamericano. *from this compound*

# 41
# La Decadencia

◻

**TRÁGICO FIN DE LA CASA DE HAPSBURGO**

Felipe II había tenido razón. Dijo poco antes de morir que Dios, que le había dado un imperio tan grande, no le había dado un hijo capaz de gobernarlo. Y así fue. Uno **tras** otro, *after* los reyes que le sucedieron dejaban caer más baja la gloria de España. Felipe III, **títere** en manos de sus *a puppet* favoritos. Felipe IV, "tan grande como un **pozo**", *well* como dijo el satírico Quevedo, "porque **cuanta más** *the more land (earth)* **tierra** le quitaban, **tanto más grande** era". Y final- *the greater (or bigger)* mente Carlos II, **física** y mentalmente enfermo, el *physically* último de los Hapsburgos.

**HAMBRE Y ORGULLO**

España estaba en plena decadencia, pero el orgullo del español le hacía cerrar los ojos ante el feo espectáculo. **El caballero hambriento salía a la calle mondán-** *The hungry caballero went* **dose** los dientes para dar la impresión de haber comido. *out into the street picking*

El Conde-Duque de Olivares, de hecho el gobernador de España en tiempos de Felipe IV.

*El Conde-Duque de Olivares*, Velázquez

Debajo de su capa **vistosa** escondía unos vestidos mal **remendados**. Pero se negaba a tomar un empleo deshonroso, se negaba a descender al trabajo manual. Mejor sería morirse dignamente de hambre antes que sacrificar el honor. Mejor también **rechazar** al mundo e **internarse en** un convento donde su **ascetismo** a lo menos **tuviera explicación espiritual**. Y los conventos y monasterios se llenaban de esos **refugiados** de la triste vida.

*showy*
*mended*



*cast aside*
*go into* ➤ *asceticism*
*might have a spiritual*
    *explanation* ➤ *refugees*

### EMPIEZA LA DINASTÍA DE LOS BORBONES

En 1700, muerto Carlos II sin heredero, España cayó víctima ante la ambición de Luis XIV de Francia, titán de su época. Habiendo ganado una guerra con Austria sobre la cuestión de la **sucesión**, Luis colocó en el trono español a su nieto, Felipe V. Y así empezó la dinastía de los **Borbones** en España.

*succession (to the throne)*

*Bourbons*

### APOGEO DE FRANCIA Y DE LA "RAZÓN"

Francia era en ese momento la cabeza intelectual **tanto** como política del mundo occidental. La lengua francesa llegaba a ser la lengua de la diplomacia, de la cortesía, de la "**buena** sociedad". Era la época dorada de Molière, Corneille, Racine, de los gigantes de la literatura neoclásica.

*as well*

*high*

*164*

Reinaba una sofisticación cosmopolita, una curiosidad enciclopédica, pero todo dentro de un **marco** rígido de **reglas** estrictas. Reglas para la música, reglas para la poesía, reglas para el drama, reglas para el arte. Razón. objetividad, moderación, aristocratismo, predicaban. "Pienso; por eso, soy", dijo Descartes.[1] Y sobre ese mundo de reglas y de investigaciones **eruditas** presidían las Academias,[2] **árbitros del gusto**.

*frame*
*rules*

*scholarly*
*arbiters of taste*

**FRACASO DE LA MODA FRANCESA EN ESPAÑA**

Los reyes **borbónicos**, comenzando con Felipe V, trataron de introducir en España la fórmula neoclásica que tanto éxito había tenido en Francia. Establecieron Academias para la lengua, para la historia, para el arte y las ciencias. **Hicieron traducir** al español las obras de sus grandes autores. Y quisieron traer a España las **modalidades**, los vestidos, las **pelucas** perfumadas de la corte de **Versalles**. En vano. Los altos nobles españoles sí se dejaban **seducir** por el **amaneramiento** francés, y los palacios de los reyes se llenaban de cortesanos serviles. Pero el pueblo, resentido de las influencias extranjeras, resistió. ¿Razón? ¿Reglas?, decían. La objetividad, el carácter impersonal del arte neoclásico **chocaba** con su profundo sentimiento anárquico. Y lo rechazaban. A diario se presentaban todavía las obras de Lope y de Calderón y de la escuela barroca del siglo XVII. Estas obras llenas de pasión, de contrastes cultos y populares, de sutiles cuestiones de honor y de **amplia** licencia poética eran la expresión verdadera del alma española. Y no quisieron **ceder** ante la voluntad de las Academias.

*Bourbon*

*They had . . . translated*
*ways*
*wigs*
*Versailles*
*be seduced ▪ affectation*

*clashed*

*broad*
*yield*

**LA CAPA DEL VERDUGO**

Aun en **el vestir**, los españoles se mostraban **reacios** a la dominación francesa. A pesar de las ordenanzas de los reyes, seguían en uso todavía las **modas** antiguas—el sombrero **redondo**, la capa larga—recuerdos de los tiempos de Carlos y Felipe. La gente **rompía**

*way of dressing*
*unwilling to bend*

*fashions*
*round*
*tore up*

---

[1] Filósofo francés del siglo XVII, padre del racionalismo.
[2] Institutos organizados por el Estado para regir (*rule*) las artes, etc.

públicamente los edictos reales y se reía de los vanos **esfuerzos** del gobierno **por hacerlos cumplir**. Hasta que **a eso de** 1770, apareció el conde de Aranda, astuto político y ministro del rey. Conociendo bien la psicología de sus compatriotas, declaró que **de allí en adelante** el sombrero redondo y la capa larga de los Hapsburgos serían el uniforme del **verdugo** público. . . La moda francesa ganó.

*efforts ➤ to enforce them*
*around*

*from then on*

*executioner*

**CONTINÚA EL ATRASO** Con el tiempo ciertas modalidades francesas se infiltraron en las costumbres españolas. Pero por lo general, la vida española cambió muy poco. Los reyes eran por la mayor parte débiles o egoístas, tal vez con la única excepción de Carlos III, que murió en 1788. Pero la economía **no adelantaba**. La revolución tecnológica no llegaba a cruzar los Pirineos. Y en el Nuevo Mundo, se estaba rompiendo no sólo el monopolio comercial sino el **nexo** filosófico, intelectual, y moral con la **metrópoli**. El español, vestido **a lo francés**, vivía todavía en la gloria de Carlos, el César, rechazando de su mente la trágica realidad de su decadencia **actual**.

*didn't move forward*

*bond*
*mother country ➤ in the*
    *French style*

*present*

# 42
# El Dos de Mayo

◈

**¡A LAS ARMAS!** "Mayo 2 de 1808. La patria está en peligro. Madrid perece víctima de la perfidia francesa. ¡Españoles, **acudid** a salvarla!" El mensaje fue de alcalde **en alcalde recorriendo** la nación española. Y el país se levantó en armas. Una vez más el pueblo se iba a lanzar a una heroica y desesperada defensa. Pero, ¿cómo se había producido la crisis? Volvamos atrás por un momento.

*rally now*
*to mayor throughout*

**DESPOTISMO
ILUSTRADO**
España había progresado poco en el siglo XVIII bajo la dinastía borbónica. La política del despotismo ilustrado—"**todo para el pueblo**, pero sin el pueblo"—**no encajaba** con el carácter de la gente, y los españoles **se alejaban** cada vez más de los asuntos del estado. Desde el siglo XVI, época de Carlos I, el poder personal de los reyes había crecido, y como consecuencia, había decaído grandemente el de las Cortes y de los Consejos Municipales. Los borbones completaron el proceso de la centralización del gobierno, quitando a los antiguos reinos sus derechos y privilegios tradicionales. Impusieron la autoridad civil sobre la del **clero**, y fomentaron la separación entre la iglesia española y la católica romana. El monarca era absoluto y supremo, reinaba "por la gracia de Dios", y el pueblo vivía de día en día, no atreviéndose a contemplar el **porvenir**.

*enlightened—everything for
the people ◄ didn't fit in
withdrew*

*clergy*

*future*

**ÉPOCA DE
CARLOS III**
En la segunda mitad de aquel siglo, el rey Carlos III trató de mejorar las lamentables condiciones económicas. **Intentó** varias reformas agrarias, quiso desarrollar el comercio y la industria, y fundó escuelas, bibliotecas, y universidades. Se realizaron labores enciclopédicas y estudios eruditos. Pero por lo general, España quedaba **inerme**, sin cambiar. El español había perdido el impulso vital al verse **sumergido** bajo el peso del absolutismo. En el resto de Europa comenzaba la revolución tecnológica. En España los grandes **latifundios** eran cultivados todavía por labradores pobres que rompían la tierra con instrumentos primitivos. La aristocracia introvertida, egoísta, afectaba un aire cosmopolita y bailaba el **minué**, y el pueblo **se anegaba** en la ignorancia.

*He attempted*

*inert*

*submerged*

*landholdings*

*minuet ◄ wallowed*

**VERGONZOSO REINADO
DE CARLOS IV**
A la muerte de Carlos III en 1788, la corona pasó a su hijo Carlos IV, que no tardó en entregar el gobierno a sus favoritos. Nombró primer ministro a Manuel de Godoy, un joven militar

*La Carga de los Mamelucos*, Goya

*La Carga de los Mamelucos* por Francisco de Goya,
obra que pinta la resistencia del peublo español a la
invasión francesa.

ambicioso y **apuesto** que **supo** gozar al mismo tiempo
de la confianza del rey y de los favores de la reina. Y el
monarca se dedicó **asiduamente** a los placeres de
palacio y de la caza... En 1789 estalló la revolución
ȩn Francia. España intervino, tratando de salvar a la
familia real francesa, pero en vano. **Siguió** la época de
Napoleón, y las guerras sacudieron toda Europa. En
medio del holocausto, el inexperto Godoy mantuvo
durante años una política del todo confusa. A veces,
mandaba a las fuerzas españolas a luchar contra Francia
y al lado de Inglaterra, y otras veces se aliaba con
Napoleón contra los ingleses. El desastre era inevitable.
Dentro de España el resentimiento contra el amante de
la reina crecía. El mismo príncipe Fernando, hijo de
Carlos, conspiraba con Napoleón para **destronar** a su

*handsome ➴ managed to*

*assiduously*

*There followed*

*dethrone*

padre. Y el emperador francés ya tenía los ojos fijos en la Península Ibérica.

**MADRID RESISTE LA INVASIÓN NAPOLEÓNICA** Para diciembre de 1807 Portugal estaba en sus manos. Y las tropas francesas siguieron avanzando. Para marzo del próximo año estaban a las puertas de Madrid. Carlos abdicó **en** su hijo Fernando. Pero Napoleón ya tenía hechos *in favor of* sus planes. Hizo venir a Francia a la familia real española, y obligó a Carlos a nombrar a José Bonaparte, hermano del emperador, en lugar de Fernando. El 2 de mayo de 1808, los pequeños infantes de la familia real iban a salir de Madrid para unirse con sus padres en Francia. El pueblo se congrega alrededor del Palacio para ver la salida. Corren rumores de que el infantito está llorando, que no quiere salir. La multitud **se agolpa contra los carruajes reales** gritando: "¡No *presses against the royal* se lo lleven!" "¡Viva Fernando VII!" "¡Mueran los *carriages* franceses!" De repente por una calle de la ciudad aparece un batallón francés y **dispara sus fusiles** con- *shoots its rifles* tra la población **indefensa**. Al principio la gente *unarmed* **se desparrama** en todas direcciones. Pero entonces *scatters* empiezan a salir a la calle los **ciudadanos** de Madrid— *citizens* hombres, mujeres, niños. Armados de **escopetas**, *shotguns* espadas, **navajas**, **tijeras**, piedras, hieren y matan a *razors, scissors* cuantos franceses hallan a su paso. Por el momento los invasores tienen que retroceder. El pueblo español se ha despertado de su **letargo** de siglos. *lethargy*

**EL PUEBLO SE UNE** El ejemplo de Madrid fue seguido por toda España. Y así, el 2 de mayo de 1808 empezó la **llamada** Guerra de *so-called* la Independencia, una guerra que fue al mismo tiempo una lucha contra los invasores franceses y una revolución política dentro de España misma. En todas las capitales surgieron Juntas que organizaron la resistencia. Sin distinción de clases, los españoles **empuñaban** las *wielded* armas. José Bonaparte, un hombre de no poco talento, reconoció en seguida que su posición sería **insoste-** *untenable* **nible**. "No tengo aquí ni un solo partidario", escribió

en una carta a su hermano. "La nación se muestra
unánime contra nosotros." Y después, proféticamente:
"Vuestra gloria **se hundirá** en España."                    *will be sunk*

**CALLE POR CALLE,**   Las palabras de José Bona-
**CASA POR CASA**      parte resultaron verdaderas.
                       Una tras otra las ciudades
españolas resistieron el avance de los franceses. Plaza
por plaza, calle por calle, casa por casa. Zaragoza
rechazó repetidas veces los asaltos de los franceses, y
cuando morían los hombres, los reemplazaban las
mujeres. Gerona resistió durante siete meses, y cuando
cayó por fin, se reanudó la lucha en otras partes. Como
en tiempos antiguos, los españoles, diestros en el arte
de la "**guerrilla**", tenían siempre **desequilibrados**    *guerrilla warfare ► off*
a los regimientos de Napoleón.                               *balance*

**LIBERALISMO**        En 1812 se reunieron en Cádiz las
**Y VICTORIA**         Cortes de las Juntas populares, y
                       promulgaron una constitución. De
allí en adelante, España sería una monarquía liberal,
democrática, moderna, declararon. Se había despertado
de la **pesadilla** de la inacción y se encaminaba hacia la   *nightmare*
libertad. Y la guerra continuaba. Para fines de 1813, los
franceses habían sido derrotados y se retiraban definitivamente. El primero de enero de 1814 volvería el
rey Fernando "el Deseado". El pueblo había triunfado. . . Pero, ¿por cuánto tiempo?

# 43
# Larra: Voz contra la Tiranía

**VUELTA DE FERNANDO**   El primero de enero
**"EL DESEADO"**         de 1814, Fernando
                        "el Deseado" volvió a
Madrid, y el pueblo triunfante salió a recibirle. Habían

luchado por él, y él había prometido **premiar** su *reward*
lealtad. Desde su destierro en Francia, el príncipe había
dicho que conservaría la nueva Constitución de Cádiz.
Fernando VII sería el primer monarca democrático de
España. Y la gente **deliraba de** entusiasmo. . . Pero, *were going wild with*
como dice el viejo refrán: "**Del dicho al hecho**, hay *Between the word and the*
gran **trecho**." Y así iba a resultar. *deed ➛ distance*

**OTRA VEZ**      En vez de cumplir sus promesas, Fer-
**LA TIRANÍA**   nando **abrogó** en seguida la cons- *voided*
titución y ordenó el aprisionamiento
de los jefes liberales. **Atónitos**, y **rendidos** por tantos *Astounded ➛ exhausted*
años de lucha, los españoles no pudieron **reaccionar**. *fight back*
Muchos de los héroes de la guerra contra Napoleón
acabaron la vida en la cárcel. Y los más afortunados se
refugiaron en Inglaterra, Portugal, Italia, en América,
en **cualquier puerto seguro**. Entonces Fernando VII *any safe harbor*
impuso el régimen más tiránico que **hubiera conocido** *had known*
la raza hispana. En ese mundo de opresión y de
tiranía creció y vivió Mariano José de Larra.

**MARIANO JOSÉ**   Larra, el escritor más atrevido de
**DE LARRA**    su época, nació en Madrid en
1808, año **funesto** de la invasión *dismal*
francesa. Su padre, que era médico, **tuvo a bien** *saw fit to*
colaborar con los invasores, y sirvió en el ejército de
José Bonaparte. Así que cuando los franceses fueron
derrotados, la familia del joven Larra se vio obligada a
trasladarse a Francia, donde Mariano José recibió su
primera educación. Con la amnistía de 1818, los
emigrados españoles pudieron volver, y Larra continuó sus estudios en su propio país. Un intelecto
**despejado** y abierto, no tardó en **acoger** las ideas *bright ➛ picking up*
liberales que **encendían** a la juventud europea de su *were inflaming*
tiempo. ¿Por qué tenía que hundirse España otra vez
en la miseria?, pensó. ¿Por qué se dejaba **pisar** por el *be stepped on*
**talón** de Fernando? Y se puso a escribir. *heel*

**ROMÁNTICO**    Romántico en sus gustos, Larra defen-
**Y LIBERAL**     dió con vigor la revolución artística
de la generación de Hugo y Byron.
Libre, **desenfrenado**, melodramático, y apasionado, *uncontrolled*

Mariano José de Larra, voz contra la tiranía.

el romanticismo encajaba mejor con el carácter español, decía, y con el alma liberal. Poco a poco sus escritos **se desviaron** del campo puramente literario y se dedicaron a contemplar la vida española. Sus artículos aparecieron en los periódicos más importantes de Madrid. **Ligeramente** irónicos al principio en su visión de la sociedad, se mostraron cada vez más amargos en su crítica del régimen despótico. Y el público **se lamía las manos detrás de ellos**. *turned away*

*Lightly*

*lapped them up*

**VOZ DE PROTESTA**    Larra se iba convirtiendo en el ídolo de la gente **letrada**, y el gobierno decidió actuar. Ya no se iban a tolerar las **licencias** de ese joven cuya pluma era más aguda que un **puñal**. Y comenzaron las persecuciones. Hallando **delimitado** su campo de acción en los periódicos populares de su día, Larra resolvió publicar uno **propio**. "El Pobrecito Hablador" lo llamó, y él mismo tomó el nombre de "Fígaro". Pero el gobierno le seguía vigilando siempre. ¡Hasta tal punto llegó en efecto la **censura** que un día Larra hizo publicar sólo

*educated*

*liberties*
*dagger*
*restricted*

*of his own*

*censorship*

los títulos de cada uno de sus artículos! El "pobrecito hablador" quiso hablar, decía al publico, pero **le tenían con la mordaza en la boca.** Su fama crecía; sus **bolsillos** se llenaban de dinero. Pero al mismo tiempo aumentaba su sentido de **malestar**, de desorientación.

*his mouth was gagged*

*pockets*

*uneasiness*

**DESORDEN Y DESILUSIÓN**
Tenía veintiocho años ahora, y el rey Fernando había muerto ya. En lugar de la vieja tiranía, reinaba un terrible desorden. La unidad se había disuelto otra vez en luchas intestinas, y la gente no sabía qué dirección tomar. Brutalmente desilusionado, Larra **se sumió en** una "de aquellas melancolías de que sólo un liberal español en estas circunstancias puede formar una idea aproximada". El **Día de Difuntos** de 1836, **mojó** su pluma en la sangre de una nación **moribunda**, y escribió. . .

*plunged into*

*All Souls' Day (Nov. 2)* ➔
*he dipped* ➔ *dying*

**DÍA DE DIFUNTOS**
"¡Día de difuntos!, exclamé. . . **Dirigíanse** las gentes por las calles en gran número y larga procesión, **serpenteando de unas en otras** como largas **culebras** de infinitos colores: ¡al **cementerio**, al cementerio![1] ¡Y para eso salían de las **puertas** de Madrid!"

*were heading*

*winding their way from one (street) to another* ➔ *serpents* ➔ *cemetery*
*gates*

**"¡MADRID ES EL CEMENTERIO!"**
"**Veamos claros**, dije yo **para mí**, ¿dónde está el cementerio? ¿fuera o dentro? Un **vértigo espantoso** se apoderó de mí, y comencé a ver claro. El cementerio está dentro de Madrid. Madrid es el cementerio. . ."

*Let's get this straight to myself*

*horrible dizziness*

**YA NO HAY LIBERTAD EN ESPAÑA**
Larra ve caminando a la gente, y piensa: "**Necios** . . . ¿**os movéis** para ver muertos? ¿no tenéis espejos **por ventura**?" Vosotros sois los muertos. Los muertos que están en el cementerio viven más que vosotros. ". . . ellos tienen libertad . . .; ellos no pagan **contribuciones** que no tienen; ellos no serán **alistados** ni movilizados; ellos no son

*Fools*
*you're going off*
*perchance*

*taxes*

*drafted*

[1]La gente solía—y todavía suele—visitar las tumbas de sus familiares difuntos en aquel día.

presos ni denunciados; ellos, en fin, no **gimen** bajo
la jurisdicción del **celador del cuartel**; ellos son los
únicos que gozan de la libertad de **imprenta**, porque
ellos hablan al mundo. . ."

**AQUÍ YACE...** Y se pasea por las calles de la ciudad.
"¿Qué monumento es éste?", exclama.
"¡Palacio! . . . Aquí **yace** el trono. . .
¿Y este mausoleo a la izquierda? La **armería**. Leamos.
Aquí yace el valor castellano. . . ¡La cárcel! Aquí
reposa la libertad del pensamiento. . . La **Bolsa**. Aquí
yace el crédito español. . . La **Imprenta** Nacional. . .
Éste es el sepulcro de la verdad. . ."

**NOCHE SIN ESPERANZA** "Una **nube sombría lo envolvió todo**. Era la noche. El frío de la noche **helaba** mis venas. Quise salirme vio-
lentamente del horrible cementerio. Quise refugiarme
en mi propio corazón, lleno **no ha mucho** de vida,
de ilusiones, de deseos."

**DESESPERACIÓN** "¡Santo cielo! También otro
cementerio. Mi corazón no es
más que otro sepulcro. ¿Qué
dice? Leamos. ¿Quién ha muerto en él? ¡Espantoso
**letrero**! ¡Aquí yace la esperanza! . . . ¡Silencio, silencio!"

**SILENCIO...** Tres meses después, Larra estaba
muerto. Se había suicidado, dijeron.
Se había **pegado un tiro a** la cabeza
por consecuencia de un amor frustrado. Tal vez. Larra
había amado más de una vez, y siempre mal. Pero en
ese momento de su última desesperación, el joven
que había gritado: "¡Silencio, silencio!", se estaba
**doliendo de** algo más que de una sola mujer, de algo
más que de un solo amor. Se estaba doliendo de sí y de
España, y su voz se levantó aquella última vez contra
la tiranía y la inacción.
Aquí yace Mariano José de Larra. . .

---

*Glosses (right margin):*
- arrested – moan
- police warden
- the press
- lies
- armory
- Stock Exchange
- Printing Office
- dark cloud enfolded everything
- was freezing
- not long ago
- sign (written there)
- shot himself in
- grieving for

# 44
# Independencia y Desintegración

**EL SEPARATISMO DEL ESPAÑOL** ¡Cuántas veces hemos señalado el individualismo del hispano, las fuerzas separatistas que **obran** en él y que afectan toda su historia! *are at work* La desunión le ha caracterizado más que la unión. Recordamos como en tiempos primitivos la península estaba dividida en más de dos mil tribus independientes. Recordamos la tenaz resistencia que **opusieron** los *put up* celtíberos, pueblo por pueblo, a la dominación romana. Recordamos las guerras civiles y el constante faccionalismo que **alborotaron** toda la época visi- *upset* gótica. Y la casi total desintegración que ocurrío durante el largo periodo de la ocupación árabe. Hasta que por fin vinieron los Reyes Católicos, y después Carlos el César y Felipe II, y **asentaron** la base de la *they set down* unidad en el **afán** religioso e imperialista. Bajo este *zeal* impulso se estableció el sistema colonial en América, y mientras España ocupaba la cima, pudo suprimir los· gérmenes de la disensión. La **metrópoli** representaba *mother country* una fuerza, y las colonias encontraban en ella un sentido de seguridad, una identificación.

**DESCONTENTO EN AMÉRICA** Pero con la caída de España, aumentaron las voces disidentes en América. El monopolio económico sofocaba el comercio. Las distinciones sociales entre peninsulares y criollos[1] causaban descontento en la clase alta. Los **cabildos** habían perdido todo valor *local councils* representativo, y la gente quedaba sin voz en sus

[1]Los "peninsulares" eran los nacidos en España. Los "criollos", que integraban la clase alta colonial, eran americanos de raza blanca y de pura ascendencia (*ancestry*) española.

propios asuntos. Pero más importante aun, Hispanoamérica tenía delante de ella el ejemplo de la independencia norteamericana y de la revolución francesa.
Sólo esperaba el momento de actuar.

**PRIMEROS BROTES
REVOLUCIONARIOS**
Ese momento vino en 1808
cuando Napoleón invadió la
Península Ibérica, y el pueblo
español se levantó contra los invasores. Habiendo
rechazado varios ataques de los ingleses en Argentina y
Chile, los hispanoamericanos decidieron tomar en sus
manos las riendas del gobierno. En 1810 **se celebraron**  *took place open council*
**cabildos abiertos** y pronto se formaron juntas  *meetings*
**gubernativas** en Buenos Aires, Santiago de Chile,  *governing*
Caracas, y Bogotá. Al mismo tiempo, el padre Miguel
Hidalgo, un cura mexicano, incitaba a los indios a
rebelarse. En nombre de la Virgen de Guadalupe, se
lanzaron a la guerra y saquearon varias ciudades y
pueblos. Pero la participación de los indios en aquella
revuelta **alejó de** la causa a la mayoría de los criollos,  *chased away from*
y pronto el movimiento **flaqueaba**. Hidalgo fue pren-  *grew weak*
dido y murió **fusilado** en julio de 1811. Pero la lucha  *by the firing squad*
no había terminado. . .

**MIRANDA, "CIUDADANO
DEL MUNDO"**
Mientras tanto, se había
alzado en Venezuela la
figura de Francisco de
Miranda. "Ciudadano del mundo" más que venezolano, Miranda había tomado parte en la revolución
norteamericana y era íntimo amigo de Hamilton y
Madison. Después, se había distinguido como general
en el ejército republicano francés. **Acabadas las**  *The wars over*
**guerras**, recorrió toda Europa solicitando ayuda para
la independencia de Hispanoamérica. En 1806 volvió a
Venezuela para organizar el movimiento independen-
·tista en su propio país, y al principio tuvo ciertos
éxitos. Pero pronto **la suerte se le volvió en contra**.  *his luck turned*
Varias ciudades importantes seguían fieles a la monar-
quía. En marzo de 1812 los patriotas sufrieron una
derrota a manos de un ejército español. Y tres días
después, las tierras venezolanas fueron sacudidas por un

fuerte terremoto que **arrastró** miles de vidas. "Es un *took*
castigo de Dios", gritaba la gente ignorante. "Dios
no quiere que **reneguemos de** nuestro rey legítimo." *we renege on*
Y se volvieron contra los revolucionarios. Miranda
**se retiró** y quiso **embarcarse** en el puerto de La *withdrew ◆ board ship*
Guaira. Pero fue preso como "traidor a la causa de la
independencia" por uno de sus propios oficiales, un
joven **coronel** llamado Simón Bolívar. Miranda fue *colonel*
entregado a los españoles, y murió más tarde en una
cárcel de Cádiz. Desde aquel momento Bolívar iba a
ser la figura **máxima** de la revolución en la América *chief*
del Sur.

**LUCHAS POR LA INDEPENDENCIA**
El curso de la independencia
hispanoamericana está **suma-** *closely entwined*
**mente entrelazada** con la his-
toria de España en aquellos tiempos. Como hemos
visto, la revolución estalló primero durante la ocupación napoleónica de España. Cuando terminó la
guerra contra los franceses, y el déspota Fernando
VII volvió a ocupar el trono en 1814, muchos liberales
españoles se refugiaron en América, prestando sus
servicios a la causa de la libertad. Pero la monarquía
recobraba ya su antiguo poder, y pronto pudo mandar
nuevos ejércitos para suprimir las rebeliones en las
colonias.

**BOLÍVAR Y SAN MARTÍN**
La guerra de la independencia continuó intermitentemente durante los
próximos seis años. Bolívar, con sus
tenientes Páez y Sucre, reorganizaba sus fuerzas en el
norte. En el sur **alistaba** sus campañas el gran general *was preparing*
argentino, José de San Martín, **secundado** por el *aided*
chileno Bernardo O'Higgins. Pero el progreso era
lento. Hasta que por fin vino el momento decisivo.
El pueblo español, **harto** de la tiranía de Fernando, se *sick and tired*
rebeló contra el rey en 1820, y tres años duró la
revolución. Finalmente, con la ayuda de tropas
francesas, Fernando volvió a reinar. Pero ya era tarde
para recuperar sus posesiones en América. México
había declarado su independencia, y con él, toda la

Simón Bolívar y José de San Martín, libertadores
de Hispanoamérica.

América Central. Bolívar había libertado al norte de
Sudamérica, y estaba avanzando hacia el sur. San
Martín había **llevado a cabo** la liberación del sur, y se    *brought about*
dirigía al norte. En julio de 1822, Bolívar y San Martín
se reunieron en Guayaquil, Ecuador. Poco después, San
Martín renunció a su mando y se retiró definitivamente. Bolívar se hizo comandante en jefe, y llevó la
guerra a su fin. El 6 de agosto de 1824 ganó la batalla
de Junín; el 9 de diciembre, la de Ayacucho; y la
independencia de Hispanoamérica era una realidad. La
independencia, sí, pero no el sueño de la democracia.

**¿DEMOCRACIA O
ANARQUISMO?**
**De ahí deriva** la tragedia de un    *From there stems*
continente. Los hispanoameri-
canos habían amado el ideal
democrático. Los "Derechos del Hombre" coincidían perfectamente con su concepto de la dignidad
humana, y **se apasionaron por** las palabras "liber-    *they fell in love with*
tad", "igualdad", "justicia". Las repetían con una

profunda sinceridad, pero realmente, no comprendían su **significado**. **Confundían** el individualismo limi- *meaning ➤ They confused* tado y responsable de la sociedad democrática con el personalismo desenfrenado del estado anárquico. Y así es que en vez de **surgir** grandes programas, surgieron *there arising* solamente grandes hombres.

**CAUDILLISMO Y DESINTEGRACIÓN** Hidalgo, Miranda, Bolívar, San Martín, Páez, Sucre, O' Higgins . . . Caudillos[1] y dic- tadores por la mayor parte, cuando desaparecieron de la escena nacional, **sucedió** la desintegración. Bolívar, *followed* el más grande de todos, logró mantener unida durante un tiempo a la Gran Colombia (hoy Venezuela, Colombia, y el Ecuador). Quiso establecer una fuerte unión panamericana, y soñó con una federación de naciones hispanas. Pero Bolívar conocía bien a su gente. Se dio cuenta de la imposibilidad de unirla, y **cedió ante ella**. Irónicamente, el gran libertador *he gave in* murió **camino al exilio**, y en efecto, todos los jefes *on the way into exile* de la independencia acabaron o desterrados, asesi- nados, o **repudiados**. Aumentaron continuamente las *repudiated (in disfavor)* luchas por el poder, y en poco tiempo se había roto en más de veinte pedazos el antiguo imperio español en América. El hermoso ideal de la independencia había traído consigo el caudillismo[2] y la desintegración.

---

[1]Un caudillo es un jefe político cuyo poder depende de su influencia personal, y no de una afiliación ideológica.
[2]"Caudillismo" es el sistema de gobierno por caudillos, por "hombres fuertes" en vez de partidos o ideologías.

# 45

# El Maestro-Escritor-Presidente

◇

**HOMBRES
MÁS QUE IDEAS**
Se ha dicho que el mundo hispano ha producido pocas **grandes** cosas materiales y pocas *great* grandes ideas. Pero en cambio, sí ha producido muchos grandes hombres. ¿Cómo se explicará la paradoja? Tal vez, porque **el hacer** las grandes cosas requiere por *doing* lo general un **esfuerzo** colectivo. Las grandes ideas *effort* tienen que emanar de su creador y realizarse **en plena** *in the midst of* sociedad. Pero los grandes hombres nacen de una fuerte conciencia del "yo", y si es **preciso**, pueden *necessary* alcanzar la grandeza dentro de una órbita personal. En esto **sobresale** el hispano. *excels*

**EL JOVEN
SARMIENTO**
Volvamos a la Argentina del siglo XIX y encontraremos allí la figura de Domingo Faustino Sarmiento. Nació el 15 de febrero de 1811 en la ciudad capital de la provincia de San Juan. Su padre había sido uno de los héroes de la independencia, y sus tíos eran personajes **influyentes** en la iglesia. Pero a pesar de todo eso, la *influential* familia era pobre, y en realidad, fue la madre, una señora inteligente y enérgica, la que tuvo más influencia en la formación espiritual de los hijos. **Ha-** *Since there were* **biendo** pocas escuelas allí, el joven Domingo leyó prodigiosamente para suplir la falta de educación formal. Se entusiasmó por los filósofos franceses del siglo XVIII—Rousseau, Voltaire, Montesquieu—y encima de todos, por la vida y obra de Benjamín Franklin. "Me sentí como si fuera Franklin", dijo una vez. "¿Y por qué no? Yo era pobrísimo como él, estudioso como él."

**MAESTRO Y LUCHADOR
CONTRA LA TIRANÍA**

**Autodidacta**, su ambición era enseñar a otros. La profesión del maestro era para él una labor **civilizadora**, quizás la más importante que el hombre pudiera realizar en esta tierra. Y **se consagró de todo corazón** a ella. A los quince años de edad, ya daba clases en una escuela rural de su provincia. El curso de su vida estaba claro. . . Pero le tocó vivir en una época **regida** por el dictador Rosas, encarnación de la **incultura** brutal de la pampa. Y Sarmiento, formado en el liberalismo, no podía tolerar las indignidades perpetradas por el tirano. A los diez y siete años, como resultado de un **choque** personal con el caudillo local, Juan Facundo Quiroga, Sarmiento fue **azotado** y encarcelado. Más tarde iba a escribir: "En el **décimoctavo** año de mi vida entré a una cárcel, y salí con un credo político." Desde aquel momento, su vida iba a seguir dos caminos: el de la lucha por la educación de las masas, y el de la guerra contra la dictadura.

**DESTIERRO
A CHILE**

Siguió leyendo y enseñando. La sociedad tenía que funcionar según la ley, decía él, y no según el capricho del hombre fuerte. Por medio de la educación, el pueblo podría acabar con todos los déspotas. En 1839 estableció el **Colegio** de Santa Rosa en su provincia natal de San Juan. Dentro de dos años, esta escuela era conocida como una de las más avanzadas del país. En el mismo año, fundó un periódico en cuyas páginas empezaron a aparecer sus **denuncias** del régimen de Rosas. Como **era de esperar, de ahí** resultó un segundo encarcelamiento, y poco después, su destierro a Chile. Cuentan que antes de cruzar la frontera, Sarmiento **esculpió** en una piedra de los Andes estas palabras: "No se pueden matar las ideas." Y se fue al exilio resuelto a volver algún día a una Argentina libre. Así lo iba a hacer.

*Self-taught*

*civilizing*

*he consecrated himself
  wholeheartedly*

*ruled*

*lack of culture*

*clash*

*whipped*
*eighteenth*

*School*

*denunciations*
*was to be expected, from that*

*carved*

**HACIA LA RENOVACIÓN
DE HISPANOAMÉRICA**

Sarmiento llegó a Chile en 1840. Vendió el único libro que le quedaba para comprar **víveres**, y buscó trabajo como maestro. *food* Ganó un puesto en un periódico de Valparaíso, y allí **se agruparon** alrededor de él un gran número de *there gathered* jóvenes intelectuales. Liberales, aun radicales en su pensamiento, lanzaban sus ataques no sólo contra el desorden superficial de Hispanoamérica, sino contra

Un gaucho en la pampa.

*Gaucho y sus armas*, Morel

sus **mismas raíces**. La turbulencia política que *very roots* desangraba al continente se debía a su carácter hispano, decían. El español, con su concepto personalista, anárquico, de la sociedad, era incapaz de actuar de una manera democrática. La democracia requería hasta cierto punto el sacrificio de ciertas prerrogativas individuales, y el español no estaba dispuesto a entregarlas. Así que, paradoja sobre paradoja, el excesivo individualismo del hispano le iba costando su libertad. Había que mirar hacia el norte, continuaron—hacia los Estados Unidos de América, y hacia Francia. Allí se estaba realizando el sueño de la democracia verdadera. Había que rechazar a la decadente España, y buscar la inspiración sobre todo en los grandes pensadores franceses, en su literatura, en su arte, aun en su lengua. La **polémica** entre Sarmiento y los defensores *intellectual dispute* de la tradición hispánica siguió creciendo, y aunque no se resolvió definitivamente, la influencia del refugiado argentino se hizo sentir en todo el movimiento romántico del siglo XIX.

**CIVILIZACIÓN Y BARBARIE** Sarmiento era ya una de las figuras más destacadas del mundo intelectual chileno. En 1845 apareció el libro que iba a ser su obra maestra. Se titulaba *Juan Facundo Quiroga*, y llevaba el subtítulo *Civilización y Barbarie*. Aunque empieza como una biografía del cruel caudillo gaucho y **teniente** de Rosas, la obra de *lieutenant* Sarmiento llega a ser un análisis de la esencia política y espiritual de la Argentina. Había en efecto dos Argentinas—la ciudad, mayormente Buenos Aires, donde había existido una cultura europea y una conciencia de las posibilidades humanas; y la pampa, donde el hombre obedecía sólo la ley de la selva, y era **por lo tanto menos hombre**. Bajo el régimen de *therefore less of a human being* Rosas, la pampa se había impuesto sobre la ciudad, la barbarie sobre la civilización. Y había que combatirla.

**VIAJES POR EUROPA Y ESTADOS UNIDOS** Sus palabras **retumbaron** *resounded* por toda América, y el dictador argentino hizo demanda formal a Chile **de devolver** a Sarmiento. Pero *to return* los chilenos no quisieron. Sarmiento había llegado a ocupar los puestos más altos en su ministerio de educación. Había fundado cientos de escuelas y fomentaba un renacimiento de las artes. El gobierno chileno decidió entonces mandarle a Europa y a los Estados Unidos. Sarmiento **recorrió** España, Francia, e *traveled about in* Inglaterra, y finalmente, llegó a Nueva York y a Washington, donde empezó su gran aventura norteamericana. Conoció a Lincoln y a Horace Mann. Habló en universidades e **intimó con** el pueblo. En todas *he got close to* partes se escuchaba su voz.

**TRIUNFO, Y FRACASO FINAL**

Rosas fue derrotado en 1852. En 1855 Sarmiento volvió a la Argentina para comenzar su múltiple carrera en los campos de la educación, del **periodismo**, y de la política. Fue elegido senador nacional, gobernador de la provincia de San Juan, y por último, en 1868, presidente de la república. Durante su administración hizo más que ningún otro presidente hispanoamericano para fomentar la democracia y extender la educación. Pero sus métodos eran criticados a veces, y los caudillos esperaban cualquier pretexto para derrocarlo. Ya viejo y gastado por los años de lucha, Sarmiento se retiró de la vida pública en 1874, y en poco tiempo vio desintegrarse gran parte de su labor. Pronto **volvieron a surgir** las varias facciones personalistas. Pronto se disiparon los pasos gigantescos que Sarmiento había dado hacia el ideal democrático. Pero su figura queda. Titán y pedagogo, anti-español en su pensamiento, y al mismo tiempo muy hispano en su manera de actuar y de sentir, Domingo Faustino Sarmiento es uno de los grandes productos humanos de la **hispanidad**. **Nada de** cosas, tal vez; nada de ideas monumentales. Pero hombres monumentales, eso sí. Herencia de España.

*journalism*

*there arose again*

*Hispanic culture ✏ No*

# 46

# Juárez

◎

**EL INDIO ENTRE LOS BLANCOS**

El indio ha aparecido muy poco hasta ahora en nuestros **anales** del carácter hispano. Lo conocimos en el momento de la conquista. Cantamos sus **elogios** en la epopeya de *La Araucana*. **Compadecimos sus penas** al verle explotado, y celebramos los esfuerzos de los misioneros por edu-

*annals*

*praises*
*We grieved with him*

carle y ayudarle. Y después, le vimos retirarse al **fondo de la escena**, como en realidad se retiró al fondo de la nueva sociedad colonial. Había perdido su puesto bajo el sol. Los dioses lo habían decidido. Se sentía extraño en un mundo blanco, y no había **más remedio que** resignarse. Aceptaba la religión cristiana que le habían traído sus amos, pero no la entendía

*back of the stage*

*anything to do but*

Benito Juárez, el indio que llegó a ocupar la presidencia de México.

mucho. Las palabras que murmuraba cuando asistía a **misa**, o al **entierro** de un pariente, o cuando se casaba, eran un **conjunto** de sílabas mágicas, y el indio estaba convencido de que sus dioses antiguos las oirían tan bien como Jesús y la Virgen. Pero no importaba realmente quiénes **oyeran sus oraciones, con tal que** el sol se levantara al día siguiente, con tal que **él viera el próximo atardecer**. Y así, el indio vio levantarse y **ponerse** muchas veces el sol, y cada día era igual al día anterior, excepto que el tiempo adelantaba, y él, no.

*mass • funeral*

*collection*

*heard his prayers, as long as*

*he saw the next nightfall*

*set*

**MESTIZAJE DE LA RAZA**

En efecto, el indio de sangre pura era un fenómeno **decreciente** en la América hispana. Claro está, los exploradores no trajeron mujeres consigo, y durante

*decreasing*

los primeros años de la colonización, la corona prohibía la emigración de mujeres a las colonias. Además, el español estaba acostumbrado por toda su historia a la fusión de razas. Y así, a diferencia del proceso colonial en Norteamérica, la primera generación que nació en Hispanoamérica después de la conquista era una generación mestiza, hijos de españoles e indias. Algunos de estos mestizos alcanzaron posiciones de importancia en la iglesia y en el campo de las letras.[1] Pero por lo general, aunque el mestizo se iba incorporando poco en la corriente social, su suerte seguía un camino paralelo a la del indio.

**LUCHAS Y DILEMA DEL INDIO**

De vez en cuando sí hubo brotes del antiguo vigor de los indígenas. En la segunda *there were outbursts*

mitad del siglo XVII, y más tarde, a fines del XVIII, se alzaron algunos descendientes de la familia real incaica y juntaron grandes ejércitos para desafiar el *Incan ▸ got together* poder de los blancos. Se sacrificaron innumerables vidas, y los indios vencidos volvieron a su vida de espera sin esperanza. Sobrevinieron entonces las *waiting without hope. There* guerras de la independencia. En México se alzaron los *ensued* indios bajo el padre Hidalgo, pero por lo general, se mostraron indiferentes a aquellas luchas entre los blancos. ¿Qué significaba para ellos la independencia, si los criollos los explotaban tanto como los españoles, *as well as* si los criollos eran en efecto los amos, los terratenientes? El indio empezaba a sentir un nuevo despertar de su conciencia racial. Es este despertar lo que haría surgir *that would give rise to* poco después la figura de Benito Juárez.

**VIDA DE BENITO JUÁREZ**

Juárez era un indio zapoteca, nacido en 1806 en la provincia mexicana de Oaxaca. Huérfano *Orphaned*

a los cuatro años, fue criado por un tío suyo, humilde *raised* pastor de ovejas. Pero en el joven Benito ardía una *sheep* llama que no se podía apagar. Huyó de casa de sus *flame* parientes y llegó a la ciudad de Oaxaca, donde fue

[1]Recordemos por ejemplo al Inca Garcilaso de la Vega, que llegó a ser una de las figuras más altas de la literatura española del siglo XVI.

recibido como sirviente en la casa de una familia italiana. (Más tarde se iba a casar con la hija de su **patrón**.) *boss* Bajo la protección de un eclesiástico, amigo de la familia italiana, Juárez **cursó las primeras y segundas** *got his primary and* **letras**, y finalmente, se dedicó a la carrera del **derecho**. *secondary education ➤ law* México estaba **ardiendo** en aquellos tiempos. Acababa *afire* de conseguir su independencia, pero los gobiernos se alzaban y caían, y la mano del caudillo se imponía en lugar del proceso democrático. Juárez, afiliado con los liberales, conoció durante muchos años los **altibajos** *ups and downs* de su **azarosa** profesión. Ocupó algunos de los puestos *hazardous* más altos en el gobierno, pero otras veces, estuvo en el destierro, preparándose para derrotar al dictador Santa Anna. Por fin, en 1858, el indio que ni siquiera sabía hablar español cuando dejó su pueblo natal en Oaxaca, subió a la presidencia de México.

**CONTRA LA IGLESIA Y LOS RICOS** Un hombre impasivo, en cuya cara no se veía nunca el **temblor** de una emoción, *flicker* Juárez estaba **como poseído** por el deseo de **reivindi-** *as if possessed ➤ vindicate* **car** a su raza. Suya sería la venganza de los siglos. Inició una serie de reformas radicales, siendo sus **blancos** principales la iglesia y los grandes terratenien- *targets* tes. Confiscó las propiedades de la iglesia, **expulsó** a *expelled* las órdenes monásticas, instituyó el matrimonio civil, cerró las escuelas eclesiásticas, y prohibió a los clérigos presentarse en la calle con hábito religioso. Proclamó el sufragio universal y la libertad de religión y de la prensa, pero a la vez **obró** fuertemente para suprimir *he acted* toda oposición. No obstante, la oposición crecía dentro y fuera del país. Los conservadores se rebelaron, y Juárez tuvo que huir de la capital y establecer el asiento del gobierno en Vera Cruz.

**INVASIÓN FRANCESA** Dos años después, en 1861, volvió triunfante a la capital. Pero México se hallaba en la **bancarrota**, y Juárez *bankruptcy* suspendió los **pagos** de la deuda nacional a los países *payments* extranjeros. España, Inglaterra, y Francia protestaron, y los franceses se aprovecharon de la oportunidad para mandar un fuerte ejército a México. En 1864, mientras que Juárez continuaba la lucha en el norte, el príncipe austríaco Maximiliano, **títere** en manos del emperador francés, fue coronado rey de México.

*a puppet*

## GUERRA CONTRA MAXIMILIANO

El pueblo mexicano se levantó entonces como había hecho antes el pueblo español contra el invasor francés. Aunque había ciertos elementos conservadores que favorecían el régimen del infortunado Maximiliano, los ejércitos de Juárez crecían todos los días. El 19 de junio de 1867, a los primeros **albores** del día Maximiliano y sus dos leales generales mexicanos fueron llevados al lugar de la ejecución. "¡Escuadrón! ¡Preparen! ¡**Apunten**! ¡Fuego!" ... Juárez había triunfado.

*lights*

*Aim!*

## LA HUELLA DE JUÁREZ

Durante su segunda presidencia, Juárez quiso llevar a cabo todas las reformas económicas y sociales que había emprendido antes. Pero la disensión política impidió su realización, y a la muerte del héroe nacional mexicano, el país iba a caer otra vez en manos de otro dictador, Porfirio Díaz. Sin embargo, la vida de Juárez no había sido en vano. Aunque cometió ciertos excesos en su **celo reformador**, aunque su concepto "liberal" **rayaba** a veces en el caudillismo, logró cambiar la **faz** de la sociedad mexicana. En una nación mayormente india y mestiza, el indígena había recuperado a lo menos en parte su puesto bajo el sol. La sombra de Benito Juárez dominaría desde entonces la historia de México.

*zeal for reform*
*bordered*
*face*

# 47
# La Gloriosa

◈

**REINADO DE FERNANDO VII:
TIRANÍA Y REVOLUCIÓN**

Por un breve momento España **se había vuelto a unir**. Por un breve momento, durante la ocupación napoleónica, el pueblo se había alzado como un solo hombre, y había triunfado. Pero Fernando volvió e impuso su tiranía, y una vez más, la nación se dividió en facciones opuestas. Aunque muchos de los jefes liberales se habían refugiado en otros países, todavía quedaba en España un fuerte núcleo liberal que se oponía a la política absolutista del monarca. **Por otra parte**, había muchos españoles sumamente conservadores que seguían leales a la corona. El rey significaba para ellos la gloria de la España de otros tiempos y la fuerza de su tradición. Además, reinaba por derecho divino, y **el que se metiera** con él sufriría en su alma las consecuencias. Así que por un tiempo se pudo mantener la difícil balanza del poder. Pero en 1820 estalló otra vez la revolución contra el déspota. Los liberales tomaron prisionero a Fernando y le obligaron a aceptar una constitución. Parecía que los elementos **renovadores** iban a salir victoriosos. Hasta que el emperador de Francia, viendo amenazada su propia posición por la revuelta popular española, envió cien mil soldados—"los cien mil hijos de San Luis"—para sofocarla. Y España cayó de nuevo bajo el talón de Fernando.

*had united again*

*On the other hand*

*anyone who started up*

*forward-looking*

**EMPIEZAN LAS
GUERRAS CARLISTAS**

En 1833 el tirano murió. Y resultó que no dejó **hijo varón** para sucederle. Su hija, Isabel, era una **criatura** de dos años, y su viuda, María Cristina, fue nombrada regenta hasta que la

*a male child*

*baby*

niña **llegara a la mayoridad**. Pero Carlos, el her-  *came of age*
mano de Fernando, tenía otras ambiciones. **Alegando**  *Alleging*
que la corona no debía descansar en la cabeza de una
mujer, la declaró suya, y **reforzó sus pretensiones**  *backed up his claims*
con las armas. Otra vez España se halló metida en
una guerra civil. Los carlistas, integrados por los
elementos más conservadores, encontraron apoyo
entre la alta nobleza, el clero, y la gente rural, sobre
todo en el País Vasco donde el tradicionalismo
estaba muy arraigado. Por lo tanto, la regenta tuvo que
**acudir** a los liberales, cuya mayor fuerza se concen-  *turn to*
traba en las ciudades, en Castilla y las provincias del
centro. Les hizo ciertas concesiones, incluso la restauración del sistema parlamentario. Pero el liberalismo de
la corona era **poco sincero**, y el descontento crecía.  *rather insincere*
Además, el mismo campo liberal estaba dividido.
Por un lado, había monarquistas constitucionales,
republicanos, y anti-clericales; por otro, defensores
**inveterados** de la autoridad real, y **reliquias** de la  *confirmed ◄ relics*
corte de Fernando.

**DESINTEGRACIÓN MORAL**    En fin, el cuadro político de la
primera mitad del siglo XIX
era un mosaico de piedras **in-**  *irregular and uncemented*
**formes y sin cimentar**. Y lo que es peor, **a medida**  *◄ as time went on*
**que adelantaba el tiempo**, los pedazos se iban a
**astillar** aun más. El mismo proceso de la desinte-  *splinter*
gración que había fragmentado su imperio colonial, se
apoderaba ahora de la metrópoli. Porque las guerras
civiles eran más que luchas superficiales por el poder.
Reflejaban **más bien** la guerra que sentía por dentro  *rather*
cada español—guerra entre tradición y modernidad,
entre fe y escepticismo, entre ideal y realidad. Guerra
**provenida** de la frustración, de la angustia y desespe-  *arising*
ración que hace al hombre, o a la nación, **volverse**  *turn against itself*
**contra sí**.

**CAOS BAJO ISABEL II**    Los gobiernos subían y caían. Hubo
sublevaciones liberales en 1845 y en
1854. Se confiscaron ciertas propie-
dades de la iglesia. Y siempre continuaban las guerras

carlistas, **proseguidas** por los hijos, y después por los nietos de Carlos. Isabel reinaba ahora, y la situación **empeoraba**. Una mujer de poca habilidad, y de menos carácter moral, escandalizó con su conducta aun a los monarquistas más **consumados**. **Fingió** favorecer a los liberales, pero al mismo tiempo, se dejaba **dominar** por las políticas carlistas. Y el resentimiento aumentaba por todos lados. Fuera de España las cosas tampoco iban bien. La intervención militar en el Perú, en Santo Domingo, y en México acabó desastrosamente. Y aun las victorias **resonantes** que los españoles consiguieron contra los **marroquíes** en África se disiparon pronto en medio de la confusión y corrupción política. España estaba **hirviendo**. No podría **aguantar más**.

*carried on*

*was getting worse*

*tried and true ⬅ She pretended*
*be dominated*

*resounding*
*Moroccans*

*at the boiling point*
*stand any more*

**1868:**
**"LA GLORIOSA"**

Y la revolución vino. "La Gloriosa" la llamaron. Como con una sola voz, el pueblo se levantó en julio de 1868, y puso fin al régimen de Isabel II. **Ya no cabía** duda. España había perdido el último vestigio de su dignidad, y juntos—el ejército, la **marina**, los estudiantes, el pueblo entero—la iban a recuperar. Pero, ¿cómo? De ahí nacía el dilema. ¿Monarquía democrática? ¿República federal? ¿Una dinastía nueva, elegida por el voto popular? Se formó un gobierno provisional, y después otro, y otro. Se ofreció la corona a varios monarcas y príncipes europeos, y todos la rechazaron. Por fin, la aceptó el príncipe italiano **Amadeo de Saboya**, un hombre de indisputado talento y dedicación, y resuelto a unir a las facciones disidentes por medio de la democracia. La revolución de 1868, "La Gloriosa" no sería en vano.

*There was no more room for*

*navy*

*Amadeus of Savoy*

**FRACASA EL REINADO**
**LIBERAL DE AMADEO**

Pero Amadeo no contaba con el carácter español. En vez de la democracia, sucedió más bien la anarquía. En vez de unirse las facciones, se multiplicaban. La tercera guerra carlista alborotaba la paz, y los **propios partidarios** de Amadeo estaban desunidos. En febrero de 1873, dos

*own partisans*

La reina regente María Cristina en el entierro de su esposo, Alfonso XII.

años después de su llegada a España, Amadeo abdicó, desilusionado y **amargado**. Sus palabras de **despedida** pintan con vivos colores la tragedia española: "Si fueran extranjeros los enemigos de la **dicha** de España, entonces... [yo] sería el primero en combatirlos; pero todos los que con la espada, con la pluma, con la palabra, **agravan y perpetúan los males** de la nación son españoles... He buscado la solución dentro de la ley y no la he hallado."

*embittered ⌖ farewell*

*welfare*

*aggravate and perpetuate the ills*

**REPÚBLICA Y RESTAURACIÓN**

Amadeo volvió a Italia, y en España se proclamó la República. Menos de un año iba a durar, y durante aquellos pocos meses, cayeron doce gobiernos. Las tendencias anárquicas y separatistas del español predominaron sobre la razón. Cataluña declaró su autonomía y quiso separarse definitivamente. Andalucía se rompió en pequeños **cantones**, y en las

*cantons (self-governing units)*

Provincias **Vascongadas cundía** un movimiento independentista. Cuba se rebelaba, los carlistas continuaban sus ataques, y la República se hundió. Como último recurso, las Cortes votaron por la restauración de la monarquía borbónica. Alfonso XII, hijo de Isabel, volvió a España en 1874 para empezar su corto reinado constitucional. El siglo XIX se iba acabando, pero no las disensiones internas, no la inestabilidad y corrupción política. "La Gloriosa" había fracasado, y España se acercaba otra vez al abismo.

*Basque  there spread*

# 48
# Otra Vez la Catástrofe

◇

**1898: ¡A LA GUERRA!** Los periódicos excitaban hacia el furor al **populacho** norteamericano. Había que "libertar" a Cuba. Había que acabar de una vez con el bárbaro imperio español en tierras americanas. "Recuerden el Maine", **clamaban**, y la **fiebre aumentaba**. Mientras tanto, los periódicos españoles decían iguales **necedades**. "Los yanquis no están preparados para la guerra." "No tienen siquiera uniformes para sus soldados." "Los yanquis son todos vendedores de **tocino**. Al ver a los primeros españoles, dejarán las armas y **echarán a correr**."

*populace*

*they clamored  fever*
*increased  stupidities*

*bacon*
*they'll break into a run*

**DESASTRE Y APATÍA** Pío Baroja describe en su novela *El Árbol de la Ciencia* aquel trágico año del 1898. España iba a declarar la guerra a los Estados Unidos. "Había **alborotos**, manifestaciones en las calles, música patriótica **a todo pasto**." El español, **metido** todavía en su sueño de glorias pasadas, no podía aceptar las realidades del siglo XX. Existía aún para él la España del Cid y del César. Y así vino el desastre. En unos pocos días,

*commotions*
*to beat the*
*band  set*

España perdió sus últimas posesiones coloniales—Cuba, Puerto Rico, las Filipinas—y con ellas, los últimos restos de su prestigio imperial. Baroja continúa: "El desastre había sido como . . . una **cacería**, una cosa ridícula." Pero aun peor, "Después del desastre, todo

*hunting chase*

Pío Baroja y Nessi, novelista distinguido de la Generación del '98.

*Pío Baroja y Nessi*, Sorolla y Bastida

el mundo iba al teatro y a los toros **tan tranquilos**; aquellas manifestaciones y gritos habían sido **espuma, humo de paja**, nada." Y los jóvenes intelectuales se indignaban al ver tanta indiferencia. . . Baroja hace comentar a dos protagonistas de su libro:

*as if nothing had happened*

*foam, straw smoke*

—Es triste todo eso. Siempre en este Madrid la misma **interinidad**, la misma **angustia hecha crónica**, la misma vida sin vida, todo igual.

*instability ➤ anguish become daily fare*

—Sí, esto es un **pantano**.

*swamp*

—Más que un pantano, es un campo de **ceniza**.

*ashes*

**CAMPO DE CENIZA: ¿POR QUÉ?** Precisamente en un campo de ceniza se había convertido España. Ceniza porque antes hubo fuego, el fuego de la conquista y del impulso creador. Y poco a poco se fue extinguiendo hasta que no quedaron más que cenizas... Pero, a lo menos una vez hubo fuego, pensaron los jóvenes intelectuales. ¿De dónde vino la **llama** que **alumbró** en un tiempo sus horizontes? ¿Por qué se apagó? ¿Cómo se podrá **encender** de nuevo? Algunos decían que la catástrofe vino porque España había **dejado de ser** ella misma. Había tratado en vano de incorporarse en las corrientes europeas, y no debía. España no pertenecía realmente a Europa, afirmaban. África terminaba con los Pirineos. Allí al sur, debía encontrar España sus verdaderas **raíces**... Pero no, decían otros. España **fracasó** porque no supo ser como el resto de Europa. No adelantó porque siempre tuvo la cabeza **vuelta hacia atrás**. Había que progresar; había que **tapar** para siempre la tumba del Cid; había que despertar.

*flame ➧ lighted*

*be lit*
*stopped being*

*roots*
*failed*
*turned toward the*
*past ➧ seal*

**ORGULLOSOS EN EL DESVÁN** Julio Camba, un humorista de nuestro siglo, nos **recuerda** aquellos tiempos. Comparando a toda Europa con una **casa de vecindad**, dice: "Los españoles estamos en el **desván**. Vivimos entre **telarañas y trastos viejos**. Todos los días decimos que vamos a renovar el **piso**; pero no lo hacemos nunca... Los otros pueblos europeos están mucho mejor **instalados** que nosotros, y comen más y tienen muchísima más fuerza; pero yo no los **envidio**. Los **inquilinos** del desván somos unos hidalgos **que no envidiamos** a nadie."

*recalls*

*tenement house*
*attic*
*cobwebs and junk*
*apartment*

*set up*
*envy ➧ We tenants*
*➧ who don't envy*

**EL DESPERTAR: LA "GENERACIÓN DEL '98"** Hasta cierto punto, Camba tenía razón. Hasta cierto punto sí, los españoles vivían **complacientes** en su **callada** decadencia. Pero el silencio se iba a romper. Pronto se iba a alzar la voz de una nueva generación de escritores y pensadores. "La Generación del '98"

*complacently ➧ quiet*

los llamamos, porque la fuente de su inspiración fue precisamente aquel año trágico. No eran hombres de política, sino de arte, de filosofía. No deseaban cambiar sólo la superficie de España con unas reformas inmediatas, sino renovar los **cimientos** de la conciencia española. Si era necesario destruir **antes** todas sus concepciones fundamentales, pues bien, "destruir es crear", como dijo Baroja. Destruir la complacencia, el orgullo **vacío**, la fe ciega, y actuar, empezar de nuevo, buscar la posibilidad de un futuro fuego. Los renovadores son muchos, y sus obras sacuden el intelecto, aun más, el alma de sus compatriotas. En primera **fila** está por ejemplo el filósofo-novelista-dramaturgo y profesor Miguel de Unamuno, tal vez el **valor** más imponente de la generación. Y con él, el **estrafalario** y sensual Ramón del Valle Inclán; el delicado y pensativo José Martínez Ruiz ("Azorín"), el violento y cínico y genial Pío Baroja, y tantos otros. Traen un renacimiento artístico que pronto tendrá consecuencias en la educación, en la política, en la sociedad misma. Del campo de ceniza está naciendo otra vez el **Fénix**.

*very foundations*
*first*

*empty*

*row*

*creative figure*
*eccentric*

*Phoenix (mythological bird reborn of its own ashes)*

# 49
# Revolución en México

◫

**CANCIONES DE LA REVOLUCIÓN**  "Una cosa me da risa,
Pancho Villa sin camisa;
Ya se van los **carrancistas**
Porque vienen los **villistas**."

*followers of Carranza*
*Villa's men*

"La cucaracha, la cucaracha,
ya no puede caminar. . ."

La Revolución Mexicana **vertida en** canciones.[1]     *poured into*

"Pancho Villa se rindió
en la ciudad de Torreón,
ya se cansó de pelear,
se va a **sembrar** algodón.     *plant*

Todo el mundo está contento
con la **rendición** de Villa     *surrender*
y espera que no haya guerra
por la cuestión de la **silla**.     *the (Presidential) seat*

Carranza ya se murió,
que Dios lo haya perdonado,
nada más por su capricho,
muy caro le ha costado.

Todo fue por un momento,
no más un **trueno** se oyó,     *burst of fire*
el Partido Obregonista
a Carranza derrotó.

El pueblo y la fuerza armada
son de la misma opinión,
quieren que suba a la silla
el general Obregón.

Todo es un mismo partido,
ya no hay con quien pelear,
compañeros, ya no hay guerra,
vámonos a trabajar."

Vámonos a trabajar. Para la paz. Para gozar los frutos
de los árboles y de la tierra. Para vivir libres. Para
comer. Para. . .

**1910:**
**¡VIVA . . .!**
El año, 1910. Los protagonistas, Carranza, Villa, Zapata, Obregón, jefes
de la revolución contra la dictadura de
Porfirio Díaz. Contra la dictadura de Díaz, hemos
dicho, pero ¿en favor de qué?. . . ¿en favor de
quién . . .? Ahí está la tragedia. Volvamos al principio.

[1]Estos trozos vienen de "corridos" mexicanos. Los corridos son canciones
narrativas de tipo folklórico y hay muchos que tratan de la revolución.

**RÉGIMEN DE PORFIRIO DÍAZ** A la muerte de Benito Juárez en 1872, el caudillo Porfirio Díaz subió al poder, y durante las próximas tres décadas México iba a gozar de una "paz y prosperidad" desconocidas en su historia como nación independiente. Sí, reinaba la paz, porque Díaz había suprimido con mano de hierro toda oposición a su "política liberal". Sí, había prosperidad, pero era una prosperidad de la clase alta, **a fuerza de vender** *by dint of selling* a compañías extranjeras los recursos naturales de México. Y los pobres se quedaban tan pobres como siempre.

**EL IDEALISTA MADERO** Para 1909, bandos de guerrilleros se habían formado en el norte, y en 1910 estalló definitivamente la Revolución. Francisco Madero, intelectual, idealista, e **ingenuo**, la encabezó en sus primeros momentos, y *naïve* Díaz **renunció**. En 1911, Madero fue elegido presi- *resigned* dente, y parecía que el **traslado del poder** se había *transfer of power* realizado con poca dificultad. Madero soñaba con un programa liberal, pero no sabía cómo implementarlo. Soñaba con una nación unida en la democracia, pero no contaba con las fuerzas que **obraban en el seno de** *were at work in the breast of* su pueblo. El idealista fue asesinado en 1913; el reaccionario general Victoriano Huerta asumió la presidencia; los campos disidentes se juntaron para combatirle, y la Revolución había comenzado de nuevo.

**GENERALES Y CAMPESINOS** Desde el sur vino Emiliano Zapata con sus hordas **hambrientas de** *hungry for* tierra. Desde el norte bajaron Venustiano Carranza, Pancho Villa, y Álvaro Obregón. La Revolución había tomado un carácter popular, y casi todos sus jefes eran hombres del pueblo, faltos de educación, pero llenos de la furia de los siglos. Durante el régimen de Porfirio Díaz habían desaparecido los verdaderos partidos políticos, y ahora no quedaban más que individuos, caudillos personales. Huerta renunció en 1914, y los victoriosos generales de la

Pancho Villa entrando en un pueblo. Fotografía
auténtica de la Revolución Mexicana.

Revolución empezaron a luchar entre sí. Pancho
Villa, un campesino rudo, conocido tanto por su
valentía como por su crueldad, triunfó primero. Pero
al año siguiente, fue derrotado y la estrella de Carranza
comenzó a subir.

**NUEVA
CONSTITUCIÓN**    En 1917 se promulgó una nueva
constitución, y México **pensaba
dar** sus primeros pasos hacia el fu-
turo. **Se repartirían** las grandes haciendas. Se acabaría
con el **caciquismo** y la corrupción. Se mejorarían las
condiciones del trabajo. Se recuperarían los recursos
naturales que Díaz había entregado a los extranjeros.
Carranza realizaría un amplio programa de reforma
social, y la sangre **derramada** en la guerra no sería
en vano.

*expected to take*

*would be divided up*
*bossism*

*spilled*

**SUCESIÓN DE PRESIDENTES**

Pero la presidencia de Carranza fracasó totalmente. Viendo **desechadas** sus demandas de reforma agraria, Zapata volvió a incitar a las masas del sur. Poco después, murió víctima de una conspiración de los carrancistas. Mientras tanto, Obregón **proyectaba** su propia revolución de "**reivindicación**". Carranza fue asesinado, y Obregón se hizo presidente. Villa se lanzó a la rebelión, y él también murió asesinado en 1923. Siguieron otros presidentes y otros asesinatos y otras revueltas, a veces liberales, o radicales, otras veces, conservadoras, o católicas. Por fin, en 1934, el presidente Lázaro Cárdenas se encargó de la evolución dinámica de un nuevo México. La revolución sangrienta había terminado, pero la verdadera, la fundamental, sigue sacudiendo hasta hoy la estructura social de la nación.

*ignored*

*was planning*
*vindication*

**PSICOLOGÍA DE LA REVOLUCIÓN**

Mariano Azuela pinta en su novela ***Los de Abajo*** la psicología del pueblo mexicano en aquellos años **frenéticos** de la Revolución. Para muchas personas, la guerra era como un narcótico que las apartaba de la triste realidad **cotidiana**. Como el autor hace decir a un poeta en su novela, "Amo la Revolución como amo al volcán que **irrumpe**. ¡Al volcán porque es volcán; a la Revolución porque es Revolución!" Uno **deja de ser uno**; **se hace masa**, y se deja llevar por la **oleada**. "Porque si uno trae un fusil en las manos y las **cartucheras** llenas de **tiros**, seguramente es para pelear. ¿Contra quién? ¿En favor de quiénes? ¡Eso nunca le ha importado a nadie!"

*The Underdogs*

*frenzied*

*everyday*

*erupts*

*stops being himself; he becomes part of a mass ⬤ wave*
*cartridge holders*
*shots*

**"¿PUES CUÁL CAUSA...?"**

*Los de Abajo* es la historia de un campesino, Demetrio Macías, que a consecuencia de una **rencilla** personal con el cacique de su pueblo, se junta con la Revolución. Con el tiempo llega a ser uno de los jefes revolucionarios. Pero no sabe realmente por qué ni **para qué** está luchando. En una ocasión un

*dispute*

*what for*

prisionero le ruega que le perdone la vida. "No me maten", dice. "Yo soy un verdadero **correligionario.**" — *believer in the same cause*

—¿Corre...qué?—inquirió Demetrio, **tendiendo una oreja.** — *lending an ear*

—Correligionario, mi jefe..., **es decir**, que persigo los mismos ideales y defiendo la misma causa que ustedes defienden. — *I mean*

Demetrio sonrió:—¿*Pos* cuál causa defendemos nosotros? — **(Pues)**

Así, como la piedra que sigue rodando hasta que llega al fondo del abismo, siguió la vida de Demetrio Macías. Y así siguió la Revolución. Hasta que acabó. Pero detrás de la **nube de polvo** que levantó en su loca **carrera**, se iba a ver una luz más clara, un nuevo día. — *cloud of dust / flight*

# 50

# Hoy y Mañana

◈

**LETARGO EN AMÉRICA**

Siglo XX. Hoy. **Amaneció el día** en América con la Revolución mexicana, **chorro** de sangre que **enrojeció el alba**. Pero el rojo se fue **destiñendo** a medida que se alzaba el sol, y para el mediodía, tomaba un **ligero matiz dorado, vislumbre del más allá**. México emprendía un camino nuevo, **escabroso** todavía, pero a lo menos un poco **más seguro** que el viejo. Mientras tanto, el resto de la América latina dormía **aún el sueño del letargo**. Con raras excepciones (el Uruguay y Costa Rica tal vez), las repúblicas del sur eran regidas por caudillos y dictadores, y las constituciones, modeladas según la de los Estados Unidos, eran **como fantasmas** de un futuro que

*The day broke*

*a spurt*
*reddened the dawn ➤ fading*

*slight golden hue, glimpse of something beyond ➤ rocky*
*safer*

*still the sleep of lethargy*

*like ghosts*

Caracas, ciudad moderna y cosmopolita.

**no había de** llegar. Como **solía** decir uno de los notorios dictadores venezolanos, "¿La constitución? Sí, la amo mucho. Aquí la tengo siempre en **el bolsillo.**" Y sonriendo, sacaba del bolsillo un papel **arrugado.**

*wasn't going to ⟶ used to*

*my pocket*

*wrinkled*

**POBREZA, IGNORANCIA, Y GOLPES DE ESTADO**

Así como el gobierno estaba por la mayor parte en manos de caudillos, la economía estaba en manos de la clase alta. Los ricos eran riquísimos, y los pobres yacían en la miseria. Las actividades principales eran agrícolas y **mineras.** Faltaban escuelas y buenos caminos y medios de transportación. Había poca **fabricación,** y en aquellos países donde **escaseaban las** grandes ciudades, casi no existía una clase media. Pero los políticos seguían **pronunciando discursos altisonantes,** los

*mining*
*manufacture*
*there were few*

*making high-sounding*

Indios peruanos.
El mundo hispano: tierra de contrastes.

militares hacían sus **periódicos golpes de estado**, y el gobierno pasaba de mano en mano **sin que hubiera** un verdadero cambio fundamental.

*speeches ➤ periodic coups d'état (power takeovers) without there being*

**CONSECUENCIAS DE LA DEPRESIÓN MUNDIAL**

Sobrevino el año 1929. Y la depresión económica que hundió aun a las naciones más potentes, sacudió hasta las raíces a los débiles países hispanoamericanos. El pueblo sufría un hambre mortal, y los fusiles de los soldados ya no bastaban para sofocar sus gritos. Además, ahora **se les juntaba** una voz nueva, la de la joven generación de artistas y escritores. Izquierdistas en su mayoría, unían a su denuncia de las condiciones **prevalecientes** la promesa de un **porvenir más claro** bajo el. . . ¿socialismo? ¿comunismo? ¿sindicalismo?[1] ¿apris-

*they were joined by*

*prevailing*

*brighter future*

[1]Gobierno por los sindicatos de trabajadores.

mo?[2]   ¿peronismo?[3]   ¿democracia   cristiana?[4] ...?
Hubo **motines** y sublevaciones, pero los cambios no   *riots*
eran inmediatos. Se adelantaban las uniones de los
**obreros**, pero poco progresaba la educación, poco se   *workers*
mejoraban las condiciones de los labradores de la
tierra. La ignorancia ofrecía fértil campo a todos los
"ismos", pero al mismo tiempo hacía imposible la
acción unida. La **muchedumbre** rugía: "¡**Fuera** los   *crowd ⬥ Out with*
extranjeros! ¡Váyanse, yanquis!", sin darse cuenta
de que el verdadero tirano estaba en casa.

**PROBLEMAS ACTUALES
DE HISPANOAMÉRICA**

En los últimos años, Hispanoamérica ha emprendido por fin un cambio
de camino. Han caído casi todos los dictadores más
**aferrados**—Perón en Argentina, Trujillo en la   *entrenched*
República Dominicana, Batista en Cuba, Rojas Pinilla
en Colombia, Jiménez en Venezuela. Favorecido por
una política más liberal—y más realista—de parte
de los Estados Unidos, se está desarrollando el potencial
económico de algunos de los países del sur. Pero los
problemas existen todavía. La falta de educación en
muchas partes; los **escasos** medios de transporte y de   *scant*
comunicación; los gigantescos obstáculos geográficos;
la tendencia al régimen personalista; la abierta corrupción política; la amenaza del comunismo; y el
continuo faccionalismo que cede sólo ante la mano
fuerte. Hispanoamérica es una, y es múltiple. Cada
país tiene sus propios problemas y conflictos y solu-
ciones. Pero a todos les une un fuerte sentido de su
**hispanidad** y de su fondo católico, herencia de   *Hispanic background*
España transplantada al suelo de América.

**ESPAÑA: HASTA
LA GUERRA CIVIL**

Siglo XX. Hoy. Amaneció el
día en España con el despertar
después del desastre. **Se re-**   *are stirred up*
**mueven** las cenizas, pero los **chispazos** que salen de   *⬥ sparks*

---

[2]Programa político de un partido izquierdista peruano llamado A.P.R.A.
(Alianza Popular Revolucionaria Americana).
[3]Doctrina obrerista-militar del dictador argentino Perón.
[4]Partido popularísimo hoy en Chile y otros países latinos. Ocupa más bien
el centro, aunque tiene ciertas tendencias hacia la izquierda.

ellas **se desparraman**, y el caos continúa. **Levanta-** *scatter ━ Uprisings ━*
**mientos**. Corrupción política. **Atraso** económico. *backwardness*
Separatismo. Anarquismo. En 1923 un golpe de estado
suspende los derechos constitucionales, y establece la
dictadura de Miguel Primo de Rivera. En 1930 Rivera
tiene que renunciar, y al año siguiente se proclama otra
vez la república. Orientada hacia la reforma social y la
separación de la iglesia y del estado, el gobierno republicano encuentra fuerte resistencia entre los elementos
conservadores. La situación empeora mientras las
facciones se acercan a los extremos. En 1936 los
izquierdistas triunfan en las elecciones, y estalla casi
en seguida la guerra civil. Tres años después el ultra-
conservador general Francisco Franco, ayudado por
Hitler y Mussolini, finaliza su victoria, e instituye un
régimen dictatorial que ha mantenido el poder hasta
hoy.

**DICTADURA**    La dictadura de Franco ha seguido el
curso de todo gobierno totalitario,
suprimiendo la libertad de la prensa
y de la libre expresión. Pero ha tenido que **llevar en** *keep in mind*
**cuenta** siempre ciertos aspectos del carácter español.
Aprovechándose del profundo sentimiento católico
del pueblo, Franco justifica su régimen autoritario
como única defensa contra el comunismo **ateo**. Justi- *atheistic*
fica su sistema militarista en nombre de la unidad, y
señala con orgullo los largos años de "paz" que
España ha gozado en medio de un mundo entregado
a la guerra. Pero no ha podido apagar totalmente el
deseo de libertad que vive dentro del español. Y así ha
tenido que **aflojar** en años recientes su **agarro de** *loosen ━ iron grip*
**hierro**, y ha hecho concesiones a las uniones de obre-
ros, a los periódicos, y en ciertos respectos, a las
universidades. El español puede caminar más libre-
mente ahora por las calles de sus ciudades y pueblos.
Y el **chófer de taxi** puede contar chistes acerca del *taxi driver*
viejo dictador y su **séquito**. Pero los cambios han sido *hangers-on*
superficiales, y la dictadura persiste siempre por
debajo.

**ESPAÑA MODERNA, ESPAÑA VIEJA**

Ha sido superficial también la aparente prosperidad que adorna las grandes ciudades con nuevos **barrios** de apartamentos modernos. España está disfrutando del dinero traído por el turismo y por las bases militares norteamericanas. En algunas regiones se ven nuevos sistemas de irrigación y algún desarrollo industrial. Pero por lo general, España sigue siendo una nación agrícola, de infinitos pueblos pequeños donde todavía falta **el agua corriente**, y frecuentemente la electricidad. Tierra de contrastes, **abriga** una población urbana consciente del mundo de fuera, del arte moderno y de la televisión, y una población rural metida todavía en el pasado.

*neighborhoods*

*running water*

*it shelters*

**PERSPECTIVAS DEL FUTURO**

¿Mañana? Se han puesto en marcha ya varias fuerzas nuevas que empujan a España e Hispanoamérica hacia la corriente de las demás naciones occidentales. El mundo se ha hecho demasiado pequeño para poder permitir el **aislamiento**. El cambio tiene que realizarse. Pero primero, conociendo el carácter hispano, hay ciertas preguntas **que contestar**. ¿Están preparadas España e Hispanoamérica para la democracia? ¿Será capaz el hispano de sacrificar hasta cierto punto su individualismo orgulloso para hacer un esfuerzo unido? ¿Bastará su profunda religiosidad para acabar con la amenaza comunista? ¿**Aportará** al gesto heroico el **contrapeso** de la razón, a la palabra **emocionante**, un impulso **sostenido** hacia la acción? . . .

¿Mañana . . . ?

*isolation*

*to be answered*

*Will he bring*
*counterbalance*
*stirring ← sustained*

# EPÍLOGO: VISTA
# DESDE ADENTRO

## EL HISPANO A TRAVÉS DE SU LENGUA

Hemos visto ya al hispano a través de su historia, por las cosas que hace, por los actos que llegan a la superficie de los tiempos. Ahora, antes de dejarlo, **echémosle una mirada desde adentro. Internémonos** un poco en su subconciencia, en los aspectos sutiles de su ser que se revelan sólo por su lengua, por su manera de pensar. . .

*let's cast a glance at him from within ➼ Let's get inside*

## EL GESTO DRAMÁTICO

El hispano, como hemos dicho, es un hombre apasionado, dado a la exageración y al gesto dramático. Y así lo demuestra su lenguaje. Comparémosle con el norteamericano o con el inglés, por ejemplo. Les ha cogido una fuerte lluvia. El inglés queda "**mojado hasta la piel**". El hispano queda "mojado hasta los **huesos**". Déles un **montón** de trabajo. El inglés está "**hasta el pescuezo**". El hispano está "hasta la **coronilla**". Véalos enamorados. El inglés ama hasta el **fondo** de su corazón. El español, ¡**hasta los hígados**! Obsérvelos **equivocados o arrepentidos**. El inglés lo **siente** profundamente. El hispano lo lamenta en el alma. El inglés da la **bienvenida** a sus **huéspuedes**. ¡El hispano le da su casa! "Mi casa es de Ud", dice. "Mi casa es su casa." El inglés da muchas gracias. El hispano da mil.

*drenched to the skin*

*bones ➼ pile*
*up to his neck*
*tip top of his head*
*bottom ➼ right down to his liver ➼ mistaken or sorry regrets*
*welcome ➼ guests*

## SU CARÁCTER INDIVIDUALISTA

Hemos dicho que el hispano es individualista, que conserva a todo momento una conciencia aguda de su propia dignidad, de su "yo". ¿Qué dicen sus **refranes**? "Cada uno es hijo de sus obras." "No es un hombre más que otro si no hace más que otro." "Tienes tu alma en tu cuerpo y tu libre **albedrío** como el **más pintado**." "**Ruin sea quien por ruin se tiene**." "**Debajo de mi manto, al rey mato**." "**Ándeme yo caliente**, y ríase la gente." "**Allá se lo hayan**. Con su pan **se lo coman**."

*popular sayings*

*will ➼ biggest VIP. "Anyone who thinks nothing of himself, is nothing."*
*"Under my cloak, I can kill the king." (I'm as good as he.) "Let me be nice and warm ➼ "That's their affair. Let them eat it."*

**ESTOICISMO** Estoico, hace frente a la vida con una firme resignación **matizada** de optimismo. "Lo que hoy se pierde, se gana mañana", dice. "Donde una puerta se cierra, otra se abre." "El que hoy cae puede levantarse mañana." "Desnudo nací, desnudo me hallo; ni pierdo ni gano." Y hace frente al desastre diciendo: "No hay mal que cien años **dure**." "Buen corazón **quebranta mala ventura**." "No hay mal que **por bien no venga**." "Para todo hay remedio, si no para la muerte."

*tinged with*

*lasts ⬤ breaks bad luck ⬤ that doesn't lead to some good*

**RELIGIOSIDAD** Preocupado con la muerte, el hispano halla su único **consuelo** en una profunda religiosidad. "Cada uno es como Dios le hizo", dice. "Bien **predica quien** bien vive." "Quien **yerra y se enmienda**, a Dios **se encomienda**." "El hombre propone, y Dios dispone." "Dios, que da la **llaga**, da la medicina." Pero hay que cuidarse mucho de las influencias malas, **advierte**. Porque, "El diablo nunca duerme." Y a veces, aun "**Tras** la cruz está el diablo."

*consolation*

*preaches he who ⬤ errs and makes amends*

*delivers himself*

*wound*

*he warns*

*Behind*

**REALISMO PRÁCTICO** Pero la resignación y la **piedad** religiosa no bastan por sí solas. Fe y obras, dice Dios. Hay que actuar. Hay que aprovecharse de las oportunidades cuando se presentan. "**Al que madruga**, Dios le ayuda." "A Dios **rogando, pero con el mazo dando**." "Cuando viene el bien, métalo en tu casa." "**Cuando te dieren la vaquilla, corre con la soguilla**." "**Más vale un toma que dos te daré**." Uno puede subir mucho en la escala social. No importa cómo haya nacido, sino cómo haya vivido. "No con quien naces, sino con quien **paces**." "Dime con quién andas, **decirte he** quién eres." Pero uno no debe ser demasiado ambicioso. "Cada **oveja** con su **pareja**." "Muchos van por **lana** y vuelven **trasquilados**." "**Nadie tienda más la pierna de cuanto fuere larga la sábana**." Porque "La **codicia** rompe el saco." Y "**Por su mal le nacieron alas a la hormiga**."

*piety*

*The one who gets up early (The early bird. . . .) ⬤ praying, but hitting with the hammer at the same time. ⬤ "When they give you the calf, hurry over with the rope." ⬤ "One 'here, take it' is worth more than two promises."*

*you pasture (whom you live with) ⬤ and I'll tell you*

*sheep ⬤ mate*

*wool ⬤ clipped ⬤ "No one should stretch out his leg more than the length of the bedsheet." ⬤ greed ⬤ "For his own harm did the ant grow wings."*

**ENLACE CON LA TIERRA**
Encontrando ardua su lucha por la vida, se muestra a veces muy práctico, muy hombre de la tierra. "Los **duelos**, con pan son menos", dice "**Tripas llevan pies, que no pies trapas.**" O cambia el refrán para decir: "Tripas llevan corazón, que no corazón tripas." "**Muera Marta, y muera harta.**" "De **paja** o de **heno, mi vientre** lleno." Y en un momento de desilusión, añade: "**Tanto vales cuanto tienes**, y tanto tienes cuanto vales."

*pains ➤ " The stomach (guts) carries the feet, not vice versa."*

*"If Marta has to die, let her die full." ➤ straw ➤ hay, my stomach*
*You're worth as much as you have*

**ACTITUD HACIA LAS MUJERES**
En cuanto a las mujeres, el hispano tiene unas teorías interesantísimas. Por ejemplo, la actitud tradicional: "La mujer honrada, la pierna **quebrada**, y en casa." O en otras palabras: "La mujer y la **gallina, por andar se pierden aína.**" Pensando en términos más gentiles, dice: "La **doncella** honesta, **el hacer algo es su fiesta.**" Y concluye generalmente: "Mejor parece la hija mal casada que bien **abarraganada.**" Respecto a la educación, los refranes populares indican un cambio bastante radical en su punto de vista. Antes, el hispano decía siempre: "**La letra**, con sangre entra." Pero en tiempos modernos, agrega: "Pero con dulzura y amor, se aprende mejor."

*broken*

*hen, when they run around, get lost easily*

*maiden ➤ doing things is her pleasure*
*"kept"*

*Learning*

**HOMBRE DE LUCHA Y CONTRADICCIÓN**
Su lenguaje nos abre su corazón. Sangre, amor, tierra, Dios. Individualista, contradictorio, apasionado, orgulloso, católico, dramático, heroico, estoico. Un hombre de lucha y de contradicción. El hispano, **por dentro y por fuera.**

*inside and out*

# Vocabulario

◈

This vocabulary contains all words used in the text, other than exact or obvious cognates, the articles, and a few very common words that should be familiar to every student of elementary Spanish. The gender of nouns (except for masculine nouns ending in **o** and feminine nouns ending in **a**) is indicated by *m.* or *f.* Other abbreviations used are: *n.* noun; *v.* verb; *adj.* adjective; *adv.* adverb; *prep.* preposition; *conj.* conjunction; *demonst.* demonstrative; *pron.* pronoun. Verbs that undergo changes in their stem vowel show that change in brackets after the infinitive: **sentir [ie]**, **dormir [ue]**. Irregular verbs are shown by a star: **hacer★, decir★**. Verbs that are based on other irregular verbs are indicated by a star with the affected part in italics: **con*venir*★, dis*poner*★**. (Notice that verbs ending in -**ducir** are conjugated like **conducir**; those ending in -**eer**, like **creer**; and those ending in -**olver**, like **volver**.) Verbs ending in a vowel + **cer** have the change [**zco**]. Verbs of the type of **enviar** and **continuar** show the change [**ío**] or [**úo**]. And verbs that undergo spelling changes have the affected consonant indicated in italics. Thus: **co*g*er**, **ven*c*er**. (Recall that **g** becomes **j**, **c** becomes **z**, and **gu** becomes **g** before **o** or **a**. Also, that **g** becomes **gu**, **c** becomes **qu**, and **gu** becomes **gü** before **e**.) In addition, those English translations that may possibly involve unfamiliar words are amplified with synonyms. In this way, the vocabulary listings may be a source of further study and word-building.

**a**  to; at;  — **veces**  at times
**abandonar**  to abandon
**abar*c*ar**  to include, encompass
**abdi*c*ar**  to abdicate, give up (a throne)
**abierto**  open
**abismo**  abyss
**abofeteado**  buffeted
**abogado**  advocate; lawyer
**abra*z*ar**  to embrace
**abri*g*ar**  to shelter
**abro*g*ar**  to abrogate, nullify
**absuelto**  absolved, acquitted
**acabar**  to finish;  — **de**  to have just
**acariciar**  to caress

**acceso**  access
**aceituna**  olive
**acento**  accent
**acequia**  irrigation ditch
**acerca de**  *prep.*  about, concerning
**acer*c*arse**  to approach
**aco*g*er**  to take in;  — **se a**  to take refuge in, turn to
**acompañar**  to accompany
**aconsejar**  to advise
**acordarse de [ue]**  to remember
**acosado**  beset
**acostumbrar**  to accustom;  — **se a**  to become accustomed to

**actitud** *f.*  attitude

**actual**  current, present

**actuación** *f.*  action, steps

**actuar** [úo]  to act

**acudir**  to hasten, rush forth; to turn (to)

**acuerdo**  agreement; **de __ con**  in accordance with; **estar de __**  to agree, be in agreement

**acuñar**  to coin (money)

**acurrucado**  huddled

**acusar**  to accuse

**adaptar**  to adapt

**adelantar (se)**  to move forward, progress

**adelante**  forward; ahead **camino __** onward; **de allí en __**  from then on

**además** *adv.*  besides; **__ de** *prep.* beside(s)

**adentro**  inside; **desde __**  from within; **hacia __**  inward

**adivinar**  to guess, foretell, divine

**admirador** *n.*  admirer; *adj.*  admiring

**adondequiera**  wherever

**adornar**  to adorn, decorate

**adquirir** [ie]  to acquire

**adversario**  adversary, opponent

**advertir** [ie]  to warn; advise

**afán** *m.*  desire, zeal

**afectuoso**  affectionate, fond

**aferrado**  entrenched

**aferrarse**  to take hold

**afición** *f.*  fondness

**aficionado a**  fond of

**aficionarse a**  to take a liking to

**afirmar**  to affirm; **__ se**  to get set, take hold

**aflojar**  to loosen

**aforismo**  aphorism, common saying

**afuera**  outside; **desde __**  from the outside, from without

**agobiar**  to exhaust, wear out

**agolparse**  to crowd against

**agotar**  to exhaust, use up

**agradecer** [zco]  to thank; be grateful for

**agrario**  agrarian, agricultural

**agravar**  to aggravate, worsen

**agravio**  harm

**agregar**  to add

**agrupación** *f.*  grouping

**agrupar(se)**  to group together

**agua**  water

**aguador**  water seller

**aguantar**  to endure, stand for

**aguardar**  to await

**agudo**  sharp

**agüero**  omen

**ahí**  there (near you, not remote)

**ahora**  now; **__ bien**  well now

**ahorcar**  to hang

**ahuyentar**  to drive away

**aire** *m.*  air; **al __ libre**  in the open air

**aislamiento**  isolation

**ajado**  faded

**ajedrez** *m.*  chess

**ajeno**  someone else's; alien (to), removed (from)

**ajusticiar**  to execute (a person)

**al + *infinitive***  upon (doing something)

**ala**  wing

**alabar**  to praise

**alabastro**  alabaster

**alano**  Alan (member of a certain Gothic people)

**alba**  dawn

**albaricoque** *m.*  apricot

**albedrío**  free will

**albores** *m.pl.*  first light of dawn

**alborotar**  to upset, disturb

**alboroto**  commotion, upset

**alcahueta**  go-between

**alcalde**  mayor

**alcance**  reach; **al —** within reach
**alcanzar**  to reach; attain, achieve
**alegar**  to allege
**alegoría**  allegory (literary device portraying abstract qualities through characters or symbols)
**alegrar**  to make happy, gladden;
  **— se de**  to be happy (that)
**alegría**  joy, gladness
**alejado**  removed from, distant
**alejar(se)**  to move away, withdraw
**alemán**  German
**alinear**  to line up
**alfombra**  rug
**alfombrado**  carpeted
**algo**  something; *adv.* somewhat, rather
**algodón** *m.*  cotton
**alguacil**  constable
**alguien**  someone
**algún (alguno, a, os, as)**  some
**aliado**  ally
**alianza**  alliance
**aliarse [ío]**  to ally oneself
**aligerar**  to lighten, ease
**alistar**  to make ready;
  **— se**  to enlist; get ready
**allá**  there (yonder); **el más —**  the beyond
**alma**  soul
**almacén** *m.*  store; warehouse
**almirante**  admiral
**almirez** *m.*  pharmacist's mortar
**almohada**  pillow
**almoneda**  auction
**alojamiento**  lodging
**alquimia**  alchemy
**alrededor** *adv.*  all around;
  **— de** *prep.*  around
**alteza**  highness
**altibajos** *m.pl.*  ups and downs
**altisonante**  highsounding
**alto**  high; tall

**altura**  height
**alumbrar**  to light up
**alzar**  to raise; **— se**  to rise up, rebel
**allí**  there; **de — en adelante**  from then on
**amalgama**  amalgam, mixture
**amanecer [zco]** *v.*  to dawn; *m.*  dawn
**amancramiento**  affectation
**amante** *n.*  lover; *adj.*  loving
**amar**  to love
**amargado**  embittered
**amargo**  bitter
**amarillo**  yellow
**ambicionar**  to have an ambition to
**ambiente** *m.*  atmosphere
**ambos**  both
**amenaza**  threat, menace
**amenazar**  to threaten, menace
**amistad** *f.*  friendship; *pl.* friends
**amnistía**  amnesty, pardon
**amo**  master
**amonestación** *f.*  warning
**amor** *m.*  love
**amorío**  love affair
**amoroso**  loving; **poción amorosa** love potion
**ampliar [ío]**  to broaden, amplify
**amplio**  full, broad, ample
**amurallado**  walled
**análogo**  analogous
**anales** *m.pl.*  annals
**analfabeto**  illiterate
**anárquico**  anarchistic
**andaluz**  Andalusian
**andante: caballero —**  knight errant
**andar***  to walk
**andino**  Andean
**anegarse**  to wallow; drown
**anestésico**  anesthetic
**anexar**  to annex
**angustia**  anguish
**ánimo**  spirit, courage

**aniquilar** to annihilate

**antagonista** *m.* antagonist, opponent

**ante** before, in front of, in the presence of, faced with

**antecesor (a)** ancestor

**anterior** previous

**antes** *adv.* before(hand); first; __ **de** *prep.* before; __ **de que** *conj.* before; __ **que** rather than

**anticuado** antiquated

**antigüedad** *f.* antiquity, ancient times

**antiguo** ancient; former

**anular** to annul

**añadir** to add; __ **se** to be added

**año** year

**apaciguar** to pacify

**apagar** to put out, extinguish

**aparecer [zco]** to appear, put in an appearance

**aparición** *f.* apparition

**apartar** to move away; to separate

**apasionado** passionate

**apasionarse (por)** to take a great liking to, go wild over

**apelar** to appeal

**apenas** hardly; scarcely

**apertura** opening

**aplanar (se)** to level off

**aplastarse** to get crushed

**aplicar** to apply

**apoderarse** to take possession

**apodo** nickname

**apogeo** apogee, high point

**aportar** to bring to; to contribute

**apoyar** to support

**apoyo** support

**aprender** to learn

**apresurarse** to hurry

**apretar [ie]** to squeeze; to press tightly

**aprovechar(se de)** to take advantage of

**apuesto** handsome

**apuñalar** to stab

**apuntar** to aim (a gun)

**aquel (aquella, aquellos, aquellas)** *demonst. adj.* those (remote)

**aquello** that (*neuter*)

**árabe** *n.* Arab; *adj.* Arabic

**arábigo** Arabic (language)

**arabizado** influenced by Arabic culture

**árbitro** arbiter, standard maker

**árbol** *m.* tree

**arcipreste** archpriest

**arco** arch

**arder** to burn

**ardiente** burning, flaming; ardent

**arduo** hard, difficult

**arena** sand

**Argel** Algiers

**argelino** Algerian

**arma** arm (weapon)

**armadillo** armadillo (tropical animal)

**armar** to arm; to put together; to cause

**arpa** harp

**arqueólogo** archeologist

**arraigado** strongly rooted

**arraigarse** to take root

**arrasar** to demolish

**arrastrar** to drag; take (lives)

**arreglar** to arrange

**arrepentido** repentant

**arrepentirse de [ie]** to repent; feel sorry, regret

**arriano** Arian, member of an early Christian sect

**arriesgar** to risk

**arrodillarse** to kneel

**arrojar** to throw

**arroz** *m.* rice

**arrugado** wrinkled

**arte** *m.* art; **las artes** the fine arts

**artículo** article

**arzobispo** archbishop

**asaltar** to assault, attack

**asalto** assault

**asamblea**   assembly
**ascendencia**   ancestry
**ascender**   to amount to (a sum); to promote
**asceta**   ascetic, one who denies himself physical pleasure
**ascético**   ascetic
**ascetismo**   asceticism, self-denial
**asentar [ie]**   to set down, establish; **— se**   to establish oneself
**asesinar**   to assassinate
**asesino**   assassin
**así**   thus; so; **— como**   just as; **— que** *conj.* and so; as soon as; **Así es que . . .**   And so . . ., So it is that . . .
**asiduamente**   assiduously, diligently
**asiento**   seat
**asimilar**   to assimilate
**asombrar**   to surprise; to shock
**aspereza**   harshness
**áspero**   harsh, rough
**astillar**   to shatter
**astuto**   shrewd, astute
**asumir**   to assume
**asunto**   matter
**asustado**   frightened
**asustar**   to frighten
**atacar**   to attack
**ataque** *m.*   attack
**atar**   to tie
**atardecer** *m.*   nightfall
**atender [ie]**   to attend (to)
**ateo**   atheist(ic)
**atlético**   athletic
**atónito**   astonished; shocked
**atormentar**   to torment
**atractivos** *m.pl.*   attractiveness, charms
**atraer★**   to attract
**atrás**   behind
**atrasado**   backward
**atraso**   backwardness
**atravesar [ie]**   to cross

**atreverse**   to dare
**atrevido**   daring, bold
**atribuir [uyo]**   to attribute
**aumentar**   to increase, augment
**aun**   even
**aún**   still
**aunque**   although
**ausencia**   absence
**austero**   austere
**austríaco**   Austrian
**auto (sacramental)**   a one-act religious play
**autodidacta**   self-taught
**autonomía**   autonomy, self-government
**autoridad** *f.*   authority
**avance** *m.*   advance
**avanzar**   to advance
**avaricia**   avarice, greed
**aventurero** *n.*   adventurer; *adj.* adventurous
**avergonzado**   ashamed
**avergonzarse**   to be ashamed
**ávido**   avid
**ayer**   yesterday
**ayudar**   to help
**azadón** *m.*   hoe
**azaroso**   hazardous; full of ups and downs
**azor** *m.*   falcon
**azotar**   to whip
**azúcar** *m.*   sugar
**azul**   blue

**bailar**   to dance
**bailarín** *m.*   dancer
**baile** *m.*   dance
**bajar**   to lower
**bajo** *adj.*   short; low; *prep.* under
**bala**   bullet
**balanza**   balance; scale
**baldosín** *m.*   tile

**bancarrota**  bankruptcy
**banco**  bank; shore
**banda**  band, strip
**bandido**  bandit
**bando**  band, group
**bandolero**  bandit, highwayman
**baño**  bath
**barba**  beard
**barbarie** *f.*  barbarity
**bárbaro**  barbarian
**barco**  ship
**barrio**  neighborhood
**barroco**  Baroque (referring to an ornate style of the latter 16th and 17th centuries)
**base** *f.*  base; basis
**bastante**  enough; rather, quite
**bastardo**  illegitimate
**batel** *m.*  small scooped-out boat
**bautizar**  to baptize
**beber**  to drink
**bebida**  drink
**bendito**  blessed
**benedictino**  Benedictine (monk)
**benévolo**  benevolent, kindly
**berberisco**  Berber (North African tribesman)
**bereber**  Berber
**berenjena**  eggplant
**besar**  to kiss
**Biblia**  Bible
**bien** *m.*  good; welfare; *pl.* goods, possessions; *adv.* well; **más** __ rather
**bienvenida**  welcome
**bisonte** *m.*  bison
**blanco** *n.*  target; *adj.* white
**blancura**  whiteness
**blando**  soft
**bloquear**  to blockade
**boca**  mouth
**bocado**  mouthful, bite

**boda**  wedding
**boga**  vogue
**bolsa**  purse; **Bolsa** Stock Exchange
**bolsillo**  pocket
**bondadoso**  kind
**bonete** *m.*  sailor's cap
**borbón**  Bourbon (member of the royal family)
**borbónico** *adj.*  Bourbon
**borde** *m.*  edge; **al** __ at the edge of
**bordo: a** __  on board
**borracho**  drunk
**bosque** *m.*  forest
**boticario**  druggist
**botín** *m.*  booty
**brazo**  arm
**brillar**  to shine
**brisa**  breeze
**broma**  joke
**bronce** *m.*  bronze
**brotar**  to spring forth
**bruja**  witch
**brujo**  wizard
**brutalidad** *f.*  brutality
**bucanero**  buccaneer
**buey** *m.*  ox
**buque** *m.*  ship
**burgalés**  inhabitant of Burgos
**burgués** *n.* and *adj.*  bourgeois, middle class (person)
**burguesía**  bourgeoisie; middle class
**burla**  joke; ridicule; __ **pesada** practical joke
**busca**  search
**buscar**  to look for
**boleto**  ticket

**caballeresco**  chivalric, of chivalry
**caballero**  gentleman; knight
**caballería (andante)**  knight errantry
**caballo**  horse; **a** __ on horseback
**cabellera**  hair (poetic)

**caber**★ to fit; **No cabe duda.** There is no room for doubt.

**cabeza** head

**cabildo** town council (colonial Latin America)

**cabo** end; **llevar a** — to fulfill, realize

**cabra** goat

**cacería** hunt

**cacique** chieftain; political boss

**caciquismo** bossism

**cada** each

**cadalso** gallows

**cadáver** *m.* corpse

**cadencia** cadence, musical progression or rhythm

**caer**★ to fall; — **se** to fall down

**caída** fall

**cálculo** *gen. pl.* calculation(s)

**calentar [ie]** to heat

**caliente** warm, hot

**califa** caliph (Moslem ruler)

**califato** caliphate

**calificado** qualified

**calmar** to calm down

**calor** *m.* heat; warmth

**calumnia** slander

**caluroso** hot

**callado** silent; quiet

**calle** *f.* street

**callejón** *m.* alley

**cama** bed

**cambiar** to change; to exchange

**cambio** change; **a** — **de** in exchange for; **en** — on the other hand

**caminar** to walk

**caminata** walk

**camino** road

**camisa** shirt

**campamento** camp

**campana** bell

**campanilla** little bell

**campaña** campaign

**campeón** champion

**campesino** farmer; rural dweller

**campestre** (referring to the) country

**campo** country (opposite of city)

**canción** *f.* song

**cansancio** fatigue; boredom

**cantar** to sing; *m.* — **de gesta** epic poem

**canto** song; stone

**cantor** *m.* singer

**cañón** *m.* cannon

**caos** chaos

**capaz** capable

**capellán** chaplain

**capilla** chapel

**capital** *f.* capital city; *m.* capital (money)

**capitanear** to head, take command of

**capitular** to capitulate, surrender

**capricho** caprice, whim

**cara** face

**carabela** caravelle (type of sailing ship)

**caravana** caravan

**cardenal** cardinal (of the church)

**carga** load

**cargar** to load; to charge, impose (taxes, etc.)

**cargo** post, position

**Caribe** *m.* Caribbean

**cariñosamente** affectionately

**Carlomagno** Charlemagne

**carrera** career; flight; race

**carruaje** *m.* carriage

**carta** letter

**cartaginés** Carthaginian

**Cartago** Carthage

**cartuchera** cartridge belt

**casamiento** marriage

**casarse (con)** to marry

casco  helmet
casi  almost
caso  case
castañuelas *f.pl.*  castanets
castellano  Castilian
castigar  to punish
castigo  punishment
castillo  castle
casto  chaste, pure
casualidad *f.*  chance, coincidence
catalán  Catalonian
catedrático  prefessor
caudal *m.*  supply; treasure
caudillo  political " strong man "
cautiverio  captivity
cautivo  captive
caza  hunt, chase
cazar  to hunt
ceder  to yield, give in
celebrar  to celebrate; — se  to take
  place
celo  zeal; *pl.* jealousy
celoso  zealous; jealous
celosía  shutter
celta  Celt
celtíbero  Celtiberian
cementerio  cemetery
ceniza *gen. pl.*  ashes
censura  censorship; censure
centenares *m. pl.*  hundreds
centro  center
cerca *adv.*  near(by);  — de *prep.*
  near; nearly
cercanías *f.pl.*  outskirts
cerco  siege
ceremonia  ceremony
cerrar [ie]  to close
certero  accurate; true
César  Caesar
cesta  basket
ciego *n.*  blind man; *adj.* blind
cielo  sky; Heaven

ciencia  science
científico *n.*  scientist; *adj.* scientific
cierto (a)  certain; sure; accurate
ciervo  deer
cifra  sum
cimientos *m.pl.* foundation
cimentar  to cement (together);
  sin —  uncemented
cínico  cynical
cinismo  cynicism
cima  top, summit
circular(se)  to circulate
cirujano  surgeon
ciudad *f.*  city
ciudadano  citizen
civilizador *adj.*  civilizing
clamar  to cry out
clamor *m.*  outcry, knell
claro  clear; light (in color);  — está
  of course
clérigo  clergyman
clero  clergy
cobarde *n.*  coward; *adj.* cowardly
cobrador *m.*  collector
cobrar  to charge; to collect
coche *m.*  car; coach
codicia  greed
cofradía  religious group or guild
cofre *m.*  coffer
coger  to catch; to seize
cohibir  to inhibit
coincidir  to coincide
cojo  lame
colaborar  to collaborate
colegiata  a church of the Romanesque
  period (early Middle Ages)
colegio  school (not college)
colgar [ue]  to hang
colina  hill
colocar  to place, put
colono  colonist
colorado  red

**coloso** Colossus, colossal figure
**comadre** midwife
**comandante** commander
**comer** to eat; __ **se** to eat up
**comerciante** businessman; trader
**comerciar** to trade
**comercio** commerce, trade
**cometer** to commit
**comida** food; meal
**comienzo** beginning
**como** like; as; **tanto __** as much as; **cómo** how (indirect question)
**¿Cómo?** How?
**cómodamente** comfortably
**compás** *m.* beat (rhythm)
**compadecer [zco]** to sympathize with, feel for
**compañía** company
**compartir** to share
**compasivo** compassionate; **poco __** unsympathetic
**compenetración** *f.* mutual interchange
**compenetrado [de]** suffused with
**competición** *f.* contest
**complaciente** complacent
**cómplice** accomplice
**complot** *m.* plot
**com*poner*** to compose
**comportamiento** behavior
**comportarse** to behave
**comprar** to buy
**comprender** to understand
**comprensivo** understanding
**comprobación** *f.* proof
**compuesto** composed
**común** common
**comunero** participant in the revolt of the **comunidades**
**con** with
**concebir [i]** to conceive
**conceder** to concede
**concejo** town council

**conciencia** conscience; consciousness
**Concilio** church council
**concha** shell
**condado** county
**conde** count
**condenar** to condemn
**Condestable** Lord High Constable
**condimentado** seasoned, spiced
**con*ducir*** to lead, conduct
**confiado** confident
**confianza** confidence
**confiar [ío] en** to trust; confide in; have confidence in, entrust
**confiscar** to confiscate
**conforme** in accordance (with); in agreement
**confundir** to confuse
**confuso** confused, mixed up
**congregar(se)** to congregate
**conjunto** collection
**conjuro** conjuration, magic spell
**conmigo** with me
**conmover [ue]** to move (with pity, etc.)
**conocer [zco]** to know, be familiar with
**conocido** *n.* acquaintance; *adj.* well-known
**conocimiento** *often pl.* knowledge
**conquista** conquest
**conquistar** to conquer
**consagrar** to consecrate, dedicate
**consciente** conscious
**consecuencia** consequence; **a __ de** as a result of
**conseguir [i]** to obtain; achieve
**consejero** adviser
**consentir [ie]** to consent; permit
**conservar** to preserve; conserve
**considerar** to consider
**consigo** with him(self), her(self), etc.
**consistir [en]** to consist (of *or* in)

construir [uyo]   to build, construct
consuelo   consolation
consumado   inveterate, dyed-in-the-wool
consumidor: todo- __   all-consuming
contar [ue]   to tell, relate; count; __ con   to count on, rely on
contemporáneo   contemporary
continuar [úo]   to continue
contra   against
contrabandista   smuggler
contrabando   contraband; smuggling
contradecir★   to contradict
contrapeso   counterbalance
contrario   contrary; al __   on the contrary
contribuir [uyo]   to contribute
contrición f.   contrition, repentance
convenir★   to be fitting, suitable, or advantageous; __ en   to agree to
convertir(se) [ie]   to convert; __ se en   to become
coraza   breastplate (armor)
corazón m.   heart
cordillera   mountain range
cordobés   Cordoban
corona   crown
coronel   colonel
coronilla   top of the head, pate
correligionario   believer in the same cause
correr   to run
correría   foray, attack; escapade
corresponder   to correspond
corriente f.   current; adj. common-place; running (water); current
corsario   corsair, pirate
cortar   to cut; cut off
corte f.   court;   Cortes f.pl. SpanishParliament

cortesano n.   courtier;   adj. of the court; courtly
cortesía   courtesy
corto   short
cosa   thing
cosmopolita   cosmopolitan, worldly
costa   coast; cost
costar [ue]   to cost;   __ trabajo to be difficult
costero   coastal
costumbre f.   custom
cotidiano   everyday
cráneo   skull
creador m.   creator;   adj. creative
crear   to create
crecer [zco]   to grow
crecido   grown
creciente   increasing
credo   credo, strong belief
crédulo   credulous, gullible
creencia   belief
creer★   to think; believe
criar [ío]   to raise; educate
criatura   baby; creature
crimen m.   crime
criollo   white colonial of pure Spanish origin
crisol m.   melting pot
cristiandad f.   Christian world, Christianity
cristianismo   Christianity
crónica   chronicle
criticar   criticize
cruce m. __ de camino   crossroad
crueldad f.   cruelty
cruz f.   cross
cruzada   crusade
cruzar   to cross
cuadro   picture
cualidad f.   quality, trait
cualquier(a)   any
cuando   when

**cuanto** *relative pron.* all that, as much as; *pl.* all those who, as many as; *adv.* — **más. . . tanto más. . .** the more. . . the more; *prep.* **en — a** as for

**¿Cuánto?** How much? *pl.* How many?

**cuartel** *m.* barracks; **celador de —** police warden

**cubierta** deck; **bajo —** below deck

**cubierto (de)** covered (with)

**cubo** bucket

**cubrir** to cover

**cuchillo** knife

**cuenta** account; **darse — de** to realize; **llevar en —** to take into account

**cuento** story

**cuerda** cord; chord

**cuerdo** sane

**cuero** leather

**cuerpo** body

**cuesta** slope; hill

**cuestión** *f.* matter, issue, question (not interrogation)

**cueva** cave

**cuidar** to take care of; **— se de** to watch out for

**culebra** snake

**culpa** blame; fault, guilt; **echar la —** to blame

**culpar** to blame

**culterano** loftily cultured (refers especially to a literary group headed by the Baroque poet Góngora)

**culto** *n.* cult; *adj.* cultured; educated

**cumbre** *f.* top; **obra —** masterpiece

**cumplir** to fulfill (an obligation, etc.); **— con** to comply with

**cuna** cradle; (*figurative*) birthplace

**cundir** to spread about

**cuñado** brother-in-law

**curación** *f.* cure

**curar** to cure

**cursar** to take a course; go through; **— primeras letras** to complete one's primary schooling

**curso** course

**curtido** tanned

**cutis** *m.* skin

**cuyo** *relative poss. adj.* whose

**chicharrón** *m.* barbecued meat

**chileno** Chilean

**chispazo** spark

**chiste** *m.* joke

**chocar** to crash into, collide; to shock

**chófer** *m.* driver

**choque** *m.* collision; shock

**chorro** spurt, outpouring

**dádiva** gift

**daño** harm; **hacer —** to hurt

**dar★** to give; **— a luz** to give birth; **— pasos** to take steps **— se cuenta de** to realize

**dato** fact; *pl.* data, information

**de** of; from (also used for possessive); **— niño** as a boy; **— noche** at night

**deber** to owe; be obliged or obligated

**debido a** due to, because of

**débil** weak

**debilidad** *f.* weakness

**década** decade

**decaer★** to decline

**decimar** to decimate, destroy in great part

**décimoctavo** eighteenth

**decir★** to say; tell; **es —** that is to say, in other words

**decorado** *n.* decor; *adj.* decorated, ornamented

**decreciente** decreasing
**dedicar** to dedicate
**dedo** finger
**defender [ie]** to defend
**definitivamente** definitely; completely
**defensor** *m.* defender
**defraudado** cheated
**degollar [üe]** to cut the throat of; behead
**dejar** to leave (behind); allow, permit, let; **— de** to stop (doing something)
**delante** *adv.* in front; **— de** *prep.* in front of
**delgado** slim
**delimitado** limited
**delirar (de)** to go wild (with)
**delito** crime
**demás** others; **lo —** the rest
**demasiado** too much; *pl.* too many
**demente** demented
**demonio** devil
**demostrar [ue]** to show
**denominar** to name; call
**dentro** *adv.* inside; **por —** inside, within; *prep.* **— de** within
**denuncia** denunciation
**denunciar** to denounce
**depender (de)** to depend (on)
**derecho** *n.* right; privilege; law; *adj.* right; **a la derecha** on the right
**derramar** to spill
**derribar** to overthrow
**derrocar** to overthrow, unseat
**derrota** defeat
**derrotar** to defeat
**derrumbar** to knock down; **— se** to fall down or apart
**desacuerdo** disagreement
**desafiar [ío]** to defy; challenge
**desafío** challenge

**desafortunado** unfortunate
**desalojar** to dislodge, unseat
**desangrar** to bleed dry
**desaparecer [zco]** to disappear
**desapostura** (*old Span.*) vulgarity
**desarmar** to take apart (a mechanism, weapon, etc.)
**desarrollar (se)** to develop
**desarrollo** development
**desastrado** disastrous
**desastre** *m.* disaster
**desastroso** disastrous
**desatino** foolishness
**descansar** to rest
**descendiente** *m.* descendant
**descolgar** to unhang
**desconocer [zco]** to ignore; not to know; **— se** to be unknown
**desconocido** unknown
**descubrimiento** discovery
**desde** from; since; **— hacía** for (a period of time)
**desear** to desire; wish
**desechar** to ignore, cast aside
**deseo** desire
**desembarco** landing
**desenfrenado** uncontrolled
**desenfreno** lack of control
**desequilibrado** unbalanced; off balance; upset
**desequilibrio** imbalance
**desesperado** desperate
**desestimar** to scorn
**desfavorecido** in disfavor; not favored
**desgracia** misfortune
**desgraciadamente** unfortunately
**deshacer★** to undo
**desheredar** to disinherit
**deshonra** dishonor
**deshonroso** dishonorable
**desigual** unequal

**deslealtad** *f.* disloyalty

**desmán** *m.* excess (in actions or words)

**desnudo** naked

**desobedecer [zco]** to disobey

**despachar** to send, dispatch

**desparramar(se)** to scatter

**despedida** farewell

**despedirse [i]** to take leave

**despejado** clear, bright

**despertar** *m.* awakening; *v.* [ie] to awaken; — se to awaken

**desplegar(se) [ie]** to unfold

**despojar** to despoil, ravage

**despreciar** to scorn

**después** *adv.* after(wards); then, later, next; — de *prep.* after; — de que *conj.* after

**destacado** outstanding

**destacar(se)** to stand out

**desteñir(se) [i]** to fade; discolor

**desterrar [ie]** to exile

**destierro** exile

**destinatario** recipient

**destituir [uyo]** to deprive of

**destronar [ue]** to dethrone

**destrozar** to ruin

**destruir [uyo]** to destroy

**desunido** disunited

**desván** *m.* attic

**desviar(se) [ío]** to turn away

**detrás de** *prep.* behind

**deuda** debt

**devolver [ue]** to return (something), bring back

**devoto** devout

**diablo** devil

**dialogado** in dialogue form

**diario** *adj.* daily; a — *adv.* daily, each day

**dibujar** to draw

**dicha** happiness

**dicho** *adj.* aforesaid; (*past participle of* **decir**)

**dictadura** dictatorship

**dictar** to dictate

**diente** *m.* tooth

**diestro** skilled

**diferencia** difference; a — de *prep.* unlike

**difunto** dead; **Día de Difuntos** All Souls' Day

**dignamente** with dignity

**digno** worthy

**dios** *m.* god; **Dios** God

**dique** *m.* dike

**dirigir** to direct, lead; — se a to approach; address; turn to

**discípulo** disciple; pupil

**disculparse** to apologize

**diseminar(se)** to disseminate, spread

**diseño** design

**disfraz** *m.* disguise

**disfrazar** to disguise

**disfrutar [de]** to enjoy

**disgusto** displeasure

**disidencia** dissidence, discontent

**disidente** dissident, dissatisfied

**disipar** to dissipate, waste

**disminuir [uyo]** to diminish

**disolver [ue]** to dissolve

**disparar** to shoot (a gun)

**dispensar** to dispense, excuse

**dispersar(se)** to disperse, scatter

**disponer★** to dispose, make ready; — se to be disposed, get ready

**dispuesto** ready; disposed, inclined

**distar** to be distant; — de to be far from

**distinguir** to distinguish

**distinto (a)** different (from)

**disturbio** disturbance

**disuelto** dissolved

**dividir(se)** to divide

**divertido**   amusing; funny, enjoyable

**divisa**   sign; __ **de peluquería**
barbershop sign

**doblar**   to double; turn (a corner);
__ **se ante**   to bow before

**doler [ue]**   to hurt; __ **se de**   to
grieve for

**dolor** *m.*   pain; grief

**doloroso**   grieving; painful

**dominar**   to dominate; rule

**dominio**   rule; domination

**doncella**   maiden

**donde**   where

**dondequiera (que)**   wherever

**dorado**   golden

**dormido**   asleep

**dormir [ue]**   to sleep; __ **se**   to fall
asleep

**dosis** *f.*   dose

**dotado (de)**   endowed (with)

**dote** *f.*   dowry

**dualidad** *f.*   duality

**ducado**   ducat (form of old currency)

**duelo**   duel; suffering

**dueña**   matron; chaperone; lady

**dueño**   owner

**dulzor** *m.* (*archaic*)   sweetness

**dulzura**   sweetness

**duque**   duke

**duradero**   long-lasting

**durante**   during

**durar**   to last

**e**   and (*before* **i** *or* **hi**)

**ecuación** *f.*   equation

**echar**   to throw; __ **a correr**   to
break into a run; __ **la culpa**   to
blame; __ **una mirada**   to cast a
glance; **La suerte está echada.**
The die is cast.

**edad** *f.*   age; **Edad Media**   Middle
Ages

**eficaz**   efficient

**efecto**   effect; **en** __   in fact

**efigie** *f.*   effigy

**egoísta**   selfish

**ejecución** *f.*   execution

**ejecutar**   to execute

**ejemplar** *m.*   copy (of a book)

**ejemplo**   example

**ejercer**   to exercise; wield (influence)

**ejército**   army

**el cual, la cual, los cuales, las cuales**
who, which

**elegir [i]**   to elect, choose

**elogio**   praise

**ello**   it (*neuter*)

**emanar**   to emanate

**embajada**   mission, errand, embassy

**embajador**   ambassador

**embalsamar**   to embalm

**embarcarse**   to board ship, embark

**emigrado**   emigré

**emocionante**   exciting

**empaparse (de)**   to become saturated
(with)

**empeorar**   to worsen

**emperador**   emperor

**empezar [ie]**   to begin

**emplear**   to employ; to use

**empleo**   use; job

**emprender**   to undertake

**empresa**   enterprise, undertaking

**empresario**   entrepreneur

**empujar**   to push

**empuñar**   to wield (arms, etc.)

**en**   in; on; at; __ **seguida**   at once,
immediately

**enajenado**   far-away, removed from
the world

**enamorado**   in love

**enamorarse (de)**   to fall in love (with)

**enano**   dwarf

**encabezar**   to head

**encadenado**  chained
**encajar**  to fit in
**encaminado**  headed
**encanto**  charm; spell
**encarcelamiento**  imprisonment
**encarcelar**  to jail
**encargar**  to put in charge; ___ se de to take charge of
**encender [ie]**  to set on fire, light
**encendido**  lit; heated
**encerrar [ie]**  to lock up, enclose
**encima** *adv.*  on top; **(por)** ___ **de** *prep.* above, on top of
**encomendarse [ie]**  to entrust oneself
**encomendero**  person in charge of an **encomienda** in colonial Latin America
**encomienda**  territory given to the charge of one person in the Spanish colonies
**encontrar [ue]**  to find, meet; ___ **se**  to find, oneself, be
**encrucijada**  crossroad
**enderezar**  to straighten out, set right
**enemigo**  enemy
**enemistad** *f.*  enmity
**enérgico**  energetic
**enfermedad** *f.*  illness; disease
**enfermizo**  sickly
**enfrentar (se con)**  to face
**enfrente** *adv.*  in front; ___ **de** *prep.* in front of, facing
**enfriar [ío]**  to chill
**enfrontar**  to face
**enfurecido**  furious
**engañar**  to deceive
**enloquecer [zco]**  to go crazy
**enojar**  to make angry; ___ **se**  to get angry
**enorme**  enormous
**enredar**  to entangle, involve

**enriquecerse [zco]**  to get rich
**enriquecimiento**  enriching
**enrojecer [zco]**  to turn red
**enseñanza**  teaching; education
**enseñar**  to teach
**entender [ie]**  to understand
**enterado**  informed
**enterar**  to inform; ___ **se de**  to find out about
**entereza**  honesty, good character
**enterrador**  undertaker
**enterrar [ie]**  to bury
**entierro**  burial; funeral
**entonación** *f.*  intonation
**entonces**  then
**entrada**  entrance
**entrañas** *f.pl.*  insides (of a person, an animal, etc.)
**entrar (en)**  to enter; ___ **a**  (Spanish America) to enter
**entre**  between; among, amid
**entregar**  to hand over, deliver, give; ___ **se**  to surrender
**entrelazar**  to intertwine
**entremezclado**  interwoven, mixed
**entret*ener*★**  to entertain
**entre*ver*★**  to glimpse
**entrevista**  interview
**entristecer [zco]**  to sadden
**entusiasmarse (por)**  to become enthusiastic
**envejecer [zco]**  to get old
**envenenar**  to poison
**enviar [ío]**  to send
**envidiar**  to envy
**enviudar**  to become widowed
**envuelto**  involved; wrapped up
**épica**  epic literature
**epopeya**  epic poem
**equivocado**  mistaken
**equívoco**  doubtful, equivocal
**ermita**  hermitage

**errar (yerro)** to err, miss; make a mistake

**erudito** *n.* and *adj.* scholar(ly); learned (person)

**escabroso** rocky

**escala** scale; ladder

**escalar** to scale (a mountain, etc.), climb

**escasear** to be scarce

**escaso** scarce; scant

**escena** scene; stage

**escenario** stage

**escepticismo** skepticism

**esclavización** *f.* enslavement

**esclavizar** to enslave

**esclavitud** *f.* slavery

**esclavo** slave

**escocés** *n.* Scot; *adj.* Scottish

**escoger** to choose

**esconder** to hide

**escopeta** shotgun

**escribir** (*past part.* **escrito**) to write

**escrito** written

**escritor** *m.* writer

**escritorio** desk, study

**escudo** shield

**esculpir** to sculpt

**escultura** sculpture

**esfera** sphere

**esforzado** vigorous, manly

**esfuerzo** effort

**eslabón** *m.* link, bond

**eso** (*neuter demonstrative*) that; **a — de** around (a certain time)

**espada** sword; swordsman

**espalda** shoulder; back

**espantoso** frightful, horrible

**especia** spice

**especie** *f.* species

**espectáculo** spectacle

**espejo** mirror

**espera** wait

**esperanza** hope

**esperar** to wait; hope; expect

**espeso** thick

**espía** *m.* and *f.* spy

**espíritu** *m.* spirit

**esposa** wife

**esposo** husband; *pl.* husband and wife, husbands

**espuma** foam

**esquelético** skeleton-like

**establecer** [zco] to establish

**estado** state; **golpe de —** coup d'etat, political takeover

**estallar** to break out, erupt; explode

**estampa** stamp

**estandarte** *m.* standard, banner

**estocada** sword or dagger thrust

**estrafalario** "far out"; eccentric

**estar★** to be (in a certain place, condition, or position); **— de acuerdo** to agree

**estático** static, unmoving

**estereotipado** stereotyped

**estimar** to esteem; estimate

**estirar** to stretch

**estoicismo** stoicism (unflinching acceptance of life's blows)

**estoico** stoic

**estornudo** sneeze

**estrado** platform

**estrecho** *n.* strait; *adj.* narrow; close, intimate

**estrella** star

**estridente** strident, loud and raucous

**estructura** structure

**etapa** stage, period, epoch

**eternizar** to make eternal, eternalize

**eterno** eternal

**eunuco** eunuch (harem guard)

**evitar** to avoid

**evocar** to evoke

**evolucionar**  to evolve
**exagerado**  exaggerated
**exceptuar [úo]**  to except, make an
  exception of
**exclamar**  to exclaim
**excluir [uyo]**  to exclude
**exención** *f.*  exemption
**exento**  exempt
**exigir**  to demand, exact
**exilar**  to exile
**exilio**  exile
**éxito**  success;  **tener —**  to be
  successful
**éxodo**  exodus
**expiar [ío]**  to expiate, atone for
**explicación** *f.*  explanation
**explicar**  to explain
**explotación** *f.*  exploitation; working
  (of mines, etc.)
**explotar**  to exploit; explode
**expresar**  to express
**expulsar**  to expel
**extender(se) [ie]**  to extend
**extinguir**  to extinguish
**extraer★**  to extract
**extranjero** *n.* foreigner; *adj.* foreign
**extraño**  strange
**extremado**  extreme

**fábrica**  factory
**fabricación** *f.*  manufacture
**fabricar**  to manufacture
**fábula**  fable
**faceta**  facet; aspect
**fácil**  easy
**facilitar**  to facilitate, make easy
**fachada**  facade
**falda**  skirt
**falta**  lack; fault
**faltar**  to be lacking or missing;
  **— a**  to fail in
**falto de**  lacking in

**familiares** *m.pl.*  relatives
**fantasma** *m.*  ghost
**farol** *m.*  lantern
**farsa**  farce
**favorecer [zco]**  to favor
**faz** *f.*  face, surface
**fe** *f.*  faith
**fecundo**  fertile
**feligrés** *m.*  parishioner
**felicidad** *f.*  happiness
**feliz**  happy
**fementido**  scoundrelly, scurrilous
**fenicio**  Phoenician
**fenómeno**  phenomenon
**feo**  ugly
**féretro**  coffin
**feroz**  fierce
**fervoroso**  ardent, fervent
**festejar**  to wine and dine; celebrate
**festivo**  festive, gay
**fibra**  fiber
**fiebre** *f.*  fever
**fiel**  faithful
**fiereza**  fierceness
**fiero**  fierce, rough
**figurarse**  to imagine
**fijar**  to fix, set;  **— se en**  to notice
**fijo**  fixed, set
**fila**  row
**filósofo**  philosopher
**fin** *m.*  end;  **al —**  finally;  **en —**
  at any rate;  **a fines de**  toward
  the end of
**fingir**  to pretend, feign
**fino**  fine; refined
**firmar**  to sign
**firmeza**  firmness; loyalty;
  perseverance
**flaquear**  to grow weak
**flauta**  flute
**florecer [zco]**  to flourish
**flota**  fleet

**flujo**  flow
**fomentar**  to foment, stir up
**fondo**  bottom, depth; background
**fortaleza**  fortress
**fortísimo**  very strong
**fracasar**  to fail
**fracaso**  failure
**fragmentar(se)**  to break into pieces
**fraile**  monk, friar
**francés**  French(man)
**franco**  Frank (early people of France)
**fray**  Friar (title)
**frecuencia**  frequency;  **con —**
   often, frequently
**frenéticamente**  in a frenzy
**frenético**  frenzied
**fresco**  fresh; cool
**frío**  cold
**frívolo**  frivolous
**frontera**  frontier
**fronterizo** *adj.*  (of the) frontier
**frutal** *adj.*  fruit (bearing)
**fuente** *f.*  fountain
**fuera** *adv.*  outside; *prep.* outside of;
   aside from;  **¡Fuera . . .!** Out
   with . . .!
**fuero**  privilege
**fuerte** *m.*  fort; *adj.* strong
**fuerza**  strength; force;
   **a — de**  by dint of
**fuga**  escape; flight
**fulminante**  blistering, scathing
**funcionario**  public official
**fundador** *m.*  founder
**fundamento**  basis, fundamental
**fundar** *m.*  to found
**fundir(se)**  to fuse together
**funesto**  dismal, awful
**furia**  fury
**furor** *m.*  furor
**fusil** *m.*  rifle
**fusilar**  to shoot to death

**gaita**  bagpipe
**galán**  suitor
**galeón**  galleon, type of ship used
   for transporting gold from
   America
**galera**  galley ship, often used in
   naval combat
**galvanizar**  to activate, galvanize
**gallardo**  gallant
**gallego**  Galician
**gallina**  hen
**ganar**  to win; earn; gain;  **— se la
   vida**  to earn a living
**garra**  grip
**gastar**  to spend
**gasto**  expense
**gaucho**  inhabitant of the
   Argentine pampas
**gemelo**  twin
**gemido**  moan, groan
**gemir** [i]  to moan, groan
**género**  genre, literary type;
   classification, kind
**genial**  brilliant
**genio**  genius
**genovés**  Genoese
**gente** *f.*  people
**gentil**  refined
**germen** *m.*  germ; seed
**gesto**  gesture
**gigante**  giant
**gigantesco**  gigantic
**gobernador**  governor
**gobernante** *n.*  ruler; *adj.* ruling
**gobernar** [ie]  to govern, rule
**gobierno**  government
**goce** *m.*  joy
**golpe** *m.*  blow;  **— de estado**
   coup d'etat, political takeover
**golpear**  to beat, hit hard
**goma**  rubber; gum
**gota**  drop

**gozar (de)** to enjoy
**gracia** grace; graciousness; humor
**gracioso** funny
**grado** degree; grade
**gran** (*before a singular noun*) great
**grano** grain
**grande** *n.* grandee, noble; *adj.* big; great
**grandeza** greatness
**gravedad** *f.* gravity
**grecorromano** Greco-Roman
**gremio** guild
**griego** Greek
**gritar** to shout
**grito** shout, outcry
**guante** *m.* glove
**guardar** to keep; guard; ___ se de to protect oneself from
**guardia** *m.* guard; *f.* guard corps
**guarnición** *f.* garrison
**gubernativo** *adj.* governing
**guerra** war
**guerrero** warrior
**guerrilla** guerrilla warfare; minor war
**guía** *m.* guide
**gustado** enjoyed
**gustar** to be pleasing; ___ le (**algo a alguien**) to like
**gusto** pleasure; taste

**haber** (*auxiliary verb*) to have; ___ de to be supposed or expected to; **hay** there is, there are; **había** there was, there were; **hay que** it is necessary
**habilidad** *f.* ability
**habitante** *m.* inhabitant
**habitar** to live in, inhabit
**habla** speech, way of speaking
**hablador** *m.* speaker
**hablar** to speak, talk
**hablilla** gossip

**hacer** to make; do; ___ frente a to face; ___ se to become; ___ se a la vela to set sail
**hacia** toward; around
**hacienda** estate
**hallar** to find; ___ se to be
**hambre** *f.* hunger; **tener** ___ to be hungry
**hambriento (de)** hungry (for)
**harén** *m.* harem
**harto** sated, over-filled; tired (of)
**hasta** *prep.* until; ___ que *conj.* until
**hastiado (de)** thoroughly tired (of), surfeited, disgusted (with)
**hastío** loathing, disgust
**hay** there is, there are; **había** there was, there were; ___ que it is necessary
**hazaña** deed (of valor)
**hechizo** (magic) spell
**hecho** *n.* deed; fact; *adj. past part.* made; done; become
**helar** [ie] to freeze
**helénico** Hellenic, ancient Greek
**hender** [ie] to split
**heno** hay
**herbolero** herb seller
**heredad** *f.* inherited property
**heredar** to inherit
**heredero** heir
**hereje** heretic (one who defies accepted religious beliefs)
**herejía** heresy (defiance of the accepted religion)
**herencia** inheritance
**herido (de)** wounded (in)
**herir** [ie] to wound
**hermanado** joined in brotherhood
**hermoso** beautiful; handsome
**hermosura** beauty
**héroe** hero
**hervir** [ie] to boil

**hidalgo**  member of the lesser nobility

**hidalguía**  rank of lesser nobility; gentility

**hierro**  iron

**hígado**  liver

**himno**  hymn

**hinchazón** *m.*  swelling; conceit

**hispanidad** *f.*  Spanish culture and essence

**historia**  history; story

**historiador** *m.*  historian

**hogar** *m.*  home; hearth

**hoguera**  bonfire

**holandés** *m.*  Hollander; *adj.* Dutch

**holocausto**  holocaust, terrible destruction (usually by fire)

**hollar**  to trample

**hombro**  shoulder

**honrado**  honest; honorable

**honrar**  to honor

**horda**  horde, swarm

**horizonte** *m.*  horizon

**hormiga**  ant

**horrendo**  horrible, horrendous

**hospedaje** *m.*  shelter, lodging

**hospitalario**  hospitable

**hoy**  today; — (en) día  nowadays

**hueco**  hole

**huella**  trace; footprint

**huérfano**  orphan

**huerta**  (vegetable or fruit) garden

**hueso**  bone

**huésped** *m.*  guest

**huir** [uyo]  to flee, run away; escape

**húmedo**  humid

**humildad** *f.*  humility

**humilde**  humble

**humillación** *f.*  humiliation

**humillar**  to humiliate, humble

**humo**  smoke

**hundir** (se)  to sink

**hurtar**  to steal

**ibérico** *adj.*  Iberian;  **la Península Ibérica**  the Iberian Peninsula (Spain and Portugal)

**ibero** *n.* and *adj.*  Iberian

**idílico**  idyllic, lovely

**idilio**  idyll, paradise-like adventure

**idioma** *m.*  language

**idolatrar**  to idolize

**ídolo**  idol, god

**iglesia**  church

**ignorado**  unknown

**igual**  equal; same; similar

**igualar**  to equalize; put on the same level

**ilustrado**  enlightened; educated

**imagen** *f.*  image

**impasivo**  impassive, unmoved

**impedir** [i]  to prevent; impede

**imperio**  empire

**ímpetu** *m.*  impulse, impetus

**implacable**  implacable, relentless

**implementar**  to implement, help bring about

**imponente**  imposing, impressive

**imponer***  to impose; — se  to win out; rule

**importar**  to be important; matter; import

**imposibilitado**  incapable

**imprenta**  printing

**impresionante**  impressive

**impresionar**  to impress

**impuesto**  tax

**incaico**  Incan

**incendio**  fire

**inclinar**  to bend; bow; — el peso de la balanza  to tip the scales

**incluso**  including

**inconsciente**  unconscious; unaware

**increíble**  incredible
**incrédulo**  incredulous, unbelieving
**incultura**  lack of culture
**incursión** *f.*  foray, hit-and-run attack
**indígena** *n.* and *adj.*  native;
  indigenous
**indisciplinado**  undisciplined
**indiscutible**  unquestionable
**indolente**  indolent, lazy
**indómito**  unbowed, unbeaten
**inerme**  inert, unmoving
**infame**  infamous; dastardly;
  villainous
**infamia**  infamy; infamous act
**infanta**  royal princess
**infante**  royal prince
**infatigable**  indefatigable
**infecundo**  sterile
**infiel** *n.*  infidel; *adj.* unfaithful
**infierno**  hell
**infiltrarse**  to infiltrate
**influir en [uyo]**  to influence
**influyente**  influential
**informe** *adj.*  shapeless, irregular;
  *m.pl.* information
**infortunado**  unfortunate
**infundado**  unfounded
**ingeniero**  engineer
**ingenio**  wit; ingenuity
**ingenuo**  ingenuous, naive, simple
**ingreso** *gen. pl.*  income
**iniciar**  to begin, initiate
**inímico**  inimical, opposed (to),
  enemy (of)
**inmenso**  immense
**innato**  innate, inborn
**inquilino**  tenant
**Inquisidor**  Inquisitor (official of the
  Inquisition)
**insostenible**  untenable, unable
  to be upheld
**instinto**  instinct

**instituir [uyo]**  to institute
**integrar**  to make up, compose
**íntegro**  whole
**intemperie** *f.*  bad weather condition
**intentar**  to attempt (to)
**intercalar**  to intercalate, insert
**interceder**  to intercede
**interinidad** *f.*  instability,
  temporariness
**internarse**  to go inside of, penetrate
**intermitente**  intermittent, sporadic
**intérprete** *m.*  interpreter
**inter*venir*★**  to intervene
**intestino**  internal
**intimar (con)**  to get close to
**intrépido**  intrepid, bold
**intro*ducir*★**  to introduce, bring in
  (an idea, etc.)
**inundar**  to inundate, flood
**invasor** *m.*  invader
**inveterado**  inveterate, hard and fast
**inyectar**  to inject
**ir★**  to go;  — **se**  to go away;
  — + *pres. part.* to gradually do
  something, be in the process of
  doing something
**iracundo**  angry
**irlandés**  Irish(man)
**irremediablemente**  utterly, totally,
  hopelessly
**irrumpir**  to erupt
**isabelino**  Elizabethan
**isla**  island
**islámico**  Islamic, Moslem
**istmo**  isthmus
**itinerante**  itinerant, wandering
**izquierda** *n.*  (the) left;  **a la** —
  on the left
**izquierdista**  leftist
**izquierdo** *adj.*  left

**jaqueca**  severe headache

**jardín** *m.*  garden
**jazmín** *m.*  jasmine
**jefe**  chief; leader; boss
**jorobado**  hunchbacked
**joven**  young;  **de** __  as a young
man
**joya**  jewel
**judío**  Jew(ish)
**juez**  judge
**juglar**  minstrel
**juicio**  judgment;  **J__ Final**
Judgment Day
**junta**  governing committee
**juntar (se)**  to join together
**junto** *adj.*  close; *pl.* together;  __ **a**
*prep.* close to, next to; along with
**jura**  oath; swearing-in
**jurar**  to swear
**jurídico**  judicial, pertaining to law
**justa**  joust, medieval tourney
**justiciero**  righteous; justice-
dispensing
**justificar**  to justify
**justo**  just, fair
**juventud** *f.*  youth

**laberinto**  labyrinth, maze
**labrado**  wrought, worked
**labrador** *m.*  worker (generally rural);
farmer; creator
**labrar**  to work (metals, on wood,
etc.); to work, till (the land)
**lado**  side;  **al** __  aside;  **al** __ **de**
along with;  **por un** __  on one side
**ladrón** *m.*  thief
**lágrima**  tear (crying)
**lamer**  to lick;  __ **se las manos**
**(de)tras (de)**  to "eat up," relish;
to lick one's chops
**lana**  wool
**lanzar**  to throw, hurl; launch (an
attack, etc.)

**largo** *adj.*  long; *prep.* **a lo __ de**
along (a coast, etc.)
**latifundio**  large landholding
**latir**  to beat, throb
**laúd** *m.*  lute
**leal**  loyal
**lealtad** *f.*  loyalty
**leer\***  to read
**legumbre** *f.*  vegetable
**lejano**  distant, far-away
**lejos (de)**  far (from);  **a lo __**  in
the distance
**lengua**  language; tongue
**lenguaje** *m.*  language (usage)
**lema** *m.*  motto
**lentamente**  slowly
**letargo**  lethargy, inactivity
**letra**  letter (of the alphabet); *gen. pl.*
letters, education
**letrado**  lettered, educated
**letrero**  sign
**levantamiento**  uprising
**levantar**  to lift, raise;  __ **se**  rise;
get up; rise up
**leve**  slight
**ley** *f.*  law
**leyenda**  legend
**librar**  to free;  __ **se**  to free
oneself; save one's soul; take place
(a battle)
**libre**  free
**libertar**  to set free
**licencia**  license, permission; freedom,
liberty
**lícito**  legal, licit
**lidiar**  to fight
**ligereza**  swiftness; lightness
**ligero**  light; slight
**limeño**  resident of Lima
**límite** *m.*  limit; boundary
**limosna**  alms, contribution to a
beggar

lira  lyre
lisiado  handicapped
listo  ready; bright, intelligent
listón *m.*  ribbon
liturgia  liturgy, church ritual
litúrgico  liturgical, referring to
  church ritual
loco  crazy
locuaz  loquacious, talkative
locura  madness
locutor  speaker
lograr  to achieve; to succeed in,
  manage to
los que, las que  those who
lucha  fight; battle
luchador *m.*  fighter
luchar  to fight
lugar *m.*  place;  tener ▬  to take
  place
lujo  luxury
lujoso  luxurious
luto  mourning
luz *f.*  light;  dar a ▬  to give birth

llaga  wound; sore
llama  flame
llamado *n.*  call; calling; *adj.* so-called
llamar  to call; to name
llanura  meadow; plain
llave *f.*  key
llegada  arrival
llegar (a)  to arrive (at);  ▬ a ser  to
  become;  ▬ a tener  to get to have
llenar  to fill;  ▬ se de  to fill up with
llevar  to carry; wear;  ▬ a cabo
  to carry out, realize;  ▬ en cuenta
  to keep in mind, take into account
llorar  to cry
lluvia  rain

madera  wood
madrugada  dawn

maestro  teacher; master;  obra
  maestra  masterpiece
magia  magic
mago  magician, wizard
Mahoma  Mohammed
mal *m.*  evil; illness; *adj.* bad; *adv.* badly
maldad *f.*  wickedness
maldición *f.*  curse
malestar *m.*  uneasiness
maltratar  to mistreat
manco (de)  crippled (in one's hand);
  one-armed
manchar  to stain, soil
mandar  to send; order
mando  command
manera  way, manner;  de ▬ que
  so that, in such a way that
maniatado  handcuffed, manacled
manicomio  insane asylum
mano *f.*  hand;  de primera ▬
  first hand
manquera  disability (generally of
  the hand or arm)
manso  mild, meek; tame
mantener*  to maintain
manto  cloak
mañana  tomorrow; *f.* morning
mar *m.*  sea (*f., archaic*);  en alta ▬
  on the high seas
maravilla  marvel
maravilloso  wonderful, marvelous
marcar  to mark
marco  frame
marcharse  to go away
marfil *m.*  ivory
marido  husband
marina  navy
marinero  sailor
mariscal  marshal
mármol *m.*  marble
marroquí  Moroccan
Marruecos  Morocco

**Marsella** Marseilles
**mártir** martyr
**martirio** martyrdom
**mas** but (*literary*)
**más** more; most; **— bien** rather;
los **—** most, the majority
**matanza** massacre
**matar** to kill
**materia** matter; material; material
things; subject
**matiz** *m.* hue, shade
**matizado (de)** shaded (with)
**matrimonio** marriage
**mausóleo** mausoleum
**máximo** maximum; top
**mayor** greater; larger; older;
greatest; largest; oldest; *m.pl.* adults
**mayoridad** *f.* majority (coming
of age)
**mayormente** especially; mostly
**mazo** mallet
**mediados: a — de** toward the
middle of
**medicamento** medicine
**medida** measure; **a — que** as
**medinense** resident of Medina
**medio** *n.* middle; means; **por — de**
by means of; *adj.* half
**medir [i]** to measure
**mejor** better; best
**mejorar** to improve
**mencionar** to mention
**mendicidad** *f.* begging
**mendigo** beggar
**menor** lesser; minor; younger;
youngest
**menos** less; least; **al —, a lo —**
at least; **ni mucho —** not at all;
**a — que** *conj.* unless
**mensaje** *m.* message
**mensajero** messenger
**mentir [ie]** to lie

**mentira** lie
**menudo: a —** often
**mercado** market
**merced** *f.* mercy, grace; **a — de**
at the mercy of
**merecer [zco]** to deserve
**mero** more
**mes** *m.* month
**mesar** to tweak, pull
**mestizaje** *m.* mixing of races
**mestizo** person of Indian and
white blood
**meta** goal
**meter** to put; place; **— se a** to
set oneself to (doing something);
**— se con** to "start up with"
(someone)
**metido** set; involved
**métrica** poetic meter
**metrópoli** *f.* mother country
**mezcla** mixture
**mezclar (se)** to mix
**mezquita** mosque, Moslem temple
**miembro** member
**mientras** while; **— que** while;
**— tanto** in the meantime
**mil** thousand
**milagro** miracle; **M —** Miracle
play, dealing with miracles of the
saints, etc.
**milagroso** miraculous
**miliciano** militiaman
**militar** *m.* soldier; *adj.* military
**minero** *n.* miner; *adj.* mining
**ministro** minister (government)
**minué** *m.* minuet
**mirada** look; glass
**mirar** to look at
**miseria** poverty
**mismo** same; very; himself, herself,
etc. (for emphasis); **hoy —** this
very day; **ahora —** right now

**misterio** mystery; **M—** Mystery play (referring to Christian doctrine)

**mitad** *f.* half

**mitigar** to mitigate, lessen

**moda** fashion

**modalidad** *f.* way, manner

**mojado** drenched

**mojar** to drench

**molestar** to bother, annoy; **— se** to take the trouble

**mollera** (*slang*) noggin

**monástico** monastic (referring to monks and nuns)

**mondar** to pick (teeth, etc.)

**moneda** coin; currency

**monja** nun

**monje** monk

**monstruo** monster

**montaña** mountain

**montañoso** mountainous

**montar** to mount; amount to, be worth; **— a caballo** to go on horseback

**monte** *m.* woods; hill; mountain

**montón** *m.* pile, heap

**morada** dwelling

**moralidad** *f.* morality; **M—** Morality play, allegorical play dealing with virtue, vice, etc.

**mordaza** gag

**moreno** dark-complexioned

**moribundo** dying

**morir** [ue] to die (*past part.* **muerto**)

**morisco** Moslem convert to Christianity; *adj.* Moorish or referring to **moriscos**

**moro** Moor

**mortificar** to embarrass, mortify

**mosaico** mosaic

**mostrar** [ue] to show

**motín** *m.* riot

**motivo** motive; motif; subject

**mover(se)** [ue] to move

**movimiento** movement

**mozárabe** *n.* and *adj.* (referring to) Christians living in Arab territory during the Middle Ages

**mozo** *n.* young man; *adj.* young

**muchedumbre** *f.* crowd

**mudéjar** *n.* and *adj.* (referring to) Moslems living in Christian territory during the Middle Ages

**mueca** grimace, strange facial expression

**muela** tooth

**muerte** *f.* death

**muerto** *n.* dead person; casualty; *adj.* dead

**multiplicar(se)** to multiply

**mundanal** worldly

**mundano** worldly; international

**mundo** world

**muralla** wall

**murmuración** *f.* gossip

**murmurador** gossip(er)

**muro** wall

**músico** *n.* musician; *adj.* musical

**musulmán** Moslem

**mutuo** mutual

**nacer** [zco] to be born

**naciente** nascent, in the process of birth

**nacimiento** birth

**nada** nothing; **— de** no . . .

**nadar** to swim

**naranja** orange

**natal** *adj.* of one's birth; **pueblo —** birthplace

**naturaleza** nature

**naufragar** to be shipwrecked

náufrago shipwrecked person

náutica nautical science

navaja razor

nave *f.* ship

navegante navigator

neblina fog; haze

nebuloso nebuloso, hazy

necedad *f.* stupidity

necesitado needy

necio foolish, stupid

negar [ie] to deny; — se a to refuse

negocio business

negro black

nexo bond

nido nest

nieto grandson

niñez *f.* childhood

niño boy; child; de — as a child

nobleza nobility

noche *f.* night; de — at night

nómada nomadic; wandering

nombrar to name; appoint; nominate

nombre *m.* name

nordeste Northeast

noria irrigation water-wheel

normando Norman

norte *m.* north

notar to note; notice

noticia piece of news

novelístico fictional

nube *f.* cloud

núcleo nucleus

nuevo new; de — again

nuez *f.* nut

nulo null and void

numantino inhabitant of ancient Numantia

numeración *f.* number system

número number

nunca never

o or

obedecer [zco] to obey

obispo bishop

objeto object

obligar to oblige, force

obrar to work, be at work

obrero worker

obsesionado obsessed

obstante: no — nevertheless; however

occidental Western

ocre ochre, red-colored

oculto hidden

ocupar to occupy

oda ode (type of poem)

odiar to hate

odio hatred

oeste West

oficio occupation

ofrecer [zco] to offer

oído ear; hearing

ojo eye

ola wave

oleada wave

olivo olive tree

ondulante wavy, undulating

operar to operate (on); take effect or place

oponer★ to put up (resistance, etc.); — se a to oppose

optar (por) to choose

opuesto opposite; opposed, opposing; lo — the opposite

oración *f.* prayer; sentence

orador *m.* speaker, orator

orden *f.* order, command; *m.* order, orderliness; order (succession)

ordenado orderly

ordenanza ordinance

oreja ear (outer)

orgullo pride

orgulloso proud

**oriental**  Eastern
**origen** *m.*  origin
**oro**  gold
**oscurecer** [zco]  to darken
**oscuridad** *f.*  darkness; obscurity
**oscuro**  dark
**otro**  other; another
**oveja**  sheep

**pacer** [zco]  to graze, pasture
**pacificar**  to pacify
**pacífico**  peaceful
**pactar**  to make a pact
**pagar**  to pay (for)
**pago**  payment
**país** *m.*  country
**paisaje** *m.*  countryside
**paja**  straw
**pájaro**  bird
**paje**  page (boy)
**pala**  shovel
**palabra**  word
**palaciego** *n.*  courtier; *adj.*
  (referring to the) palace
**palo**  stick
**palpitante**  urgent
**pampa** *often pl.*  large stretches of
  flatlands in Argentina
**pantano**  swamp
**papa**  Pope
**papado**  papacy
**papel** *m.*  paper; role;
  **hacer un —**  to play a role
**par** *m.*  equal; peer; pair; *adj.*
  equal
**para**  for; in order to;  **— siempre**
  forever
**paradero**  stopping-off place
**paradoja**  paradox, apparent contradiction
**paraíso**  paradise
**parar**(**se**)  to stop

**parecer** [zco]  to seem, appear;
  **— se a**  to resemble
**pared** *f.*  wall
**pareja**  couple; mate
**parentesco**  relationship
**pariente** *m.*  relative
**parte** *f.*  part;  **por otra —**  on the
  other hand;  **por todas partes**
  everywhere
**particular**  private
**partida**  departure;  **punto de —**
  point of departure
**partidario**  partisan
**partir**  to leave; (*archaic*) to share;
  **a — de**  from (a certain point) on
**parto**  childbirth
**pasacalle** *m.*  a rapid dance step
**pasado** *n.*  past; *adj.* past; last
**pasar**  to pass;  **— de**  to exceed;
  **— por alto**  to ignore; let go by
**pasmar**  to shock
**paso**  step; pass; place;  **dar un —**
  to take a step
**pasto**: **a todo —**  to beat the band
**pastor** *m.*  shepherd
**pastoril**  pastoral, referring to an
  idealized shepherd's life
**patente**  patent, obvious
**patria**  country, fatherland;
  **— chica**  the locality of one's birth
**patriarca**  patriarch
**patrón**  patron; boss
**paz** *f.*  peace
**pecado**  sin
**pecador** *m.*  sinner
**pecar**  to sin
**pecho**  chest; (*archaic*) tax
**pedazo**  piece; bit
**pedir** [i]  to ask for, request; beg for
**pegar**  to beat;  **— un tiro**  fire a shot
**pelea**  fight
**pelear**  to fight

**peligro** danger
**peligroso** dangerous
**pelirrojo** *n.* redhead; *adj.* redheaded
**pelo** hair
**peluca** wig
**peluquería** barbershop; **divisa de —** barbershop sign
**pena** pain; grief; sorrow; trouble; **valer la —** to be worth while
**pendencia** fight; quarrel
**pensamiento** thought
**pensar [ie]** to think; **— +** *infinitive* to intend to, plan to, expect to; **— en** to think of or about
**peor** worse; worst
**pequeño** small; little (in size)
**perder [ie]** to lose
**pérdida** loss
**perdonador** forgiving
**perdonar** to forgive
**perecer [zco]** to perish
**peregrinación** *f.* pilgrimage
**peregrino** pilgrim
**perenne** perennial, constant
**perfeccionar** to perfect
**perfidia** perfidy, treachery
**periódico** *n.* newspaper; *adj.* periodic
**periodismo** journalism
**permiso** permission
**perpetuar [úo]** to perpetuate
**perseguir [i]** to pursue; persecute
**personaje** *m.* personage; character (of a literary work)
**perspectiva** perspective; prospect
**pertenecer [zco]** to belong; pertain
**perturbar** to disturb, upset; perturb
**peruano** Peruvian
**pesadilla** nightmare
**pesar** *m.* grief; woe; **a — de** in spite of
**pescuezo** neck
**peso** weight

**picardía** mischief; rogue's way of life
**pícaro** rogue; mischief maker
**pico** peak; pickax
**pie** *m.* foot; **a —** on foot; **en —** standing
**piedad** *f.* piety
**piedra** stone
**piel** *f.* fur; skin
**pierna** leg
**pieza** piece; room; **— de teatro** theatrical piece
**pífaro** fife
**pimienta** pepper
**pintar** to paint
**pintor** *m.* painter
**pintura** painting
**pirata** *m.* pirate
**piratería** piracy
**Pirineos** Pyrenees
**pisar** to step on, trample
**piso** floor
**placer** *m.* pleasure
**plaga** plague
**plano** *adj.* flat
**plantear** to pose (a question); set, implant
**playa** beach
**plaza** town square
**plazo** period of time
**plebeyo** plebeian, pertaining to the common people
**plegaria** plea
**plenitud** *f.* fullness, fulfillment
**pleno** ample, full; in the midst of; **en plena sociedad** in the midst of society; **en pleno verano** in mid summer
**pluma** pen; feather
**población** *f.* population; town
**poblar [ue]** to populate, people **— de** to people with
**pobre** poor

**pobreza**  poverty

**poco**  little (in amount);  **— a poco**
little by little, gradually;  **por —**
almost; *pl.* few

**poder** *m.*  power; *v.* to be able, can;
**no — más**  not to be able to endure
any more;  **no — menos**  not to
be able to help (doing something)

**poderoso**  powerful

**poesía**  poetry; poem

**polémica**  polemic, intellectual
argument or debate

**política**  policy; politics

**político** *n.*  politician; *adj.* political

**polvo**  dust

**pompa**  pomp

**poner★**  to put; place;  **— a prueba**
to put to the test;  **— se**  to become; to set (the sun);  **— se a**  to
begin to; set oneself to

**populacho**  populace

**popularizarse**  to become popular

**por**  for; by; by means of; through;
along; around; per;  **— ejemplo**
for example;  **— eso**  therefore;
**— lo general**  in general;  **— lo
tanto**  therefore

**porque**  because

**¿Por qué?**  Why?

**porvenir** *m.*  future

**posada**  inn

**poseer★**  to possess

**posesionado**  possessed

**posterior**  later, subsequent

**postrarse**  to bow before, prostrate
oneself

**potencia**  power

**potente**  powerful, potent

**pozo**  well

**práctica**  practice

**prado**  meadow, field

**precario**  precarious, dangerous

**precio**  price

**preciso**  precise; necessary

**predicar**  to preach

**predominio**  domination

**pregonero**  town crier

**preguntar**  to ask, inquire

**premiar**  to reward

**premio**  reward

**prender**  to take prisoner;  **— se de**
to take a liking to

**prensa**  press

**prerrogativa**  prerogative, privilege

**preocupar**  to preoccupy; worry
**— se de**  to worry about

**preparativos** *m.pl.*  preparations

**presenciar**  to witness

**presentar**  to present; introduce

**presentir [ie]**  to have a foreboding
or presentiment

**presidido (de)**  presided over (by)

**preso** *m.*  prisoner; *adj.* captured

**prestar**  to lend

**pretor**  praetor (Roman official)

**prevaleciente**  prevailing; current

**prima**  cousin

**primer(o)**  first

**primo**  cousin

**príncipe** *m.*  prince

**principio**  beginning;  **al —**  at the
beginning; at first

**prisionero**  prisoner

**privado**  private; favorite

**proceso**  criminal trial

**proclamar**  to proclaim

**poderío**  power

**pródigo**  prodigal, spendthrift

**producir★**  to produce

**profano**  profane; unholy

**profecía**  prophecy

**profeta**  prophet

**profundo**  profound; deep

**prójimo**  fellow man

**promesa** promise
**prometer** to promise
**promulgar** to promulgate, enact
**pronominal** referring to pronouns
**pronto** soon; **de —** suddenly
**pronunciar** to pronounce; give (a speech, etc.)
**propiedad** *f.* property
**propio** one's own
**pro*poner*★** to propose
**proporcionado** well-built
**propósito** purpose
**pro*seguir*** [i] to continue on, go forth, pursue (an objective)
**protagonista** protagonist, central figure
**protectorado** protectorate, territory under another nation's control
**proteger** to protect
**protegido** favorite, protegé
**provecho** profit; benefit
**provechoso** profitable
**pro*venir*★** to come forth from, emanate from
**providencia** provision (of the law)
**provinciano** provincial
**provo*car*** to provoke
**próximo** next
**proyectar** to plan
**proyecto** project; plan
**prueba** proof; test; **poner a —** to put to the test
**publi*car*** to publish
**pueblecito** small town
**pueblo** town; people (nation or race); (the) people
**puente** *m.* bridge
**puerta** door; gate
**puerto** port; **— de mar** seaport
**pujante** upthrusting; powerful
**pulsar** to pulsate, throb
**puñado** fistful

**puñal** *m.* dagger
**punto** point; **a — de** about to; **— de vista** point of view

**que** *relative pron.* and *conj.* that; who; which; for; **el —** he who, the one who; **los —** those who; **lo que** what; **siempre —** whenever
**quebrantar** to break
**quebrar** to break
**quedar** to be left or remaining; **— se** to remain, stay
**queja** complaint
**quejarse (de)** to complain
**quemar** to burn
**querer★** to want; like; love; **— decir** to mean
**quien** (*pl.* **quienes**) who; whom
**químico** *n.* chemist; chemical; *adj.* chemical; pertaining to chemistry
**quinto** fifth
**quitar** to take away

**radi*carse*** to take root
**raíz** *f.* root
**rato** little while
**raya** dash; line; stripe; **tener a —** to hold at bay
**rayar (en)** to border (on)
**rayo** ray
**raza** race (of people)
**razón** *f.* reason; right; **tener —** to be right
**razonar** to reason
**reaccionar** to react; to come back into one's own
**reacio** reluctant; unwilling
**real** royal; real
**realidad** *f.* reality; **en —** actually, really
**realista** *n.* realist; royalist; *adj.* realistic; royalist

**realizar**  to realize, bring about, put into effect
**reanudar**  to renew
**rebelarse**  to rebel
**rebelde** *m.*  rebel; *adj.* rebellious
**recaudador**  collector (of supplies)
**recibidor** *m.*  receiver
**recibir**  to receive
**recien(te)**  recent; recently
**reclamar**  to reclaim
**recobrar**  to recover
**recogerse**  to seek refuge
**reconcentrar**  to concentrate, gather together
**reconocer [zco]**  to recognize
**reconquista**  reconquest
**reconquistar**  to reconquer
**recordar [ue]**  to remember; remind of
**recorrer**  to cover (territory); travel about in
**recostarse [ue]**  to lie down
**recuerdo**  memory
**recuperar**  to recoup, get back
**recurso**  resource; resort, recourse
**rechazar**  to reject; set back, repel
**red** *f.*  net; network
**redoma**  flask
**redondeado**  rounded
**redondo**  round
**re*ducir**  to reduce
**reemplazar**  to replace
**referir [ie]**  to tell, relate; — se a to refer to
**refinamiento**  refinement
**reflejar**  to reflect
**reformador** *m.*  reformer; *adj.* reform(ing)
**reforzar [ue]**  to reinforce
**refrán** *m.*  proverb; refrain
**refugiado**  refugee
**refugiarse**  to take refuge
**regalar**  to give as a gift

**regalo**  gift
**regente, a**  regent, temporary ruler
**régimen** *m.*  regime
**regimiento**  regiment; running (of a house, etc.)
**regir [i]**  to rule
**registrar**  to register; examine; make (an appeal, etc.)
**regla**  rule
**regresar**  to return
**regreso**  return
**rehusar**  to refuse
**reinado**  reign
**reinar**  to reign
**reino**  kingdom
**reír***  to laugh; — se de to laugh at
**reivindicar**  to vindicate
**relámpago**  lightning bolt
**relevado**  outstanding, massive
**reliquia**  relic
**reluciente**  shining
**remediar**  to remedy
**remedio**  remedy; alternative
**remendar [ie]**  to mend
**remordimiento**  remorse
**remover [ue]**  to stir
**renacentista**  (of the) Renaissance
**renacer [zco]·**  to be born again
**renacimiento**  rebirth; renaissance
**rencilla**  feud; grudge
**rencor** *m.*  grudge
**rendición** *f.*  surrender
**rendido**  exhausted
**rendirse [i]**  to surrender
**renegar [ie]**  to renege; — de to renege on
**renovador** *m.*  renovator; *adj.* renovating, renewing
**renunciar**  to renounce, give up
**reparar**  to repair
**repartir**  to divide, share
**repente: de —**  suddenly

**repertorio**  repertoire
**repetir** [i]  to repeat
**repicar**  to ring out (of a bell)
**represalia**  reprisal
**representación** *f.*  performance
  (of a play)
**representar**  to represent; perform
**requerir** [ie]  to require
**resaltar**  to stand out
**rescatar**  to ransom; rescue
**rescate** *m.*  ransom
**resentimiento**  resentment
**resentirse (de)** [ie]  to resent
**residir**  to reside
**resolver** [ue]  to resolve; solve
**resonante**  resounding
**resonar** [ue]  to resound
**respaldar**  to back up, support
**respecto**  respect, aspect, regard;
  **— a**  with regard to
**respetar**  to respect
**respeto**  respect, deference
**respirar**  to breathe
**resplandor** *m.*  glow
**responder**  to answer, respond
**restablecer** [zco]  to reestablish
**restante**  remaining
**restauración** *f.*  restoration
**resto**  rest, remainder; *pl.* remains
**resucitar**  to revive, resuscitate
**resuelto**  resolved
**resultado**  result
**resultar**  to turn out; result
**resumen** *m.*  résumé, synopsis
**resumir**  to sum up
**retador** *m.*  challenger
**retar**  to challenge
**retirada**  retreat; withdrawal
**retirarse**  to withdraw; retreat
**reto**  challenge
**retraído**  withdrawn
**retrato**  portrait

**retroceder**  to retreat, fall back
**retroceso**  retrogression
**retumbar**  to resound, reverberate
**reunir** [úno]  to gather together;
  (re)unite;  **— se**  to join together;
  meet
**revelar**  to reveal
**reverenciar**  to revere
**revista**  magazine
**revocar**  to revoke
**revuelta**  revolt
**rezar**  to pray
**rienda**  rein
**rincón** *m.*  corner
**río**  river
**riqueza**  riches, wealth
**risa** (*also pl.*)  laugh; laughter
**rítmico**  rhythmic
**ritmo**  rhythm
**rito**  rite, ritual
**rivalizar**  to rival
**robar**  to steal
**rociar** [ío]  to sprinkle
**rodar** [ue]  to roll
**rodear**  to surround;  **— se de**
  to surround oneself with
**rogar** [ue]  to beg; pray
**rojo**  red
**romance** *m.*  ballad; *adj.* romance
  (language), of Roman origin
**romancero**  collection of ballads
**romper** (*past part.* **roto**)  to break
**rostro**  face (poetic)
**roto**  broken
**rubio**  blond
**rudeza**  roughness, lack of refinement,
  crudeness
**rudo**  rough, crude
**rugido**  roar
**rugir**  to roar
**ruido**  noise
**ruin**  worthless, of no account

**rumano** Rumanian
**rumbo** direction; __ **a** on the way to
**ruta** route

**sábana** sheet
**saber★** to know; know how
**sabiduría** wisdom; knowledge
**sabio** n. scholar; wise man; adj. wise
**saborear** to savor, taste
**sabroso** tasty
**sacar** to take out; stick out __ **un retrato** to make a portrait
**sacerdocio** priesthood
**sacerdote** priest
**saco** sack; ravaging
**sacudir** to shake
**sagaz** wise
**sagrado** holy
**sal** f. salt
**salida** exit; leaving
**salir★** to go out; to leave
**salmo** psalm
**salón** m. large room, hall
**salpicar** to sprinkle
**saltar** to jump
**salterio** psalter (ancient instrument)
**salto** jump
**salud** f. health
**salvaje** savage
**salvar** to save
**salvo** safe; **a** __ safe, out of danger
**sanctificar** to sanctify
**sangrar** to bleed
**sangre** f. blood
**sangría** bloodletting
**sangriento** bloody
**sanguijuela** leech
**santidad** f. holiness
**santo** n. saint; adj. holy, sacred; saintly
**santuario** sanctuary
**saña** rage

**saquear** to sack, plunder
**saqueo** sacking
**sarraceno** Saracen
**satánico** Satanic, diabolical
**sazón** f. season; **a la** __ at the time
**seco** dry
**secuestrar** to kidnap
**secular** secular, lay, nonreligious
**secundar** to second, support
**sed** f. thirst
**seda** silk
**sediento (de)** thirsty (for)
**seducir★** to seduce
**seguida: en** __ at once, immediately
**seguir [i]** to follow; continue; keep on
**según** according to
**seguridad** f. security; safety
**seguro** sure; safe
**sellar** to seal
**selva** forest; jungle
**semblanza** semblance, appearance
**sembrar [ie]** to sow
**semejante** similar
**semilla** seed
**sencillo** simple
**seno** breast
**sentencia** sentence; wise saying
**sentenciar** to sentence
**sentido** sense
**sentimiento** sentiment; feeling
**sentir [ie]** to feel; feel sorry, regret
**señal** f. sign; signal
**señalar** to point out; indicate
**señorial** belonging to an aristocratic family or personage; **anti-** __ anti-noble
**sepulcro** tomb
**sepultura** grave
**séquito** retinue, entourage; followers

**ser★** to be (refers to identity, characteristics, and qualities); **llegar a —** to become

**serpentear** to wind about

**servil** servile, cringing

**servir [i]** to serve; **— de** serve as

**setenta** seventy

**seudónimo** pseudonym, assumed name

**siempre** always; **— que** whenever; **para —** forever

**siglo** century; **S — de Oro** Golden Age

**silbido** whistle

**significado** meaning

**significar** to mean

**significativo** significant, meaningful

**sílaba** syllable

**silla** chair

**sin** without; **— embargo** nevertheless

**singularísimo** most unusual

**sino** but (contradicts, after a negative); **— que** but (before a verb)

**siquiera** even; **ni —** not even

**sistema** *m.* system

**sitiar** to lay siege

**sitio** place; siege

**soberanía** sovereignty

**soberano** sovereign

**soberbia** arrogance

**sobra: de —** all too well; excess(ive)

**sobrar** to be in excess

**sobre** about, concerning; on; above

**sobrehumano** superhuman

**sobrenatural** supernatural

**sobrenombre** surname

**sobresalir★** to excel

**sobrevenir★** to happen; be forthcoming

**sobreviviente** survivor

**sobrevivir** to survive

**sobrino** nephew

**sobrio** sober, serious

**socarronamente** slyly, sarcastically

**sofocar** to suppress, quell; suffocate

**soguilla** rope, tether

**sol** *m.* sun; **bajo el —** in or under the sun

**soldado** soldier

**soledad** *f.* solitude; loneliness

**soler [ue]** to be accustomed to

**solicitar** to request, solicit

**solo** alone

**sólo** only

**soltar [ue]** to let loose; to free, let out

**sollozo** sigh

**sombra** shadow

**sombrío** somber

**someter** to submit; subject; conquer

**sonido** sound

**sonoridad** resonance

**sonreír [ío]** to smile

**sonrisa** smile

**soñar con [ue]** to dream of

**soportable** bearable

**sospecha** suspicion

**sospechar** to suspect

**sostener★** to support; sustain

**suave** soft; smooth

**súbdito** subject

**subida** rise

**subir** to rise; go up; climb

**sublevación** *f.* uprising

**subrayar** to underline; emphasize

**subvencionar** to subsidize

**suceder** to happen; succeed (in order), follow

**suceso** event

**sucesor, a** successor

**sudor** *m.* sweat

**suegra** mother-in-law

**suelo** ground, earth; floor

**suelto** loose; free

**sueño** dream; **tener —** to be sleepy

**suerte** *f.* luck; **tener —** to be lucky; **La — está echada.** The die is cast.

**sufrimiento** suffering

**sugerir [ie]** to suggest

**suma** sum

**sumamente** extremely

**sumar** to sum up

**sumergir** to submerge

**sumir** to plunge; **— se** to plunge, wallow, drown oneself (in misery, etc.)

**sumo** extreme

**superarse** to outdo oneself

**superficie** *f.* surface

**suplicar** to beg

**suplir** to make up for, supplement; supply

**supuesto** supposed; **por —** of course

**sur** *m.* south

**surgir** to arise, surge forth

**suspirar** to sigh

**suspiro** sigh

**sustituir [uyo]** to substitute

**tablado** platform; stage

**tabletear** to tap

**tal** such a; *pl.* such; **— vez** perhaps; **con — que** provided that

**talón** *m.* heel

**talle** *m.* figure; physique

**también** also

**tan** as; so

**tanto** as much, so much; *pl.* as many, so many; **— como** as much (many) as; **mientras —** in the meantime

**tañer** to play (a guitar, etc.)

**tapar** to close up; hide

**tapiz** *m.* tapestry

**tardar (en)** to delay (in), take long (to); take (a certain length of time) to

**tarde** *f.* afternoon; *adv.* late

**tarea** task

**teatro** theater; drama

**técnica** technique

**techo** roof

**tejer** to weave

**tejido** fabric

**tela** cloth

**telaraña** cobweb

**temblar [ie]** to tremble

**temblor** *m.* tremor; earthquake; flicker (of emotion, etc.)

**temer** to fear

**temible** fearsome, frightening

**tempestad** *f.* storm, tempest

**templar** to temper; **— se** to become more refined

**temporal** worldly; temporary

**tenaz** tenacious, stubborn

**tender [ie]** to hold out; **— una oreja** to bend an ear

**tendero** storekeeper

**tenancia** tenancy

**tener*** to have, possess; **— a bien** to see fit to; **— la culpa** to be at fault; **— que** to have to; **— que ver con** to deal with, have to do with; **— razón** to be right

**teniente** lieutenant

**tentación** *f.* temptation

**tercer(o)** third

**terciopelo** velvet

**terminantemente** definitely; in no uncertain terms

**terminar** to finish

**término** term; end

**terrateniente** landholder

**terremoto** earthquake

**terrenal** earthly

**tesoro** treasure

**tiempo** time

**turno** turn

**tierra** land; earth; country

**tijeras** *f.pl.* scissors

**tiniebla** shadow

**tío** uncle

**tirano** tyrant

**tirar** to throw; fire (a gun)

**tiro** shot

**titán** Titan (gigantic mythological figure)

**títere** *m.* puppet

**titular (se)** to entitle

**tocar** to touch; play (an instrument); **— le a uno** to be one's turn or fate

**tocino** bacon

**todavía** still; yet

**todo** all; every; each; **del —** at all, everywhere; **por todas partes** everywhere

**tomar** to take; eat; drink

**tonto** *n.* fool; *adj.* foolish

**toro** bull

**torre** *f.* tower

**tortuga** turtle

**tortuoso** winding, tortuous

**tosco** crude, coarse

**trabado** twisted up, tangled

**trabajador** *m.* worker; *adj.* hard-working

**trabajar** to work

**trabajo** work; **costar —** to be difficult

**tra***ducir*★ to translate

**traer**★ to bring

**traición** *f.* treason

**traicionar** to betray

**traidor** traitor

**trama** plot (of a play, etc.)

**tramitar** to negotiate about

**trampa** trick; trap

**tranquilo** peaceful, tranquil

**transporte** *m.* transportation

**tras** after (following)

**trasladar (se)** to move from one place to another; transfer

**traslado** transfer

**trasquilar** to shear (sheep)

**trastos** *m.pl.* junk; useless knickknacks

**tratado** treaty; **— de paz** peace

**tratamiento** treatment

**tratar** to treat; **— de** to try; **— se de** to be a matter or question of

**trato** treatment, way of dealing with people

**través: a — de** across; through, by means of

**travesura** mischief

**trazar** to trace; draw

**trecho** distance; space

**tribu** *f.* tribe

**trino** bird's warble; trill

**trepar** to climb

**tripas** *f.pl.* (*slang*) stomach, "guts"

**tripular** to man (a ship, etc.)

**triste** sad

**tristeza** sadness

**triunfal** triumphal

**triunfante** triumphant

**triunfar** to triumph

**triunfo** triumph

**trono** throne

**trovador** troubadour, court singer

**trozo** piece; bit; excerpt

**trueno** thunderclap

**tumba** tomb

**u** or (*before* **o** *or* **ho**)

**ufanarse (de)** to take pride (in); boast (about)

**último** last; **por —** finally

**unánime** unanimous

**único** only; unique
**unificar** to unify
**unir (se)** to unite; gather together
**unos** some, a few, several
**utilizar** to utilize
**Utopía** Utopia (name given to depict an ideal land)

**vacilar (en)** to hesitate (to)
**vacío** *n.* vacuum; *adj.* empty
**vagabundo** vagabond
**valentía** bravery
**valer★** to be worth; **— la pena** to be worth while
**valeroso** brave
**valiente** brave
**valioso** valuable
**valor** *m.* bravery, valor; worth; (*fig.*) outstanding figure
**valla** enclosed area
**valle** *m.* valley
**vano** vain; **en —** in vain
**vaquilla** young cow
**variante** *f.* variant (in language usage)
**varón** man
**varonil** manly, virile
**vasallo** vassal
**vasco** Basque
**vascongado** Basque
**vascüence** *m.* Basque language
**vecindad** *f.* neighborhood; vicinity; **casa de —** tenement house
**vecino** *n.* neighbor; *adj.* neighboring; **muy — de** very close to
**veinte** twenty
**vejez** *f.* old age
**vela** candle; sail (of a ship)
**velero** sailing ship
**vena** vein
**vencedor** *m.* conqueror; winner
**vencer** to conquer; defeat
**vendedor** *m.* seller

**vender** to sell
**venezolano** Venezuelan
**venganza** vengeance
**vengar** to avenge; **— se de** to take revenge on
**vengativo** vengeful
**venir★** to come
**venta** inn
**ventaja** advantage
**ventajoso** advantageous
**ventero** innkeeper
**ventura** venture; adventure; fate; fortune
**ver★** to see; **tener que — con** to have to do with
**verano** summer
**veras: de —** really
**verdad** *f.* truth
**verdadero** true; real
**verde** green
**verdugo** executioner
**vergonzoso** shameful
**verter en** [ie] to pour into
**vértigo** dizziness, vertigo
**vestido** *n.* dress; outfit; *pl.* clothes; *adj.* dressed
**vestigio** vestige, trace
**vestir (se)** [i] to dress; **el vestir** way of dressing
**vez** *f.* time, instance, occasion; **a la —** at the same time; **cada — más** more and more; increasingly; **de una —** once and for all; **en — de** instead of
**viajar** to travel
**viaje** *m.* trip; **hacer un —** to take a trip
**viajero** traveler
**vicio** vice
**vida** life
**vidrio** glass
**viejo** old

**viento** wind

**vientre** *m.* stomach

**vigilar** to watch

**vihuela** old guitar; lute

**villa** (*archaic*) township

**villancico** Christmas carol

**villanía** crude behavior or act; scoundrelly deed

**vino** wine

**virreinato** viceroyalty (large area of colonial America under the jurisdiction of a viceroy)

**virrey** Spanish governor of the various American colonies

**virtud** *f.* virtue

**vislumbre** *f.* glimpse

**vista** view

**vistoso** showy

**viuda** widow

**vivaracho** boisterous, lively

**vivir** to live

**víveres** *m.pl.* food supplies

**volar** [ue] to fly

**volátil** volatile; temperamental; ebullient

**volcán** *m.* volcano

**volver** [ue] (*past part.* **vuelto**) to return, go back; — **a** + *infinitive* to (do something) again; — **se** to turn around

**vuelo** flight

**vuelta** return

**vuelto** returned; having returned

**vulgo** the hoi-polloi, low class

**ya** already; by then; — **no** no longer

**yacer** [zco] to lie (as dead)

**yelmo** helmet

**yerra** (*3rd person sing. pres. indic.* **errar**) he errs, misses

**zaga** rear, **ir en** — to lag behind

**zapato** shoe

**zarpar** to set sail

**zarzuela** Spanish operetta

# Índice

◈

*Format by Susan Bishop*
*Set in Monotype Bembo*
*Composed by Santype Limited*
*Printed and bound by The Haddon Craftsmen, Inc.*
HARPER & ROW, PUBLISHERS, INCORPORATED